LE GUETTEUR
DE RIVES

JACQUES CHANCEL

LE GUETTEUR
DE RIVES

Le Grand-Livre-du-Mois

1983, fin décembre : tenir un journal pour dépeupler ma mémoire. J'ignore s'il sera publié. Peu importe. Je sais qu'il m'aura fait revivre ce qui m'a frappé, ému ou mis en colère. Des notes, pas plus; rien à voir avec *le Temps d'un regard*, écrit en 1978 pour être édité. Ici, en vrac, je sèmerai à tout vent. J'ai envie de mettre à profit ces rares minutes d'abandon où un peu de temps m'est laissé. Je ne m'imposerai pas un travail, mais une détente. Peut-être l'interromprai-je demain ou dans un mois. Les événements en détermineront le destin. Une seule chose est sûre : je veux y casser le rythme de ma course.

J'ai d'affectueux rapports avec l'éphémère.

Il n'y eut jamais de haine plus répandue contre quelqu'un ou quelque chose. Déchirée par les gueules de la politique la *télévision* devra prendre le parti d'ignorer ces princes freluquets pour la plupart et affligés de démagogie galopante. Étrange! Nous sommes d'un pays, magnifique et glorieux, où le n'importe quoi est érigé en monopole et, parce que crié du haut du Sénat ou de la Chambre, pris pour une vérité. La voilà encore, cette télévision, mise au banc des accusés : ce sont ses étrennes coutumières. Les rapports sur le budget de la communication audiovisuelle établis par les sénateurs Jean Cluzel et Charles Pasqua sont en effet sévères pour les gestionnaires du petit écran. Notre maladie serait si grave qu'il n'est pas d'ordonnance possible. On ne pourra jamais convaincre ces honnêtes parlementaires de la difficulté de nos entreprises. La gangrène est d'ailleurs si dispensée que l'on condamne toutes choses sans enquête, au nom de la rumeur. Dans nos classes d'enfance on appelait cela « cafter ». Les moins informés généralisent et l'on sait que les ignorants parlent d'abondance. Un plus frileux que moi devrait se taire puisque me voici épargné, glorifié

7

même, mais je me méfie de l'habileté et de la prudence. M. Cluzel cite le « coût surprenant de certaines émissions, 170 millions de centimes pour " Coco-Boy ", de Collaro, 120 millions pour " les Cinglés du music-hall ", d'Averty, productions d'une durée de soixante minutes... alors que le " Grand Échiquier " ne coûte que quarante-huit millions l'heure ». Merci, c'est vrai, mais ce n'est pas aussi simple. Tout délateur besogneux devrait savoir qu'il faut à Stéphane Collaro et à Jean-Christophe Averty une machinerie imposante pour arriver à leurs fins, que la création passe par un système de recherche compliqué et onéreux. Puis-je faire observer qu'un programme comme le mien ne pourrait être réalisé ailleurs qu'avec une rallonge d'au moins le triple de la somme engagée? Hélas! tout cela n'intéresse pas nos honorables parlementaires qui vont jusqu'à comparer ce qui n'est pas comparable. Il y avait pourtant tellement à dire! Sur la manière de travailler, sur nos bonnes œuvres – ne sommes-nous pas obligés de subvenir aux besoins de quelques grandes sociétés? –, sur le trop-plein de nos viviers, entretenu par les syndicats, sur le copinage engendré par les pouvoirs, sur le talent, matière incertaine et non privilège d'école. N'allez pas imaginer que nous nous croyons innocents : nous connaissons nos faiblesses, mais nous enrageons qu'on ne sache plus frapper juste. La télévision est une nourriture que l'on croque outrageusement. Preuve que les ogres viennent du dehors. Au fait, pourquoi ces passions suscitées par le petit écran? *Réaction de peur*, expliquent l'économiste Jean-Louis Missika et le sociologue Dominique Wolton, que j'ai reçus la semaine dernière à la radio. Peur notamment des intellectuels, qui ont vu leur pouvoir distribué au plus grand nombre à travers un média qu'ils ne contrôlaient pas. Peur des hommes politiques, qui ont cherché à l'accaparer, croyant à tort à sa toute-puissance. *Réaction d'ignorance*. On a pensé à la place du public, surtout dans les systèmes de télévision d'État, où l'on a considéré notre boîte à images comme un moyen d'éduquer les peuples, d'élever leur niveau culturel. D'une certaine façon, estiment Missika et Wolton, on a confondu la télévision avec une salle de classe et on a bêtement imaginé que le public s'adapterait à ce que l'on pensait bon pour lui.

Au détour d'une conversation sur ce grand sujet, où que ce soit, quelqu'un dira : « Nous payons pour elle. » Parlons-en, de cette fameuse *redevance*. Avec Christian Dutoit, nous l'avons mise en question. Elle s'élevait en 1983 à *471* francs, ce qui fait 1,29 franc par jour et par foyer (moyenne : trois téléspectateurs). Chacun d'entre nous règle donc quotidiennement 0,43 franc pour avoir à discrétion TF1, Antenne 2, FR3 et toutes les radios nationales, soit trente heures d'images sur les « étranges lucarnes », soixante-dix heures sur les transistors et autres appareils (France-Inter, France-Culture, France-Musique, FIP, Radio-France outre-mer, les stations régionales). De plus, pour cette même somme de 0,43 franc, le téléspectateur ainsi « écrasé » par la taxe assure le fonctionnement de la SFP, de l'INA, de TDF, énormes panthéons de la communication audiovisuelle. Je rappelle, en passant, qu'un journal coûte 3,50 francs, un ticket de métro, 2,40 francs.

La télévision a un tel goût des largesses qu'elle offre gratuitement ses programmes à une armada d'hebdomadaires qui en font commerce. C'est dans l'ordre des choses et je n'y trouve rien à redire : nécessité du service public qui en bien des points nous arrange. L'irrégularité est ailleurs : dans cette incompréhension à vouloir tenir les médias enchaînés. Je cherche en vain un produit étiqueté à 0,43 franc. Sommes-nous donc à ce point les dupes d'un système? La délivrance viendra lorsque nous n'aurons plus à quêter une quelconque redevance.

Noël. – Miro est mort et je ne l'aurai pas accueilli, pas même vu. Il y a, dans nos vies trop encombrées, des rendez-vous manqués, de regrettables absences. Sans doute n'ai-je pas su entrer dans l'inconscient qui était son monde, dans sa peinture poétique. Pour lui, comme pour Cohen, je n'étais plus assez enfant. Ce grand nonagénaire n'aura pas souffert des triomphes de Picasso ou de Dali, ses compatriotes, fauves d'Espagne. Il sera pour l'Histoire l'un des fabulistes du XXᵉ siècle. Il aura « exprimé précisément toutes les étincelles d'or de notre âme ». Il n'aura fait aucune différence entre peinture et poésie. J'irai le voir à Barcelone.

25 décembre. – Maria Callas aurait eu soixante ans le 2 décembre et ce soir – qu'importe le retard – quatre des plus grandes scènes lyriques du monde la fêtent magnifiquement, avec respect mais sans grandeur d'âme. Les opéras de Milan, de Chicago, de Londres et de Paris ont retransmis simultanément sur Antenne 2 leur salut à la diva. La réussite est totale, les voix sont hautes et pleines mais il manque pourtant l'essentiel à cet hommage : un peu d'amour. Les musiques et les chants se sont fait entendre mais il y eut absence de cœur. Chaque théâtre jouait sa partition. Dans l'indifférence du souvenir. Callas

11

devait en être malheureuse puisque – est-ce mon poste ou le tremblement d'une bande d'enregistrement? – j'ai cru entendre comme du faux dans ses aigus.

28 décembre. – Les vieux papiers s'accumulent; ils encombrent mes armoires et ce matin, pour le seul plaisir de hautes flammes dans la cheminée, j'ai fait le ménage, je brûle ce qui pourtant m'avait paru digne d'intérêt. Parfois, très rarement, je mets de côté une note, un article. Ainsi, pour quelques minutes, la chronique de René Minguet, directeur en 1975 des *Nouvelles littéraires* échappe au feu. Je la relis avec jubilation et cela est la marque du temps puisqu'à l'époque elle nous avait fait mal. M. Minguet, dont l'histoire de la presse ne retiendra même pas la trace, écrit à la date du 31 mars 1975 : « Marcel Jullian pratique la politique du prestige, il veut épater. Ses attitudes et ses initiatives font parler de lui. Mais l'habit qu'il se taille sera très vite celui d'un gueux. Son penchant à la gloriole donne le branle au gaspillage des deniers publics. Ainsi Georges Mathieu a reçu de lui deux millions nouveaux en échange de l'image de marque fournie pour Antenne 2. Le graphiste Folon a demandé pour sa propre livraison la moitié de ce pactole en l'assortissant d'un pourcentage sur chaque passage dans les émissions. » Bien évidemment tout est faux, j'en porte témoignage et je suis bien placé pour cela. J'ai choisi, seul, et Mathieu et Folon, seul j'ai travaillé sur le sigle et le générique que l'on connaît, c'est par belle amitié qu'ils ont offert ce cadeau à la chaîne que Marcel venait de créer, pour lui manifester leur estime et me dire leur fidélité. Jamais il ne fut question d'argent. Mathieu n'a jamais touché le moindre centime et Folon qui voyait s'envoler matin et soir ses bonshommes n'eut jamais la chance d'être poursuivi par des royalties.

La modicité de la publication, ou plutôt l'absence de notoriété de son directeur – je reprends les mots de Jullian –, inclinait à l'indulgence. C'était laisser passer

12

l'occasion de remettre toutes choses à leur place. A titre de réparation et au profit des œuvres sociales d'Antenne 2 nous avons donc réclamé aux *Nouvelles littéraires* le versement symbolique de la différence entre les sommes – deux cents millions et cent millions – que, selon M. Minguet, nous aurions fait verser à nos artistes et les sommes qui avaient été réellement remises. Les préparatifs du procès furent amusants, l'embarras de l'accusateur enfantin. Le 28 novembre 1975 nous recevions enfin cette lettre du même René Minguet : « J'éprouve d'autant moins de difficulté à vous donner satisfaction que ma bonne foi fut et reste totale. Ce que j'ai écrit procédait de renseignements au sujet desquels *il m'est revenu depuis qu'ils étaient erronés.* » Que ne fait-on pas au nom de la bonne foi!

J'ai consacré trois heures à Jean-Michel Folon, qui s'adresse moins aux gens qu'à leur œil. Je suis heureux qu'il nous ait donné cette longue phrase visuelle qui bouleverse la navigation de l' « Échiquier ». Des centaines de lettres nous parviennent : « Merci pour cette féérie ». Souvenons-nous de Maupassant : « L'œil boit le monde, les couleurs, les mouvements, les livres, les tableaux, ce qui est beau et ce qui est laid, et il en fait des idées. »

30 décembre. – Rappelez-vous le *Je me souviens* de Georges Perrec, merveilleux petit livre où l'ami disparu mémorisait en une seule phrase, commençant toujours par « Je me souviens », ces étincelles de quelques *faits* arrachés au feu de l'année. Jouons à ce jeu pour en finir avec 1983.

Je me souviens de Luis Buñuel qui avait au ciel son rendez-vous de juillet.

Je me souviens de Frédéric Dard qui n'a plus ri une seule fois depuis...

Je me souviens de Raymond Aron que je devais accueillir à la radio le 18 octobre, le lendemain de sa mort.

13

Je me souviens du Cambodge que le monde a oublié et du Vietnam où se poursuit une guerre de cent ans.

Je me souviens d'avoir raté le jeune pianiste Stanislas Bounine, grand lauréat du concours Marguerite Long-Jacques Thibaud.

Je me souviens de Soljenitsyne racontant à Pivot sa vie d'écrivain, son rôle d'homme.

Je me souviens du 24 décembre : un agneau nous est né à minuit dans la petite bergerie de Miramont.

Je me souviens de ceux qui ne se souviennent plus d'avoir voté Mitterrand en 1981.

Il y aurait encore beaucoup de souvenirs à ramasser à la pelle. On peut d'ailleurs en faire un bouquin. La preuve? Relisez Perrec.

31 décembre. – Daniel Boulanger, qui mène ses livres par deux, publie aujourd'hui une suite de nouvelles sous le titre *les Jeux du tour de ville* – véritable collier de perles baroque – et un recueil de poèmes, *Drageoir*. Je comprends ces pères de famille qui permettent à leurs enfants, dès la naissance, de se donner la main. Il y aura toujours un ouvrage pour sauver l'autre. A la page 12 de *Drageoir* je lis...

Une lampe tombe
dans le foin du crépuscule
Seau à seau les mots font
la chaîne

Enchaînons. Dans trois heures nous toucherons le millésime 84 cher à Orwell.

1er janvier 1984. – Le brouillard comme une fumée, épaisse, avec dans le ciel de minuit des éclaircies qui silhouettent la montagne... 1984 se lève lourdement. J'aime que l'année s'habille d'un tel manteau. J'aurais apprécié qu'il y eût le tapis moelleux des neiges de l'enfance. Mais le blanc s'est retiré très haut jusqu'à disparaître. Miramont, notre vieille maison, chante. Ils sont une vingtaine, les fidèles, les irremplaçables, mes amis d'ici. Pas le moindre serpentin, pas le moindre faux nez, les masques sont restés à Paris. Mais une joie saine qui n'est pas que de circonstance. Je suis de plus en plus sensible à cette grâce des cœurs vrais. Nous évoquons les absents. Monique et Bernard Pivot, Odette et Lino Ventura, retenus par les leurs, et Michel Rigot, commandant au Tchad qui part dans une heure sur les pistes du désert, et quelques autres de bonne compagnie qui ont laissé chez nous des traces. Je plains ceux qui n'ont que des relations.

Les rythmes endiablés ont passé le relais au *Messie* de Haendel que nous écoutons dans l'excellent enregistrement de Klemperer à la tête du Philharmonia Orchestra, avec Elisabeth Schwarzkopf, Grace Hoffman, Nicolaï Gedda et Jerome Hines.

Il est 3 h 15. Un dernier carré monte la garde devant le petit écran où nous retrouvons José Ferrer dans le film de Stanley Donen *Au fond de mon cœur*. Le scénario est stupide mais la mise en scène et l'interprétation brillantes. Cyd Charisse et Gene Kelly, seulement de passage, valent tout de même une veille. FR 3 nous offre une nuit blanche mais l'aventure est frileuse, nous n'irons pas au-delà de 8 heures, la ronde s'arrêtera avec *les Cent Fusils* de Tom Gries. Nous sommes loin de mes anciennes folies sur Antenne 2, de ces fameuses « Vingt-quatre heures de cinéma non-stop » qui nous valurent cent millions de téléspectateurs et en prime la haine des princes-distributeurs du septième art plus occupés de leur gousset que de notre plaisir. Quel bonheur que ce viol!

Tara m'appelle de toute la force de ses six mois. Les aboiements se font pressants. Splendide, notre énorme petite chienne des Pyrénées. Je n'ai pas oublié ce midi de fin juillet où nous allâmes la chercher dans une ferme de Bun. Elle avait à peine trois semaines; Katia et Marielle Labèque furent les premières à la prendre dans leurs bras. La boule est devenue avalanche.

Ça recommence, la perfidie est avancée, l'homme réapprend à manier ses fines aiguilles de dentellière peureuse. Attendri par tant de persévérance je lis sa lettre confiée aux soins du *Monde*... « Faites l'expérience, écrit-il. Parlez de livres aux gens. Dans les dix minutes, même avec des intellectuels hauts de gamme, vous pouvez être sûr que la conversation viendra sur la télévision et n'en sortira plus. " Je n'ai pas lu X. mais il a bien rivé son clou à Y., l'autre soir ! " " Z. avait une drôle de robe, mais elle a souffert c'est évident. " Si la télévision avait existé du temps de Proust et l'avait invité, à un débat sur l'asthme par exemple, on aurait entendu le lendemain au bureau : " Dites voir, cette moustache, cette raie au milieu, cette voix perchée, ce ne serait pas un homo par hasard ? " La vie littéraire, en 1983, s'est encore pliée un peu plus aux exigences et aux chatoiements de la mise en spectacle généralisée. »

Et voilà pour Pivot.

Un peu plus loin, la plume du désespéré se fait noire... « Prenez les morts. Une bonne " nécro ", avec de belles images, bien émues, c'est vendeur, ça, coco. Quelle mine ! Ainsi périrent Malraux, Sartre, Aragon : canonisés. Cette année Aron a suivi... D'autres morts ont fait recette : Cocteau, vingt ans après, mis en feu de camp sympa, et tout, sans une pensée sur son œuvre... »

Et voilà pour Chancel.

Adorable Bertrand Poirot-Delpech qui fait porter tout le poids des mots à l'audiovisuel, responsable à ses yeux de l'appauvrissement du monde. Il n'a pas totalement tort, le cher homme, mais il devrait le dire autrement, avec plus de sérieux, une sémantique plus affinée, en se livrant à une enquête qui appelle le travail ou du moins la curiosité, en se cherchant d'autres têtes. On le plaint de se montrer si jaloux, à ce point dépossédé de ce qu'il croit être sa réserve de chasse : le monde des livres. J'en suis d'autant plus navré que nous devrions combattre ensemble, pour ce que nous aimons, ce que nous croyons devoir faire passer. Bertrand poursuit avec un peu plus de gaieté sous la plume : « Derrière les effets de grosse caisse, l'orchestre littéraire, pour qui veut bien tendre l'oreille, a continué à faire entendre, en 1983, les traits de flûte qui sont sa raison d'être (...) La lecture regagne du terrain. A l'image de José Corti *(Souvenirs désordonnés)*, des petits éditeurs se sont créés, en province surtout. Ils ressortent des oubliés : Gadenne, Calet, Guérin, Bove... » Et là je m'étonne car j'ai sur ma table une lettre, arrivée ce matin, d'Hubert Nyssen, l'animateur d'Actes Sud, responsable justement de la nouvelle vie de Gadenne : « Poirot-Delpech est sourd à nos approches. Ne devrait-il pas nous aider ? »

Le cher Bertrand se plaint en fait de tout ce qu'il n'a pas eu : une émission littéraire à la télé – il l'avait proposée à Jullian –, un rôle plus important à « Boîte aux lettres », sur FR 3, près de Jérôme Garcin, où il venait chaque semaine lire une page de littérature, ce qui n'est pas très fatigant, un fauteuil à l'Académie française. Pourquoi ne nous donne-t-il pas une suite du *Grand Dadais*, puisqu'il est d'abord écrivain !

3 janvier. – On s'interroge de tous côtés sur le phénomène Montand. Discours passionnel d'un homme passionné, approche politique nouvelle, nerfs à fleur de peau. Le chanteur-comédien change de registre, passe à la vitesse supérieure. Je le regarde, il a l'innocence vraie, la foi des justes; ailleurs, pour tant de sincérité, on le tuerait. Il écoute, il explose, il bafouille, il s'adresse à tous, aux ouvriers, aux intellos, aux jeunes, aux vieux, à ceux qui croient au ciel, à ceux qui n'y croient plus. Il paraît crédible parce qu'il est vivant et que le langage partisan est mort. Une bienheureuse tornade. J'entends déjà la rumeur : « Il s'est trompé, il demande maintenant le pardon. » Point du tout, on l'a trompé et c'est différent. Je le connais, je me souviens de nos querelles au moment de l'entrée des troupes viets à Saigon, il n'a jamais dissimulé ses erreurs et sa prise de conscience est d'autant plus évidente. Mort au stalinisme, Cocteau emportait le feu, lui il le met aux poudres. Et sur le plateau d'Armand Jammot, aux « Dossiers de l'écran », ce soir est un brasier. La colère de Montand n'est pas d'hier. Il en avait ouvert les vannes au cours d'un mémorable « Grand Échiquier » qui fixait son retour au music-hall et son entrée en politique : « J'en ai marre de tous ces gens qui vont en cortège de Bastille à Nation, banderoles revendicatives au vent et qui sitôt arrivés plient leurs drapeaux, rangent leurs menaces, vont au bistrot, parlent du tiercé, rentrent chez eux, chaussent leurs pantoufles, allument la télé, baisent bobonne et dorment gentiment. » Le premier assaut était ainsi donné, les petites phrases d'après avaient un goût de soufre... « La gauche a un lourd fardeau à porter : celui de tous les crimes commis en son nom, à commencer par le goulag. » L'intelligentsia était alors déjà bousculée par le message de Soljenitsyne et l'on entendait partout « Ni rouge ni mort, libre. » Yves Montand dérange parce qu'on ne l'attend pas sur ce terrain habituellement réservé aux hommes de parti. Il parle avec son cœur, loin des clans, comme un troubadour. Il fait référence à son métier : « Vous savez, pour chanter devant 20 000 Brésiliens qui ne connaissent pas notre langue il faut être vrai : ce qui passe avec le public c'est ce qui vient de l'intérieur. » Il en fait, une fois encore, chez nous, la brillante démonstration. Bien sûr, au cours de la première heure, on lui a posé des questions bateaux. Il importe peu de savoir vingt-cinq ans après s'il a été l'amant de Marilyn Monroe et ce qu'en pensait alors Simone Signoret. C'est leur affaire et je m'en fiche. Quelques-uns lui ont reproché sa haute stature de milliardaire! La belle affaire! Qu'auraient-ils souhaité? Qu'il reste pauvre, immigré à jamais? Désespérante perfidie des ligotés en tous genres. Dire ce que l'on pense, donc penser ce que l'on dit est aujourd'hui un acte courageux. Saluons le champion, saisissons le propos : la droite et la gauche, voilà un luxe qu'on ne pourra plus se payer

18

longtemps en France. Une dernière estocade pour enthousiasmer l'arène : « Je sais où est la liberté. Si Reagan ne plaît pas on peut le renvoyer dans son ranch, Andropov non et cette seule différence est essentielle. » Montand est fort, crédible, parce qu'il est seul, qu'il n'appartient à personne. Affilié il est perdu. Il en a parfaitement conscience.

4 janvier. – La neige que l'on espérait à Noël tombe à gros flocons et dans le parc glisse entre les arbres, caresse les branches des hauts sapins. Vision d'autrefois, silence de la terre, pureté des sommets. Pour se faire hiver mon Lavedan semble avoir attendu le départ des touristes. Coquetterie de montagnard. Je pars ce soir pour Paris. J'y ai rendez-vous avec Daniel Barenboïm et Luciano Pavarotti qui ont décidé de me raconter Liszt. Ici le piano et le chant auraient ce matin un tout autre accueil. Allons « piétonner » la ville.

5 janvier. – Neuf heures à France-Inter. Ma journée la plus longue – celle du jeudi – commence dans un bruit d'invités. Six écrivains au programme avec en supplément le grammairien Maurice Chapelan et le critique Jean-Didier Wolfromm, mes complices. J'enregistre mes émissions quotidiennes-plurielles de la semaine prochaine. Jean-Michel Royer est déjà là, son *Roy François (Mitterrand)* sous le bras. Ses prédictions empruntées ou plutôt attribuées à Nostradamus, écrites aujourd'hui par Voltaire, Racine, Stendhal, Victor Hugo, quelques autres – et surtout par sa faute – valent leur pesant de pastiche. Étonnante galerie de personnages, belle envolée de vérités, critiques acerbes d'un gouvernement qui se voulait généreux et qui souffre tous les maux du pouvoir.

Coup de téléphone urgent de Liliane Bordoni : « Ickx et Brasseur ont abandonné. Dégâts dans le circuit électrique de la Porsche. Fini pour eux le Paris-Dakar 84. Que dois-je faire? Est-il nécessaire de les rejoindre? » Réflexe immédiat... « Ton avion part dans une heure. Prends-le. Je suis persuadé qu'ils vont trouver une solution et poursuivre la course. Tu dois être près d'eux dès demain. » Quelque chose me dit qu'il n'y a pas encore péril en la demeure au désert. Ils ne peuvent pas nous faire ça! Claude Brasseur est le pivot de l' « Échiquier » du 23. Nous n'allons tout de même pas recevoir des vaincus du premier jour. Heureusement, il nous reste l'acteur et c'est l'essentiel.

A Pleyel la petite salle Debussy est sous les projecteurs. Luciano Pavarotti m'attend dans sa loge, bien planté devant le miroir; notre maquilleuse peigne sa barbe si fine, si bien taillée, trop bien peut-être, en tout cas nécessaire puisque devenue légendaire. Il y a comme ça des attributs qui passent pour des panneaux indicateurs. De loin j'ai entendu son tonitruant « Salut Jacques » : mon image était sur lui bien avant moi. Jeu de glaces. Je retrouve notre Gargantua plus mastodonte que jamais. Poids du talent, des triomphes, de l'or, de l'encens. Énorme solitude. Je le crois disponible mais je le sais prisonnier. Il voudrait bien donner tout son temps mais il ne l'a plus. Trouver un peu de place dans son calendrier relève de l'exploit. Demain ce sera le *Requiem* de Verdi sous la direction de Daniel Barenboïm, avec Julia Varady, Nadine Denize et Robert Lloyd. Après, il chantera *le Bal masqué* à Genève, *Aïda* à Genève et à Londres, *Idoménée* à Salzbourg et des dizaines d'autres œuvres... jusqu'en 1988. Nous parlons des trois chevaux qu'il vient d'acheter, qu'il ne montera pas mais qui feront des merveilles dans les compétitions hippiques... « J'aime l'équitation, le jumping; je cherche en ce moment une bête de race qui saura accueillir mon importance. » Importance est le mot exact. Ça se chiffre : 130 kilos! Miracle de la confrontation : une voix si pure dans un corps si lourd... « C'est bien la preuve que l'âme et le cœur se désintéressent des sublimes façades. Méfions-nous de ce qui est trop beau au-dehors. Artifices! »

20

Pour la première fois Daniel Barenboïm accompagne Pavarotti au piano. J'ai souhaité ce face à face, ce moment de tranquillité, loin des musiciens et des choristes. Ensemble nous avons choisi le *Sonnet de Pétrarque*, de Liszt, et une chanson napolitaine. Nous enregistrons notre gros paquet-cadeau. Première prise. Excellente. Totale complicité. Quels professionnels! Légèreté de l'un sur le clavier, timbre de l'autre, admirable, d'une amplitude unique et dans le même temps d'une délicatesse rare. Nous tenons à vérifier la qualité de la séquence. Gérard Thomas, le réalisateur, fait défiler la bande sur notre magnétoscope. Verdict de Luciano : « J'aimerais reprendre. » Je m'étonne, j'interroge. Il m'explique : « Daniel, ma voix, le son, tout est parfait, mais il y a l'image. Photographié jusqu'à la ceinture, je fais un peu trop déménageur et c'est un problème depuis mes débuts. On peut corriger. Il suffit d'oublier mes épaules, de prendre en gros plan mon visage, de jouer avec mes yeux, avec mes lèvres, c'est là que j'existe. » Deuxième prise parfaitement réussie : il avait raison.

Pavarotti me fait promettre de le revoir : j'irai en février à Modène.

6 janvier. – Il y a des livres qui vous prennent et ne vous quittent plus. Je sors à l'instant de la saga Tolstoï contée par Nikolaï, l'un des derniers de la lignée, bon cru 84. Incroyable famille qui depuis le XIVe siècle confond sa propre histoire avec celle de la Russie : vingt-quatre générations de gouverneurs, d'ambassadeurs, de ministres, de généraux qui furent grands seigneurs et pour leur honneur très peu courtisans, hélas souvent cruels. Le premier à jouer un rôle capital fut Pierre, confident de Pierre le Grand, assassin présumé du jeune tsarévitch. Un autre se trouva opposé à Napoléon sur la route d'Eylau. Alexis, né en 1883, fut l'ami de Staline et réussit ce prodige de vivre comme un boyard fastueux au cœur même du régime soviétique. Quelques-uns furent exilés, internés, conduits à pied jusqu'en Sibérie, ceux du début du siècle créèrent la Fondation Tolstoï qui accueille depuis 1941 les dissidents, victimes de tous les totalitarismes. Bien sûr je n'oublie pas Léon Tolstoï, qui n'obtint à la fin de ses études à Saint-Pétersbourg aucun diplôme et fut de ce fait assez libre d'offrir à la postérité *Anna Karénine, la Mort d'Ivan Illitch* et la fabuleuse épopée *Guerre et paix*, pillée par les cinéastes et les universitaires. Nikolaï ne dépare pas la galerie des personnages. Ce livre d'aujourd'hui *les Tolstoï*, nécessaire aux historiens, découvre l'âme russe.

J'avais raison de ne pas désespérer. Dans l'incroyable odyssée du Paris-Dakar le génie d'un mécano allemand, Huber, chirurgien des Porsche, a sauvé nos amis de la honte. Ickx et Brasseur ont repris le chemin des dunes.

7 janvier. – Madame Soleil – bourbonnienne et puérile – avait mal lu son horoscope. Elle n'aurait jamais dû s'installer sur la planète Polac où ses quartiers ne me paraissaient pas réservés. Qu'allait-elle faire dans cette galaxie? Signe évident : la télévision n'est pas son astre préféré. A « Droit de réponse », que l'on avait habillé ce soir d'un « esprit de contradiction » qui a toujours été la marque de ce programme, la pythonisse célèbre a demandé une chaîne pour les enfants – une crèche sans doute –, une autre pour les jeunes, un réseau pour les vieux! Sans encombre, dans un même torrent de mots, on aurait pu exiger un écran pour les gentils, les perfides ou les esseulés. Grotesque manière d'aborder le versant de notre métier. *A quoi sert la télévision?* C'est la question. Trouver une réponse c'est la déshonorer. Nous savons notre responsabilité, nous essayons parfois maladroitement de *lui* donner une ligne, de la faire informative, divertissante, nous la voulons ouverte à tous les publics, nous souhaiterions qu'elle ne soit pas honteuse mais

22

quelques voix que l'on pourrait croire avisées la racontent prisonnière. Bizarre! On réclame pour elle des arbitrages, la protection de la Haute Autorité, un assistanat pur et dur, on veut l'unité alors que l'on doit promouvoir la différence et donner une identité à chaque canal. Jean-Marie Cavada a eu raison de dénoncer la mainmise de l'État sur la télévision et le rôle néfaste des pressions d'où qu'elles viennent et qui à certains paraissent rassurantes. On pourrait croire que quelques-uns des nôtres ne veulent pas la liberté mais plutôt l'égalité.

On dira encore des assises de Michel Polac qu'elles constituent un ensemble brouillon, un creuset de futilités. C'est oublier que ce programme est aussi un carré d'impertinence et d'idées qui passent, légères, parce que mal exprimées mais décapantes et à rebondissements multiples.

Nous devrions tous avoir sur notre table de chevet *le Dictionnaire de la bêtise* revu et corrigé ces jours-ci par Jean-Claude Carrière et Guy Bechtel. Une perle entre mille : « Non seulement Jésus-Christ était fils de Dieu mais encore il était d'excellente famille du côté de sa mère. » Et qui a poussé cette énormité? Monseigneur de Quelen, archevêque de Paris au début du XIXe siècle.

On racole gaiement dans la rue. Partout d'immenses panneaux... « RTL c'est Philippe, c'est Fabrice, c'est Anne-Marie. » Europe 1 s'affiche et assoit ses stars dans un fauteuil. France-Inter s'adresse à « ceux qui ont quelque chose entre les oreilles ». On se souviendra de ce dernier slogan : C'est chic, flou, cru, mais ça passe et ça tient!

8 janvier. – Silvia Monfort, la dame du « Carré » de Vaugirard, peaufine en ce moment la mise en place des *Perses* d'Eschyle qu'elle présentera sur un texte français de Pascal Thiercy. Pourquoi revenir, particulièrement aujourd'hui, à une œuvre vieille de près de deux mille cinq cents ans ? La réponse est évidente : cette tragédie – la plus ancienne des pièces de théâtre conservées – n'est pas seulement un chef-d'œuvre mais un cri d'une permanente actualité. J'écoute l'explication de Silvia : c'est le destin de l'homme à partir du problème de la guerre, de la conquête, de l'éthique et du pouvoir. *Les Perses* nous apportent ce message millénaire : la démesure perd toujours un homme, un empire ou l'empire d'un homme sur soi-même. Un envahisseur échouera s'il se heurte à un peuple qui décide de résister. Même si l'ennemi apparaît comme infiniment plus puissant.

Voilà une pièce qui mériterait d'être jouée, cette année encore, dans toutes les langues et que l'ONU s'honorerait d'inscrire à son répertoire.

Daniel Barenboïm, que je vois chaque jour depuis un mois, me raconte l'une des conversations les plus courtes du monde. Face à face, Mme Fursteva, responsable soviétique à une certaine époque de tout ce qui touche à l'art, et Isaac Stern.

Mme Fursteva : « Quelle force reconnaissez-vous à mon titre ? »

Stern : « Le ministre de la Culture est moins important que la culture du ministre. »

9 janvier. – Il était si vivant qu'il avait oublié cette formalité qu'on appelle la mort. A quatre-vingt-quinze ans, il n'y croyait plus. Il se disait invincible et enfin offert à la délicieuse paresse. Les cigares qui gonflaient la pochette de sa veste étaient toujours aussi gros, son humour encore mordant, ses saillies redoutables ; seuls ses yeux avaient mis les premiers voiles. Je me souviens de lui aujourd'hui parce qu'il s'est laissé emporter il y a tout juste un an et que je revois à l'image nos espiègleries. Sacré bonhomme. Superbe Rubinstein. Gloire posthume au roi Arthur. Quel parcours ! Il avait déjà quatorze ans

24

lorsque le XIXᵉ siècle éteignait sa dernière bougie. Comme le rappelle si joliment Jean Cotté, il avait la mémoire pleine de fiacres et de calèches, de crinolines, de hauts-de-forme, de lampes à gaz et de chandelles. Vagabond, inconditionnel des errances de Chaplin, il avait des fringales de curiosités, il aurait donné cent pianos pour une démesure, une folie de grand seigneur. Il y a un instant, avec sa femme, nous parlions de lui au présent. Nous étions à Pleyel, je demandais...
– Arthur n'est pas venu?
– Il préfère écouter ses vieux disques.
Il doit avoir quelque part ses quartiers de paradis.

J'écris au jour le jour comme on fait du jogging. Pour l'exercice, par discipline, par hygiène, pour ne pas laisser rouiller la plume et s'épuiser le feutre. Peut-être aussi pour ne pas être totalement prisonnier de la radio ni de la télévision, qui occupent l'essentiel des heures, pour donner un peu de liberté, une permission de nuit aux personnages d'un roman en préparation *le Prince ou le festin des fous*, fresque démente d'un monde à venir – que je pourrais bien ne jamais achever. Ces personnages, très inattendus, me hantent, me pressent, m'échappent, et j'ai parfois du mal à les reprendre. Des fous, qui courent après leurs illusions pour n'en pas mourir. Je les ai installés en Afrique, pays que je fréquente, que je connais mal mais que j'irai revoir pour me changer de l'Asie, non pas l'oublier, seulement prendre des distances.

J'apprends avec plaisir que Martha Graham sera bientôt fêtée, célébrée, à Paris, décorée même! Elle va crouler sous les hommages que l'on rend toujours trop tard et qui servent en fait la seule cause de leurs initiateurs. Sa vie heureusement ne fut jamais esclave de ces hochets. A dire vrai ce sont ses combats, ses audaces et son talent qui la magnifiaient. J'ai le souvenir d'une soirée honteuse, en 1954, je crois, j'en avais suivi de loin le déroulement. Des Parisiens, en retard sur leur temps, l'avaient sifflée au

Théâtre des Champs-Élysées. Les pionniers ont souvent tort! Rejetant la gamme des pas codifiés par des générations de précurseurs, elle avait inventé la *modern danse américaine*, pieds nus, folle de tout son corps, dans une dramaturgie nouvelle, loin du classicisme et des fameuses « pointes ». Elle ouvrait la voie à Cunningham, Béjart, Taylor ou Carlson. Vieille dame de quatre-vingt-dix ans, Martha Graham saura rire de la farce qu'elle fait ce mois-ci, trente ans après, au public français.

12 janvier. – L'émission consacrée à Folon en décembre nous vaut encore des centaines de lettres. J'ai particulièrement apprécié celle que m'adresse ce matin Jacqueline Depaillat :

« Il faut tout d'abord vous dire que je suis fidèle à A 2 et qu'étant de la race des " couche-tard " je vais généralement jusqu'au générique de fin de journée. Comme je suis grand-mère j'ai généralement un tricot en main... et le chien (un setter irlandais) couché à mes pieds, qui fait sa dernière promenade hygiénique après les émissions. Or, tout à l'heure, quand nous avons revu le générique des petits bonshommes bleus volant dans les étoiles, présenté pour une fois bien avant le final, mon brave chien s'est levé, s'est bien étiré... et est allé m'attendre devant la porte... Le pauvre! Il n'a pas compris... et vous lui avez certainement posé un problème dans sa jugeote de chien bien élevé! »

Le brave setter devra désormais s'habituer à la musique du nouveau générique pour décider de sa ronde de nuit.

Annoncées bruyamment, les trois œuvres de Franck Zappa, superstar du rock et de la musique contemporaine avancée, ne m'auront procuré qu'un incroyable ennui. Pierre Boulez et son Ensemble n'y sont pour rien. Étonnant snobisme que celui de vouloir faire entendre l'inécoutable au nom d'une recherche systématique sans doute nécessaire mais qui ne mérite pas tant de bruit. Le courant de la mode et du n'importe quoi est pourtant passé. Ceux qui n'ont pas aimé mais n'osent le dire chantent la surprise de la « possible nouveauté ».

13 janvier. – Comme chaque année, grande transhumance du Paris culturel. Le troupeau est parti pour Avoriaz en quête de fantastique. Les bonnes âmes ont besoin de cinéma pour s'offrir des frissons. Lionel Chouchan, qui s'y connaît en relations humaines, a transformé le froid de la neige en show. Astucieux, il organise des feux de camp pour les adultes du septième art. J'apprécie son ironie, qui change en gentils membres d'un club alpin quelques privilégiés dont l'ordinaire est de critiquer les colonies de vacances. Son machiavélisme va si loin que sous les flocons il installe la plage et fait la nique à la Croisette. Certains films lui doivent leur retentissement, et je sais des metteurs en scène qui sont nés dans sa tempête. Souvenons-nous de *Duel* de Spielberg.

Le Festival du cinéma fantastique d'Avoriaz – il n'est pas le seul – rassemble les assoiffés de la thérapie de groupe, plus nombreux que jamais à vouloir se montrer partout. Les moins doués de nos moutons de Panurge ont besoin d'être reconnus, n'ont de cesse que soit étalé leur savoir. Cela me rappelle une histoire. Un soir, dans ma maison pyrénéenne, une jeune femme de passage, qui voulait nous éblouir de sa culture, mit un disque sur l'électrophone. Elle ne m'avait pas vu traverser la pièce pour rejoindre mon bureau : elle bûchait le texte de la pochette. Le microsillon tournait depuis quelques minutes lorsque vinrent près d'elle une dizaine de mes vieux copains. L'un d'eux crut bon de demander : « Quelle est donc cette musique ? » Je n'oublierai pas de sitôt l'œil ahuri de la dame à la pochette : « Mais comment, vous ne savez pas ? C'est le *Concerto n° 1 pour piano et orchestre* de Brahms. » « Non je ne le sais pas et d'ailleurs j'ignore tout », répliqua l'ami, amusé par cette insolence. Nous parlâmes d'autre chose. Une heure plus tard, l'ignorant se mit à chercher des enregistrements sur mes tablettes encombrées. Il en choisit un et lança à la cantonade « Vous connaissez? », l'œil sur celle qui l'avait agressé. La « mélomane », ne pouvant esquiver ce regard, se devait d'y répondre : « C'est beau, fit-elle, mais là vraiment je sèche. » Et l'ami : « C'est le final du *Concerto n° 1 pour piano et orchestre* de Brahms. » La leçon, je l'avoue, ne lui fut pas profitable. Le lendemain *elle* recommençait sur d'autres sujets. Ainsi va le monde. Il y a ceux qui souhaitent apprendre et ceux qui croient savoir. Les derniers sont divertissants, donc indispensables.

16 janvier. – Un événement. Ce lundi matin, on peut trouver dans tous les kiosques un coffret à *vingt-cinq francs* qui contient un roman et une revue, le tout tiré à sept cent mille exemplaires et présenté sous le titre « Grands écrivains choisis par l'académie Goncourt ». Les Dix se proposent de faire découvrir ainsi chaque semaine une vie et un livre qui appartiennent au patrimoine de la littérature universelle. Nous y trouverons des œuvres qui n'ont pas pris une ride. Voilà donc à bas prix les joyaux de la grande couronne littéraire. Le coup d'envoi est signé Balzac. A l'affiche *Eugénie Grandet.* L'ouvrage est beau, discret, sous couverture bleue, prêt à meubler des bibliothèques débutantes, avec en prime la touche Folon. La revue qui l'accompagne a des titres très accrocheurs, racoleurs même, mais qu'importe s'ils réussissent à ouvrir les portes de l'auteur. On nous raconte Balzac comme n'osaient pas le faire nos bons maîtres. On n'hésite plus sur la confidence, l'anecdote, les amours, les coucheries. Tout est dit.

C'est une idée de Daniel Filipacchi, une sacrée bonne idée, sans doute un clin d'œil à son père qui fut l'inventeur du Livre de poche. On attend Colette, Sartre, Voltaire, Maupassant, Dostoïevski. J'ouvre les ailes du premier enfant qui s'envole. Beau matraquage dans le style publicitaire d'aujourd'hui : « Honoré de Balzac, le titan, le Napoléon de la littérature »... « Forçat de l'écriture et dandy fastueux »... « 91 romans, 2 500 personnages, toute la comédie humaine. » On offre *Eugénie Grandet* mais la revue nous engage également à lire *la Peau de chagrin, le Lys dans la vallée, Illusions perdues, la Cousine Bette*. Remarquable initiative. Comme le disait Nerval : « Parlons un peu de Balzac, cela fait du bien. » Cela fait du bien aussi de retrouver le texte, ces premières lignes d'*Eugénie Grandet*... « Il se trouve dans certaines villes de province des maisons dont la vue inspire une mélancolie égale à celle que provoquent les cloîtres les plus sombres, les landes les plus ternes ou les ruines les plus tristes. » On y est d'entrée, c'est superbe.

Le lancement de ce coffret « Grands écrivains » nous persuade un peu plus de cette évidence : l'audiovisuel, qui détient un pouvoir considérable, ne détruira jamais l'étonnante et merveilleuse galaxie Gutenberg. André Brincourt a raison de faire remarquer que les moyens d'expression, si novateurs fussent-ils, se concurrencent moins qu'ils ne se complètent; loin de s'éliminer, ils se fortifient. Que n'a-t-on pas entendu dans cette seconde moitié du siècle! Les progrès de la radio allaient tuer le disque, qui devait massacrer la musique; le théâtre allait être la victime du cinéma, condamné à son tour par la télévision, qui s'emploierait à éliminer les journaux... Rassurons-nous : ce n'est pas encore cette fois que le kiosque anéantira la librairie. Il y a bel avenir pour l'un et l'autre.

Je reviens au glorieux auteur d'*Eugénie Grandet*. En me remettant le 17 mai dernier le prix Balzac – « contribution à l'éternelle comédie humaine » – Léon Gédéon faisait remarquer que grandeur et décadence, splendeurs et misères sont des termes bien balzaciens. On ne doit pas s'étonner qu'ils puissent s'appliquer une nouvelle fois à ce qui concerne Balzac lui-même... « N'avons-nous pas été habitués, depuis plus de trente ans, à livrer des combats souvent décevants? Que de méconnaissances et de difficultés à vaincre pour imposer et réaliser " l'année Balzac ", de mai 1949 à août 1950. Pour faire donner le nom de Balzac à un lycée parisien!» L'insolence est de partout et elle le suit jusqu'en Touraine qui occupe pourtant une place privilégiée dans son œuvre. Depuis plus de quarante ans sa statue a disparu et les Tourangeaux attendent toujours qu'elle soit remplacée. Même grossièreté au Père-Lachaise : le chemin qui conduit à la tombe du grand écrivain s'appelait «sentier de Balzac». Aujourd'hui, il porte le nom d'allée Casimir-Delavigne. Léon Gédéon affirme ne nourrir aucune hostilité à l'encontre de ce poète, mais ne serait-il pas plus juste de restituer au chemin son appellation d'origine? Balzac à côté de Delacroix (l'allée voisine), ce serait mieux.

18 janvier. – Avec mon ami Maurice Chapelan – l' «Aristide» du *Figaro* –, nous avons essayé d'enquêter sur le mot nouveau «illettrisme», que le gouvernement vient de lancer et d'illustrer pour le combattre. Ce néologisme de circonstance prétend définir les deux millions d'illettrés qui s'ajoutent à nos trois cent mille analphabètes. Si j'ai bien compris nos intellos au pouvoir, si je suis bien la pensée de l'astucieux Maurice, honnête jeune homme de soixante-dix-huit ans, j'en arrive à ceci : qui n'a jamais appris à lire ni à écrire est un analphabète, qui a appris, mais en vain, est illettré. Bonnet blanc et blanc bonnet. Il y faudrait ajouter l'ignorant qui s'ignore. Légion...

19 janvier. – Relisant *les Thibault,* de Roger Martin du Gard, je m'amuse de ce qu'il écrit au chapitre de « la Belle Saison ». Ses deux jeunes héros, remarquablement campés, passent la soirée chez la mère Packmell, un endroit difficile à définir. Rien des traditionnelles boîtes de nuit. Presque une pension de famille, mais avec un bar, un bon orchestre, de jolies filles. Daniel est un habitué, Jacques y fait sa première sortie. «Veux-tu que je te présente de loin quelques amis de rencontre? » demande Daniel. « Voici le peintre Nivolsky, menteur, tricheur et avec ça chevaleresque comme un mousquetaire... Il emprunte à tout le monde; il n'a jamais le sou, mais comme il ne manque pas de talent, il paye en tableaux; et, pour simplifier, sais-tu l'idée qu'il a eue? » – je reconnais là l'imagination de l'écrivain – « Il s'en va l'été à la campagne, et il peint une route sur une bande de toile de cinquante mètres; une vraie route, avec des arbres, des charrettes, des bicyclistes, un coucher de soleil; et, l'hiver, il débite sa route par tronçons, selon la tête du créancier et la somme qu'il doit. » Bel exemple du difficile à vivre pour un créateur, admirable supercherie qui devrait inspirer aujourd'hui des artistes aux abois. Il y aura toujours de bonnes poires pour penser qu'un peintre astucieux est promis à la plus haute gloire. Et puis qui peut dire...

21 janvier. – Au terme de sa visite officielle à Monaco le président Mitterrand a annoncé la conclusion de plusieurs accords « touchant aux communications de la Principauté avec l'extérieur ». Télé Monte-Carlo sera autorisée à implanter un réémetteur dans la région de Marseille (massif de l'Étoile), qui élargira sa zone de diffusion. L'importance de la nouvelle n'est pas bien perçue par les Français, mais c'est le premier coup mortel porté au monopole de l'image et l'aube d'une aventure privée. Bravo!

24 janvier. – Cinq heures du matin. Je retrouve sur mon bureau la moisson littéraire du jour. Je regarde, je caresse, je soupèse, je classe, j'organise des piles de livres : c'est ainsi après chaque « Echiquier », j'ai du mal à chercher le repos, la tension a été trop forte, trois heures trente de direct, ce n'est pas de la fatigue, plutôt une sorte d'abandon, une épuisante sérénité. J'ai quitté Claude Brasseur, Odette Joyeux, Jacky Ickx, René Metge, Jean-

Loup Chrétien, Thierry Sabine il y a peu de minutes, après d'honorables agapes rue de Miromesnil. Je ne sais pas encore si l'émission a été bonne, je me méfie des satisfactions hâtives, il faudra la revoir sur magnétoscope pour en juger honnêtement. Un point est acquis : je connais enfin Brasseur que je rencontrais depuis des années, avec lequel j'échangeais ce « tu », qui est sans l'amitié ou la camaraderie l'un des pièges de cette fin de siècle, le signe pervers de tant d'hypocrites familiarités. Personnage à vitesses multiples, Claude peut être, avec la même désinvolture, silencieux ou incroyablement bavard. Il a des périodes monacales et des débordements de fins de banquet. Un amaigrissement, voulu, de 18 kilos, l'a rendu ascétique – Paris-Dakar oblige –, mais c'est un paillard qui sommeille. Il a des réserves prudentes, qui se veulent d'un gentilhomme, et de sublimes colères avec des mots orduriers. Pour nous, il aura été attentif, drôle et disponible. Son père, je le sais maintenant, ne pèse pas sur sa vie : il lui porte une vénération discrète qui n'est qu'enrichissante. J'ai lu une partie de leur correspondance; les longues tirades paternelles de Pierre sont des morceaux d'anthologie : tout y passe, ses relations avec Gabin, sa fréquentation des surréalistes et des poètes; il raconte Breton, Picasso, Eluard, Cocteau, Dali; ses amours – « J'ai toujours été partagé entre mes femmes et mes putes » –, sa haine des honneurs, son mépris de la critique. Claude Brasseur dit souvent : « Tout ce que l'on écrit de bien à mon sujet est un hommage posthume à mon père, qui fut aimé par le public et détesté par la presse. » Sans doute aime-t-il à rendre quelques politesses familiales! Aux approches de la cinquantaine, je l'observe en marche : solitaire il ne se défendra plus d'être trop entouré.

25 janvier. – Tout me ramène à Joseph Delteil. L'amour que je lui portais, l'admiration que j'avais pour la totale liberté qu'il s'était donnée, le respect que m'inspirait son

« exil », mon adhésion toujours actuelle à son œuvre. J'ai déjà dit combien me furent essentielles nos courses affectueuses à la Tuilerie de Massane, près de Montpellier. J'allais y boire à la source. Et voici qu'on nous offre l'occasion de le redécouvrir dans « les Cahiers rouges » de chez Grasset. Précipitons-nous sur *le Fleuve amour* et sur *Choléra*, deux de ses premiers livres. Allons à l'abordage du Delteil rieur, cocasse, picaresque. Fesses roses, filles aux seins fardés... Bonheur de lecture, cris de plaisir.

26 janvier. – Il y a quelques années, on a parlé de *l'énigmatique Catherine Deneuve.* De la une des journaux s'est répandue la nouvelle : nous avions là une comédienne froide, distante, inabordable. Faux, archi-faux. En France, tout ce qui n'est pas familiarité passe pour de l'indifférence. Les marques extérieures l'emportent sur la tendresse et il est exact que Catherine a du mal à glisser dans les embrassades, le tutoiement à tout va. Il n'empêche qu'elle est drôle, gaie, chaleureuse, d'une franchise à faire s'écrouler des bataillons d'hypocrites. Nous avons passé une petite heure ensemble ce matin. Nous ne nous étions pas vus depuis trois ans et je la retrouvais, par *Bon plaisir* interposé, mère d'un fils qu'elle a eu d'un président de la République. Nous voilà dans la fiction où elle paraît facile, naturelle. Françoise Giroud ne pouvait espérer plus belle héroïne pour l'adaptation cinématographique de son livre-scénario, publié dans le même temps que ma correspondance avec Jullian, chez le même éditeur, Jean-Étienne Cohen-Seat. Écoutant rire Catherine Deneuve, la voyant si heureuse dans le succès et l'oubli de ses tracas – ou du moins son élégance à n'en point parler –, je pensais à cette phrase d'Ernest Renan... « Ce que l'on prend souvent pour de la froideur tient à cette timidité intérieure qui fait croire qu'un sentiment perd la moitié de sa valeur quand il est exprimé et que le cœur ne doit avoir d'autre spectateur que lui-même. » La vie est ainsi faite : on perd son temps avec des gens qui nous détestent, alors qu'on devrait en gagner avec ceux qui pourraient nous aimer.

5 février. – Les historiens et la mémoire sont d'accord : tout allait commencer au lendemain de l'explosion d'Hiroshima et de l'attaque des Japonais contre les garnisons françaises en Indochine. Un homme de cinquante-trois ans mettait le cap sur Hanoi à la tête de ses maquisards. Il s'appelait Hô Chi Minh. Le monde découvrait une nouvelle guerre et la France, vertueusement, s'engageait dans une opération de police. On se battait, des jeunes gens mouraient, rares étaient ceux qui comprenaient et notre chère métropole ne s'inquiétait même pas de son ignorance : 80 % des personnes interrogées à cette époque ne purent dire où se trouvait ce qui est aujourd'hui le Vietnam. Pour le plus grand nombre, cette terre tricolore du Sud-Est asiatique était un ailleurs sans intérêt. Les tragédies devaient en faire vite le centre de tous les héroïsmes, de toutes les lâchetés. Une fois encore la politique usait de ses perfidies. Et, pour les rappeler, Henri de Turenne, sur Antenne 2, emprunte les sentiers du massacre. Certains vont louer cette série, d'autres la critiquer, moi j'y vois passer ma jeunesse, presque mon enfance : il m'avait fallu tricher avec ma naissance, me vieillir de près de trente mois pour tenter l'aventure. Que de souvenirs qu'un manque de lucidité pourrait transformer en nostalgies! Fureurs de toutes sortes, blessures, l'amour et la haine, la beauté et l'horreur, le martyre et le crime. Passions incertaines.

J'aurais voulu ne pas m'enflammer encore pour ce pays que j'aime, mais les images de ces heures les plus douloureuses défilent sur le récepteur et je ne sais pas m'en éloigner. Me voilà spectateur muet et je devrais crier. Tout passe à coups de grenade sur fond d'incendies. J'entends déjà les vieux *grognards* du Vietnam... J'en comprends la colère : on abîme leur histoire, on efface ou on banalise définitivement leurs empreintes, on juge leur combat décidé par des politicards qui avaient accumulé toutes les erreurs. La France, qui a pris de cruelles habitudes avec la trahison, devrait se souvenir des paroles du cardinal de Retz : « L'un des grands défauts des hommes est qu'ils cherchent presque toujours dans les malheurs qui leur arrivent par leurs fautes des excuses devant que d'y chercher des remèdes. » Henri de Turenne ne doit pas être honoré ni vilipendé pour ses films. Il n'y a pas là récit objectif. Tout est laissé à l'arbitraire et à ceux qui revendiquent le risque de témoigner, trente ans après, ce qui est peut-être encore trop tôt. Beaucoup de choses ont été dites, mais entendues de différentes manières : le vrai décalage est là. Chacun souhaite qu'on le conforte dans sa vérité. Turenne n'a pas été malhonnête, il a simplement succombé au péril le plus évident : la superficialité. Il ne pouvait aller au bout de son ambition – c'est déjà un exploit d'avoir osé – qu'avec l'accord des autorités vietnamiennes, le secours de leurs documents, ce qui fit pencher la balance du côté des vainqueurs. Il n'empêche que nous avons retrouvé *intacts* la beauté des paysages et la réalité de l'horreur, la bêtise des grands et l'honneur des humbles. Cette série ne peut laisser indifférent, ce qu'elle montre intéresse des arpents de nos vies, j'y revois mes premières routes journalistiques, des espaces qui ont engagé huit ans de mon existence. Ce qui n'est pour le téléspectateur qu'un sentier de montagne, une piste, une rizière, est pour moi un *lieu vécu*, souvent douloureusement, et je le dis vite, parce que je me méfie des envolées guerrières et des regrets ambigus : les gens à la boutonnière très fleurie m'ont toujours inquiété.

L'épisode le plus tragique de cette longue traversée de la mort en Asie restera... Diên Biên Phu. Et là, je trouve que les séquences « montées » glorifiaient un peu trop l'héroïsme des divisions viets, jouaient davantage sur l'humiliation des Français que sur le dramatique de la bataille. « Rien que des documents exclusifs, ont écrit certains journaux. Du jamais vu ! » Évidemment ! Ces documents sont l'œuvre de cinéastes nord-vietnamiens et

35

soviétiques qui, deux mois après la défaite de nos troupes, reconstituèrent « l'intensité des combats ». Scandaleux exemple de propagande, auquel l'Histoire nous a déjà habitués dans tous les domaines. Comment en vouloir à un pays qui, pour fabriquer sa légende, emprunte le faux pour peindre le vrai! Pour satisfaire les acteurs français de cette étrange fresque, Turenne n'a même pas pu compter sur l'œil et la caméra de Pierre Schoendoerffer, qui avait tout détruit, appareils et bobines, à la seconde de l'ultime assaut. Pierre... Je l'avais vu partir pour ce que nous ne savions pas encore être une cuvette, je l'ai accueilli à son retour des camps et je ne dirai pas quel homme écartelé il était... Nombreux mes copains-reporters qui ont subi l'effroyable : Daniel Camus est revenu, mais Martinoff a sauté sur une mine, déchiqueté ; le petit Jean Péraud a disparu (je persiste à le croire quelque part); André Lebon a laissé une jambe dans les fossés de Giap et je n'oublie pas son désenchantement, ses souffrances, son corps criblé d'éclats, nos rencontres après la chute à l'hôpital Grall, ni surtout la manière que nous avions de remonter son moral dont je ne puis rien dire ici. Les temps étaient sauvages, les remèdes inattendus. Photographe de talent, le fier et très assuré André, qui avait toutes les coquetteries pour sa belle Indochine – il avait épousé l'une de mes amies, superbe Vietnamienne, n'était pas au bout de ses peines dans le plein du malheur. Il lui fallut subir ensuite la folie, la drogue, la désintoxication, la gangrène et... la vie. Quelques années auparavant, Georges Kowal était mort, caméra au poing, mitraillé à bout portant dans la boue des rizières. Cet aristocrate de l'image, indifférent aux honneurs mais fidèle à sa mission, fut là-bas mon premier guide : je lui dois d'avoir su regarder les êtres d'un peu moins loin, il m'a appris à ne pas juger trop vite. J'avais vingt ans. Déjà les blessures avaient laminé nos illusions mais notre curiosité était telle que tout commençait quand même. L'Indochine n'était pas un paradis réservé à des bienheureux en quête de sainteté, des purs à l'âme bleue. Il y avait comme partout

36

de vrais salauds, qui s'affichaient ignobles, qui ne trichaient pas avec leur infamie. Ils vous tuaient cartes sur table. Mais il y avait aussi les bâtisseurs qui croyaient œuvrer pour la paix : l'école française d'Extrême-Orient, qui accomplit des miracles pour sauver Angkor, les missionnaires et les religieuses de la brousse, les médecins qui s'épuisaient à soulager, à comprendre. Il n'y a pas de peuple innocent. Les erreurs et les fautes furent nombreuses, mais les colonialistes les plus perfides opéraient de leurs officines parisiennes. Le pouvoir n'était pas pire que celui d'aujourd'hui : il était simplement le pouvoir. Ce que j'entends en ce moment concernant la tragédie française dans ce pays relève du burlesque. Ce sont toujours les mêmes qui ont réponse à tout. A la vérité, qu'importe ce qu'on raconte. Nous avons vécu une histoire d'amour avec un monde différent. Personne, jamais, ne pourra voler nos déchirures. Laissons les mouettes battre de leurs ailes : elles s'écartent rarement du rivage. Souvenons-nous des Vietnamiens de 1954 qui, lorsque nous avons quitté le Tonkin, sont partis vers le sud – ils étaient déjà près de deux millions –, de tous ceux qui voulaient l'indépendance sans l'idéologie marxiste et qui ont été liquidés physiquement par le Vietminh, des *boat people* qui ont parcouru les mers sur de misérables radeaux de bambou, qui s'y sont perdus, de ceux qui sont arrivés et qui par millions souffrent l'exil. Je pense aussi à toutes les minorités qui faisaient le charme de l'Indochine, qui étaient sa réalité profonde, à toutes ces races, ces tribus – près de cent – qui avaient au cours des siècles affiné des cultures diverses. Je fus, jusqu'à leur ruine, l'invité permanent des Moïs, ces montagnards des hauts plateaux que des ethnologues de passage jugèrent sauvages – sans doute parce qu'ils vivaient nus – et qui n'avaient pas d'autre ambition que leur naturelle et splendide liberté. Tous ont été chassés, ce pays est mort, pas de salut hors des masses populaires, même respiration pour tous, une seule idéologie, la guerre de cent ans continue en Asie. Les monstres s'y déchaînent encore dans des ciels d'orage. Nous sommes blessés parce que nous étions amants. Les fleurs de l'Orient, les odeurs, l'exotisme nous avaient piégés. Je n'en veux pas à Turenne qui ne prétend pas à l'objectivité et qui le dit. Son mérite est grand : il nous fait souvenir d'un massacre, il nous fait entendre Giap qui affirme : « A la guerre il faut vaincre. » C'est la phrase essentielle. La France voulait la paix et elle avait envoyé une armée. On songe à l'Angleterre qui en Inde avait fait de Mountbatten un vice-roi de la décolonisation ; ce sont les précautions qui nous manquent.

Plus tard, il me faudra écrire *tout à fait* sur ce pays et donc surmonter bien des hésitations. J'ai déjà levé quelques petits coins du voile, timidement, dans *le Temps d'un regard* et *Tant qu'il y aura des îles*. Je me délivrais de quelques épousailles. Mais le choc fut si profond qu'il n'est pas prudent de se laisser porter trop longtemps par l'écume des vagues débordantes. Tout m'attache à ces terres asiatiques. Le futile et l'intense, la beauté et la laideur, le dérisoire et l'amour. La guerre aura été la mauvaise face de nos adolescences. Les batailles n'ont pas effacé les visages. Je me souviens de Jean Fuller qui fut l'un des grands musiciens de ces années-là, je l'avais appelé pour un assez stupide travail qui me semble aujourd'hui totalement baroque. Il avait fait un si long voyage pour apprendre la guitare à... Bao Daï, empereur dilettante sans véritable pouvoir. Cela aurait pu paraître grotesque, mais en des temps à ce point indécis le n'importe quoi était une nécessité. Je peux refaire de mémoire la route jusqu'à Dalat. Ce fut une aventure. Je conduisais, il jouait sur ses cordes et nous allions bêtement dans une région où les Viets étaient plus nombreux que nos militaires. L'accueil du monarque fut chaleureux, son art hésitant, ses chasses à dos d'éléphant somptueuses. Le soir, la cour était conviée à des concerts improvisés, le mauvais goût l'emportait souvent sur l'étiquette, mais nous avions l'excuse de notre âge et le charme de deux jeunes princesses. Elles furent les lumières de cette traversée. Jean Fuller était sincèrement épris. Après deux semaines de vacances royales nous repartîmes pour Saigon, l'aéroport de Tan Son Nhut était au bout du chemin. Nous avions vécu intensément, follement, le moment était venu de nous quitter. Je me savais pour deux ans encore au Vietnam, j'avais regardé son emploi du temps... Moscou, New York, Londres et Paris étaient au programme. Ses récitals de guitare sur les plus grandes scènes éloignaient toute possibilité de retrouvailles. J'osai un banal : « A bientôt peut-être. » Il répliqua immédiatement : « A ce soir. » J'étais étonné, je pensais à la ravissante Minh qu'il avait quittée la veille. J'imaginais naïvement qu'il se préparait à la rêver dans son voyage du retour. Nous étions dans le milieu de la fête des âmes errantes. J'allai jusqu'à la passerelle. Il me dit encore « A ce soir ». Ce fut notre dernière rencontre. Le lendemain, j'annonçai moi-même la nouvelle à la radio : l'avion était tombé à Barheim. Pas un survivant. Comme je crois aux signes, je suis persuadé que Jean n'est jamais parti.

6 février. – Que faisait-il dans ce siècle où il n'avait plus sa place ? Né à Moscou il se voulait de la Russie des Tsars, engagé à vivre il recherchait l'accident pour la magnificence de la chute, passionné de jazz il lui plaisait de n'être rien qu'un pianiste de bar. Il lui aurait fallu cet espace de bonheur où les hommes enfin ne se haïssent plus. Un fou ! Et pourtant ce musicien nourri de littérature avait enfanté de joyeux refrains « sans véritable importance ». Près de deux mille. Nous retiendrons *Clopin-clopant* qui fit son beau bonhomme de chemin à travers le monde, et aussi *La Tamise est mon jardin*, *Mon Leman*, *On boit l'café au lait au lit*. Il avait le goût du canular, des contrepèteries, des fêtes, de l'à-peu-près poussé au grandiose. Je ne savais plus que Pierre Dudan avait soixante-huit ans. C'était un enfant craintif, le chantre tragique des aubes, un désespéré qui se savait en sursis. Passées les orgies, il se tenait à l'écart, dans ses fuites asiatiques, ses cabanes au Canada, ou sa retraite d'Épalinges, près de Lausanne. Il est mort ignoré et furieux. Notre univers, offert à la démagogie des politiques, le terrorisait et l'armait. Il aurait volontiers déclaré la guerre à tous les infidèles qui ne partageaient pas sa haine du communisme. Je garde de lui le souvenir d'une nuit au cercle sportif de Saigon. Nous avions invité tout ce que la ville comptait alors de snobs fortunés sensibles à la particule. Je l'avais affublé d'une barbe finement taillée qui donnait fière allure à son corps long et mince. Il était pour quelques heures le prince Dudanoff, descendant du dernier empereur de toutes les Russies et décidé à reconquérir le trône. Jamais héritier impérial ne connut tant de manifestations d'allégeance. Le grotesque une fois encore tenait ses lettres de noblesse. Il n'en fallait pas plus pour nous distraire.

7 février. – Le Sud-Est asiatique a tellement pris de ma vie que le temps réservé aux autres mondes me paraît chichement compté. Vingt voyages aux Afriques n'auront pas réussi à me gagner à ce continent que je voudrais pourtant mieux connaître. Aujourd'hui je découvre Abidjan, immense, moderne, occidentale, voire américaine. Je longe le « plateau », lentement comme pour me préparer à gravir les lacets de la corniche de Cocody. Me voici à l'hôtel *Ivoire*, palace de huit cents chambres, trop multiple, trop vaste, presque sans âme, perdu dans ses labyrinthes et malgré tout accueillant, où la piscine a plutôt l'air d'un lac sur lequel plonge la tour vertigineuse, ce haut toit de la ville. Je ne sais rien de cette terre, pas plus étouffante que d'autres de ces contrées. J'engrange des sensations, je bute sur des ébènes de rencontre, femmes magnifiques. La télévision me montre Félix Houphouët-Boigny à chacun de ses carrefours – pénible sublimation du « papa » – et je me dis que cet homme – pour combien d'années encore? – est la chance d'un tel pays. Mes amis m'attendent et peut-être ne suis-je venu que pour eux. Joseph Comets et Teresa font ici leurs classes africaines.

Jo est professeur agrégé de philosophie, nous avons partagé les temps forts des étapes pyrénéennes. Teresa est du Nicaragua et passe pour une métisse dans ce cercle noir, avec tout ce que cela entraîne. Absurdes convoitises du regard et malhabile formulation des commentaires. Nous partons pour Grand-Bassam, l'ancienne capitale coloniale, à une trentaine de kilomètres d'Abidjan. La banlieue n'est pas différente de celle de Saigon. Même univers de paillotes, même vie grouillante : un bistrot, à l'enseigne de « Y a pas son deux », qui vaut bien « Le meilleur », les cellules de la prison, au nom inhabituel de « violon 1 », « violon 2 »...

Je me réjouis de cette escapade à trois : elle me change de la sympathique et joyeuse troupe de camarades qui tourbillonne à mes côtés depuis le départ de Paris. Les voyages de groupe, ces communautés réduites aux caquets, ont le charme du provisoire. J'écoute la petite musique des informations, savamment distillées, et une réalité me frappe : les Libanais sont 120 000 en ce pays, dont les quatre cinquièmes seraient des chiites. Ils investissent à tout va dans les affaires et jouent un rôle qui n'est plus négligeable. Ils se donnent un mal fou pour se faire aimer, ils ont offert récemment 14 millions de francs CFA pour financer la coupe d'Afrique de football, j'ai vu sur mon écran les vingt voitures qu'ils ont données à la police nationale « dans le but de lutter contre le banditisme ». Ils sont si malins qu'ils finiront par épouser la couleur de leur exil à la troisième génération. Quelle force serait la leur, additionnée à celle des foules de coreligionnaires installés ailleurs, s'ils la mettaient au service de la défense de leurs propres frontières, à l'orient de leurs origines. Mais ceci est une autre histoire, tragique! A ce point d'invasion d'une société humaine j'envisage seulement l'avenir.

L'islam enveloppe la planète, l'embrase, l'assombrit. La pureté mobilise les turpitudes. Les fous de Dieu sont en route, les chiites, nouveaux fanatiques de cette fin de siècle, obéissent à la fois à une tradition millénaire et à un diable nommé Khomeyni qui a installé Allah dans ses pièges. C'est l'Inquisition recommencée et nous n'avons pas, hélas, nous les chrétiens, de leçons à donner au monde. Si nous avons perdu le goût des croisades, les mollahs s'échinent, eux, à réinventer la guerre sainte. Des millions d'enfants boitillent sur les lignes de crête de l'Irak, tombent dans les marais, s'évanouissent dans les déserts. L'islam n'a plus les parfums de l'orthodoxe Arabie mais les fureurs de l'Iran chiite. La stratégie du désordre est remarquablement réglée. J'ai parlé tout un soir de cette poussée ravageuse avec Habib, professeur de lettres et « musulman des sources vraies » : c'est ainsi qu'il se définit. Il me demande de méditer sur cette réflexion du Tunisien Boularès : « Le khomeynisme est à l'islam ce que le stalinisme est au marxisme ». Je me souviens de ce que me disait le roi du Maroc un après-midi de « Radioscopie » à Marrakech : « Si Khomeyni est musulman, moi, descendant du Prophète, commandeur des croyants, je ne le suis pas. » J'y repenserai, mais il est évident que les prophètes ont changé de visage, ils ont des masques d'enfer.

10 février. – L'extrême droite sent toujours le soufre, le passé encore proche est si douloureux qu'on a raison de craindre un éventuel retour des assassins. Mais les bonnes consciences s'amusent à tout confondre, et l'on fait une montagne d'un rat. Jusqu'à preuve du contraire, Jean-Marie Le Pen n'est pas Hitler ni Pinochet, encore moins Amin Dada, ce cher ami de Khadafi. On donne au Front national une dimension qu'il n'a pas ; son succès inattendu est un produit de la peur, de la peur de tout et d'abord de soi. On n'a jamais vu tant de gens se mépriser, se provoquer... parfois pour mieux se protéger. Ceux qui fabriquent la rage croient l'exorciser et dans le même temps s'en délivrer. Invité par François-Henri de Virieu à son « Heure de vérité », Le Pen inquiète les timorés en s'accordant publiquement de l'importance. Au pis, il va recommencer l'aventure poujadiste qui fut, après tant d'autres expériences, un *moment* français. Le Parti communiste, en deuil de son héros Andropov, tempête contre Antenne 2, menace de partir en guerre contre cette « intrusion indécente ». Comique! Oubliés le Cambodge et l'Afghanistan, l'Iran khomeyniste et les goulags de partout, le Liban lâchement abandonné par ce qu'on appelle un peu bêtement le « clan des grandes nations ». Ridicule, cette frayeur! Un seul être vous heurte et tout est repeuplé. Le Breton pécheur – celui des péchés – n'a pas d'autre rôle que de troubler le jeu, d'irriter les partis : l'opposition qu'il ridiculise, la majorité qu'il méprise. Et s'il n'était que roublard, ce chantre réincarné des vieilles nostalgies nationalistes? Et si son courage, sa hargne, n'étaient en fait que le miroir grossissant de la suffisance politicienne de ses adversaires? Le Pen s'impose à peu de frais dans un paysage d'hommes déjà perdus, au cœur d'un labyrinthe d'habitudes et de complaisances idéologiques. Il doit s'étonner, s'éblouir peut-être, de ce qui lui arrive. L'honneur et l'indignité lui collent mal à la peau, il n'est que le reflet d'une colère passagère. Je ne l'écouterai pas à « l'Heure de vérité » – ses thèmes favoris ne sont pas les miens –, mais je me battrai pour qu'il y passe.

11 février. – Divertissement téléphonique. Edgar Faure me demande ce matin de piloter sa liste européenne aux prochaines élections. Surprise et immense éclat de rire : j'aurais pu penser à tout sauf à cela. Je dis vite mon refus et mon amusement. Débit accéléré du président, qui clame dans un magnifique zézaiement : « Ne plaisantez pas, c'est sérieux. Il nous faut une personnalité étrangère aux appareils. » Très peu pour moi. Je persiste dans le non et ne suis même pas flatté; je ne me fais aucune illusion : je ne suis pas le premier à qui l'on propose de jouer un tel rôle, non plus le dernier. Qui pourra dresser la liste des appelés, par ordre d'entrée en scène? On affirme que Jean-Denis Bredin, Hélène Carrère d'Encausse, Yves Montand, Jean-François Kahn l'ont été : on espère pouvoir séduire Bernard Pivot, Patrick Poivre d'Arvor, Bernard Kouchner, François de Closets ou peut-être Michel Tournier. Bientôt, si les sollicitations continuent, cet illusoire parti d'on ne sait plus quel centre pourra se targuer d'avoir rempli la plus longue fiche de candidats possible.

13 février. – Il faut beaucoup d'humilité pour oser tout dire dans un journal intime. Certains y voient de la vanité et c'est l'orgueil qui leur dicte ce jugement. Au vrai, qu'importe l'opinion des autres : l'essentiel est d'obéir à une nécessité qui aujourd'hui fait fureur. Jules Renard, André Gide, Paul Léautaud et Julien Green se sont trouvé des émules, le « je » est à la mode. S'il peut y avoir complaisance à se mettre en scène, n'y aurait-il pas suffisance à se taire pour paraître parfait?

Je ne me vois pas tricotant dans l'impudeur mais j'avoue me réjouir du déshabillage de certains. Une leçon d'amoralité peut avoir les plus heureux effets.

J'ai lu Roland Jaccard, je l'ai reçu à la radio où nous avons exploré ses vagabondages tendres : j'ai été époustouflé par son lyrisme et sa veine narcissiques. Sous le beau titre *L'âme est un vaste pays*, il nous tend le journal de bord d'un incroyable dragueur, pensionnaire, sociétaire même, de la piscine Deligny, temple, me dit-on, des dernières nymphettes. S'il n'était psychanalyste reconnu, chroniqueur délicat au *Monde*, on ne l'aurait sans doute pas remarqué, mais voilà qu'il nous surprend, ce vieux jeune homme qui va bradant avec allégresse ses meilleures conquêtes. C'est un déballage franc et qui n'est pas le moins du monde ridicule, avec l'immense mérite de la drôlerie. Les effleurements, les collégiennes fascinées, y sont racontés par le détail. Il est puéril d'écrire : « Moi qui suis particulièrement maladroit manuellement, j'ai réussi à dégrafer son soutien-gorge d'un seul coup », mais nous n'en sommes pas à un enfantillage près. L'adresse manuelle n'a rien à voir, heureusement, avec cette grâce naturelle du geste. Louons tout de même ce qu'il croit être une performance et tenons-nous-en à la simple banalité du propos. A dire vrai Roland Jaccard passe par le cynisme pour rendre les saisons supportables et nous entraîner aux dernières pages qui sont très belles : il y parle merveilleusement de son père, un peu à la manière d'Albert Cohen, de sa mère.

L'âme est un vaste pays n'est pas la seule course de ce début d'année à l'intérieur du « moi ». On peut lire aussi les souvenirs de Jean Hugo, arrière-petit-fils du grand Victor, gros bouquin édité par mon ami Nyssen, plein d'anecdotes sur Breton, Cocteau et les autres et qui se dévore, le Journal de Paris et d'ailleurs du poète anglais David Gascoyne, Brèves de Michèle Manceaux, qui fixe le temps comme il file, et Journées intimes de François Bott, qui réfléchit sur un visage, une rencontre (Cioran), quelques moments de 1977 à 1979, qui dit ses désenchantements et son amertume.

J'aime ces livres parce qu'ils me font reprendre mémoire, qu'ils me permettent de retrouver un monde que je connais, tel qu'il a été vécu par d'autres. Je voudrais qu'un grand écrivain d'aujourd'hui nous donnât une œuvre aussi précise que le Choses vues de Victor Hugo, et que les chefs d'État – anciens et à venir – fussent assez courageux, assez humbles pour nous raconter leurs efforts et leurs défaites. Fidèles en cela à Tocqueville, éloigné des affaires, qui écrivait en 1850 à la première page de ses souvenirs : « Le meilleur emploi que je puisse faire de mes loisirs me paraît être de retracer ces événements, de peindre les hommes qui y ont pris part sous mes yeux et de saisir et de graver ainsi, si je puis, les traits confus qui forment la physionomie indécise de mon époque. » Fernand Braudel a raison de dire que le regard d'Alexis de Tocqueville est celui d'un historien qui veut mettre ses personnages à leur juste place : il les critique même quand il les aime, les loue à l'occasion même s'il ne les aime pas. Je me suis attaché à ces phrases que j'ai déjà dû rapporter : « J'ai quelquefois imaginé, écrit-il, que si les mœurs des diverses sociétés diffèrent, la moralité des hommes politiques qui mènent les affaires est partout la même. Ce qui est bien certain, c'est qu'en France, tous les chefs de parti que j'ai rencontrés de mon temps m'ont paru à peu près également indignes de commander, les uns par leur défaut de caractère ou de vraies lumières, la plupart par leur défaut de vertus quelconques. » A méditer. Pour Tocqueville, ces souvenirs, que chacun d'entre nous devrait lire ou relire, étaient un délassement de l'esprit, retracés pour lui seul... « Mes meilleurs amis, disait-il, n'en auront point connaissance, car je veux conserver la liberté de peindre sans flatterie et moi et eux-mêmes. » Là est sa force, toute la différence d'avec les politiques d'aujourd'hui. Que peut-on attendre de vrai, de précis, d'hommes qui, jusque dans leurs traversées du désert – cette attente du retour –, ont encore l'irrésistible envie du pouvoir...

15 février. – Peu de jours avant la fin de la Terreur, dix-sept carmélites de Compiègne font le vœu du martyre pour que cessent les persécutions. Arrêtées, condamnées à mort pour n'avoir pas voulu renier leur foi, elles sont conduites à l'échafaud où elles montent en chantant le *Veni Creator.* De cet épisode vrai de notre histoire la moins glorieuse, Bernanos a tiré la très édifiante pièce que l'on sait, accordant au divin la place première. Sur ce même livret, qui sut inspirer Poulenc pour un opéra, Pierre Cardinal nous donne ce soir un moment rare de télévision et c'est l'honneur de Pierre Desgraupes de l'avoir suscité. Exceptionnelle qualité d'émotion, splendeur du texte servi par des comédiennes remarquables. Le lieu est lumineux qui appelle l'état de grâce. Simplicité et beauté du décor, architecture exemplaire d'Alain Nègre réalisée en studio dans une béatitude de tulle. Je suis bouleversé, pris au plus profond, remué par l'offrande tranquille de ces religieuses, le tragique chemin de ces âmes en péril sauvées à la fin par la seule force du spirituel. Pas une minute qui fût de trop. Je n'entends pas une conversation entre carmélites, je perçois le dialogue intérieur de chaque sœur avec elle-même. Désespérante et magnifique confrontation, héroïsme de toutes les minutes. Quelle interprétation! Il y a Suzanne Flon, exacte, mythique, partie avant les autres pour, là-haut, préparer l'accueil, Madeleine Robinson, inspirée, peut-être un peu trop montrée de près, Anne Caudry – dans le rôle de Blanche de la Force –, jeune, belle, inspirée, affolée et puis encore, surtout, exemplaire, Nicole Courcel qui a la fierté de mère Marie et qui, privée d'un martyre qu'elle avait pourtant décidé pour sa communauté, souffre le pire : le rendez-vous manqué avec sa mort. Cela, il fallait l'exprimer et le vivre. Chef-d'œuvre de composition qui n'a pas d'autre origine que l'accord total et partagé à la vérité des mots, à l'intime du cœur. L'admirable en ce combat est que chacune de ces femmes se charge de la mort de toutes.

La haine de Dieu fut au commencement de la Révolution, la haine de l'adversaire est aujourd'hui encore l'arme absolue de bien des peuples et je ne puis m'empêcher de penser au fanatisme, à Khomeyni (encore), cette plaie de l'Iran. Dramatique continuité de la bêtise ouverte ou poursuivie, il faut le dire, par l'Inquisition. Les carmélites de Compiègne offraient leur mort pour sauver leurs bourreaux. Le crime était politique : ce péché restera longtemps encore notre principale souffrance.

17 février. – Pablo Neruda, Asturias, Carlos Fuentes, Jorge Luis Borges, Ernesto Sabato, Alejo Carpentier, Garcia Marquez, Jorge Amado... Belle brochette d'écrivains, toute la fleur de la littérature latino-américaine. Je les ai souvent reçus, j'ai passé de longues journées avec certains d'entre eux, à Bahia avec Amado, à Buenos Aires avec Borges. Il me manque aujourd'hui d'avoir bien connu l'Argentin Julio Cortazar qu'une leucémie vient de jeter en terre. J'avais pris un grand intérêt à trois de ses livres : *les Armes secrètes, Marelle* et *le Tour du jour en 80 mondes*. Je l'avais accueilli à l'« Échiquier » consacré à ses amis chiliens, les Quilapayun. Nous avions bataillé sur Cuba qu'il défendait contre tous, fidèle en cela à son premier engagement politique. Je ne comprenais pas qu'il s'obstinât à admirer Fidel Castro. Mais nous nous entendions sur le jazz : Charlie Parker, Luis Armstrong, Johnny Hodges, Fats Waller auraient pu nous façonner des soirées d'amitié. Sans doute devrais-je relire maintenant *les Autonautes de la cosmoroute*. Ce récit d'une randonnée entre Paris et Marseille s'achève avec la mort de sa compagne, Carol Dunlop... « qui s'échappa d'entre mes mains comme un filet d'eau ». Julio Cortazar écrit pour elle : « La douleur n'est pas, ne sera jamais plus forte que la vie que tu m'as appris à vivre. »

20 février. – C'est une évidence. Il grandit le nombre de ceux qui se donnent des raisons d'être sûrs de ce qu'ils sont. A la question « Quels sont les trois plus grands orateurs du monde politique? » Edgar Faure a répondu, dans un à-peu-près de circonstance : « Attendez... je cherche les deux autres. » Interrogeant Patrick Dupond sur le tiercé gagnant des danseurs actuels, tous pays confondus, celui-ci n'a pas hésité : « Je connais le troisième et je me demande si je ne suis pas trop modeste : c'est moi. » N'allez pas croire que ces réflexions portent la marque de la fatuité. Pas du tout. Voilà des personnages qui ont l'humilité de se reconnaître les meilleurs. Michel Legrand pense lui aussi, avec la même modestie, que peu de compositeurs volent au-dessus de lui. Il n'a pas toutes les certitudes, l'angoisse le tiraille trop et la peur de déplaire, mais il sait sa facilité à démêler les notes, à concocter des œuvres, à battre sur un terrain de plus en plus médiocre des tricoteurs de gammes seulement occupés de leur commerce. Il a trop de talent pour être aimé, il n'aura jamais à sa botte les grandes voix du prêt-à-penser intellectuel ou les plumes dentellières de la bonne presse salonarde. Il montre un peu trop de suffisance – en fait, une vraie timidité – pour être accepté des simples. Il lui reste donc sa marginalité qui ressemble à une solitude. Il n'est d'aucune chapelle; inclassable, il échappe à toutes les *griffes* qui se veulent à la mode, qui se désespèrent surtout de n'avoir jamais imposé la leur. Il n'y a rien de plus triste qu'un homme ou une femme qui mord dans la peau de celui ou de celle qu'il voudrait être. Il fut un temps où pour ces gens-là nous faisions des requiems, aujourd'hui pour les aider à ne plus mourir nous avons inventé des messes de couronnement. Peut-être dresserons-nous un jour la liste des confrères curieusement en place et paradoxalement pervers dont nous ne voudrions en aucun cas si d'aventure nous lancions un journal! Michel Legrand s'amuse à surprendre, à déranger, à s'afficher, à s'effacer. C'est toujours le même jeu. Et il va sans complexe des *Parapluies de Cherbourg*, de Jacques Demy à *Yentl*, de Barbra Streisand, en passant par la *Valse des lilas*, un concerto pour violon et orchestre remarquablement joué ce soir par Ivry Gitlis, ou une symphonie. A désespérer tous les chercheurs de bruits dits contemporains. Je ne crois pas qu'une rencontre prolongée avec Legrand pousse à l'amitié, elle porte en tout cas à l'estime. J'apprécie qu'il ne soit pas économe de ses talents même s'il les disperse. L'amour qu'il a de la musique ne s'accommode d'aucun repos. Il suffisait – pour s'en persuader – de le voir, après l'« Échiquier », poursuivre sa ronde au Bilboquet, petite taverne de jazz, avec Shelly Manne, le batteur, Ray Brown, le contrebassiste, Phil Woods, le saxophoniste et Dizzy Gillespie, le trompettiste. Il ne vit que de lui-même et de ce que les autres lui donnent en le servant.

La tendresse qui, seule, sait accompagner les beaux moments, avait ce soir la voix et le cœur d'Henri Salvador. Il faudrait que le monde sache reconnaître l'exacte dimension de cet artiste qui masque sa sensibilité dans d'immenses éclats de rire. Nous tenons là un inventeur de mélodies unique, génial, un mime, un interprète sans rival – je pourrais aussi le dire de Montand –, un homme d'une finesse rare, d'une exigence qui force le respect. Suis-je de ses amis après vingt ans de complicités diverses?

J'ajoute vite, au bout de ma nuit, que les personnages les plus lucides ont d'étranges faiblesses. Chez Legrand, ce sont ses enfants. Eugénie est bonne cavalière, Hervé, une excellente graine de musicien, mais Benjamin ne devrait pas être poussé dans la chanson. L'imposer, c'est lui rendre un très mauvais service. Je me suis battu pour supprimer cette séquence; le désarroi du père était tel, l'incidence tellement mineure, que j'ai subi ces cinq longues minutes inutiles. Célébrant les fastes de cet « Échiquier », un journaliste demandait tout à l'heure « Qu'est-ce qu'un bon producteur? » Simple comme bonjour : celui qui sait composer un plateau. Le reste relève de l'anecdote.

21 février. – Je l'ai découvert par l'une de ses phrases avant que d'avoir vu l'un de ses tableaux : « Le mystère, disait Magritte, est ce qui est absolument nécessaire pour qu'il y ait du réel. » La lumière qu'il pose sur la face cachée des choses est le miracle de ce peintre, le trouble qu'il fait naître en nous est le fruit de ses interrogations, il y a de la magie dans ce qu'il invente. Du tragique, parfois, si l'on sait son enfance. Ainsi regardons cette femme, revêtue d'un drap épais, qui nous tourne le dos et souvenons-nous que sa mère se suicida lorsqu'il eut quatorze ans : on la découvrit la tête recouverte d'un voile. D'un souvenir il a fait une question : pourquoi est-elle partie? J'aime cette manière de ne pas dire et j'apprécie qu'Isy Brachot ait réinstallé ce surréaliste dans sa galerie, rue Guénégaud. Quel bonheur de revoir sa femme nue, visage rouge, seins roses, ventre bleu, sa pomme offerte dans des bras de granit, ses portes creusées dans les arbres et souvent ouvertes pour une prome-

50

nade à l'intérieur de la terre, ses oiseaux qui poussent sur des tiges. L'étrange et l'insolite sont les piques de son art. L'épique de son trait. Il organise les sortilèges et n'accorde rien au rêve dont il se méfie. Pas de flou, seulement l'indéchiffrable. L'irréel pour toute réalité. J'aurais voulu posséder une toile de lui, son château en Pyrénées par exemple, ce rocher bizarre en lévitation dans l'espace. J'y devine un piège! Et je voudrais m'y laisser prendre. René Magritte est bien plus mystérieux que Delvaux, que j'ai visité dans son atelier de Bruxelles : les gares, les locomotives, les femmes nues en crinoline de ce dernier invitent moins au voyage.

22 février. – « Si Antenne 2 était privatisée, donc libérée de ses contraintes, elle pourrait aisément se passer de toute redevance. » La petite phrase de Pierre Desgraupes déclenche aujourd'hui une sombre agitation dans les milieux politiques qui se voient en passe d'être dépossédés de leur étrange pouvoir. Les réactions tumultueuses témoignent d'une étonnante malhonnêteté, d'une belle perfidie et d'une infinie bêtise. Comment ne pas reconnaître que les supports d'images se multiplient, que le marché de l'audiovisuel est en complet bouleversement, qu'il faut une nouvelle stratégie d'exploitation du gisement télévision? Nier cette vérité c'est refuser notre fin de siècle. Si la liberté nous était enfin donnée nous n'aurions plus à respecter le cahier des charges qui nous oblige à flirter avec l'INA que nous approvisionnons, avec le cinéma qui nous méprise et que nous devons aider, avec la SFP qui est pourtant mon autre maison, avec l'État lui-même. Nous devons dès à présent prendre tous les risques et nous sommes assez lucides, assez professionnels pour nous interdire de rompre avec la *rigueur* qui fut la force – et la faiblesse obligée – du monopole. Les chaînes, demain, auront chacune une couleur originale, elles joueront la différence. Il est urgent de s'y préparer.

25 février. – Deux amis s'en vont à quelques heures d'intervalle, ils représentaient deux styles de télévision, deux manières d'accommoder l'audiovisuel, ils sont à des titres différents des moments de ma vie. A la toute dernière seconde ils se seront trouvés fidèles à leur éthique. L'absolue camaraderie pour Couderc, qui venait fêter les soixante-dix ans de Fernand Bucchanieri, le dilettantisme pour Lancelot, qui attendait du football un supplément d'enthousiasme. Le second est mort au Parc des princes, qui était le terrain d'exercice du premier. J'estimais Roger, j'aimais Michel. Je les avais engagés le même jour en 1975, engagés à nous rejoindre dans les tranchées d'Antenne 2 qui balbutiait ses premières envies. Près de Marcel Jullian, la belle aventure allait commencer. J'avais donné rendez-vous à Couderc et Robert Chapatte chez Francis, à l'Alma. Ils travaillaient alors à Europe n° 1, qui les avait sauvés d'un éloignement totalement injuste. Du désert. Écartés du petit écran par les vagues de l'après-68, ils n'imaginaient même pas la possibilité d'un retour. J'étais donc le porteur de la grande nouvelle et c'était si beau, tellement inattendu, que Roger n'arrivait pas à y croire. Il téléphonait chaque midi à la maison et c'est à ma femme qu'il demandait : « Est-ce bien vrai? » Cela dura trois semaines, le temps de mettre un peu d'ordre dans nos affaires. Marquant de façon très populaire son passage, il aura fait de toute la France une « terre d'ovalie » et qu'importe s'il fut chauvin, cocardier, puéril. Il ne manœuvrait qu'avec des mots d'amour, il avait la tête près du clocher, honte aux pisse-froid qui méprisaient la naïveté de ses envolées baroques. Avec lui le rugby était sorti de son lit traditionnel, le Sud-Ouest n'était plus seul concerné, le jeu sur ses lèvres sonnait vrai; de Gachassin, d'Albaladejo, de Maso, de Rives, il avait fait ses chevaliers de la Table ronde. On ne lui en voudra pas d'avoir donné quelques hoquets de plus à l'épopée. *Il était le rugby*, il lui avait offert ce que les fédérations sont bien incapables de provoquer : *l'émotion.*

Pierre Albaladejo, qui en véritable technicien corrigeait ses erreurs, nous montre l'une des facettes de son lyrisme : « Un jour il a parlé d'un fantastique coup franc tiré des cinquante mètres. Hors antenne, je lui ai fait remarquer qu'il y en avait à peine trente! Imperturbable, il m'a répondu : " Je sais, mais j'aurais tellement voulu que ce fût cinquante mètres ". » Il est maintenant dans sa terre gasconne et demain, peut-être, les mimosas lui feront un tapis de cérémonie. Je n'irai pas à Mauvezin, où on l'attend, j'ai tant à faire à Garancières : Marie-France m'y appelle, et Marie-France c'est Michel Lancelot. Il ne sera pas là pour m'accueillir. Des lois imbéciles, plus froides que la mort, l'ont conduit du Parc à la morgue. Les réglementations n'ont rien d'humain. Je le sais nu dans sa cage de pierre, comme un anonyme sans famille ni amis. Quand donc finira cette horreur?

Michel aura fait d'une travée de stade son final. Il a crié là ses dernières imprécations à l'arbitre de la rencontre Paris-Saint-Germain/Auxerre. Et il y a perdu sa voix. C'est la mort d'un supporter : *Borelli*, président du P.S.G., doit savoir que le marginal Lancelot, beau fleuron de l'avant-gardisme en tous domaines, chantre des paumés, des exilés, était lui aussi le dix millième douzième joueur de son équipe. On peut aimer la peinture, la littérature, la musique et se laisser aller aux plaisirs populaires des combats sportifs. C'est encore poursuivre des chimères. Tout nous rapprochait, Michel et moi, et plus encore nos silences, nos absences. Nous avions tant fait ensemble depuis un quart de siècle, nous étions tellement liés jusque dans nos différends. Ce n'était pas une amitié de galerie, un copinage de circonstance. Plutôt un compagnonnage; nous partagions l'essentiel, mais nous étions convenus d'une grande liberté pour ce que nous appelions le « futile nécessaire ». Il était fervent, exagéré, habile à la drôlerie, exercé à l'esquive, juste libertin, parfois ivre d'orgueil et puis assommant d'humilité feinte, compliqué et fraternel, autoritaire, un rien condescendant, ce qui est souvent le propre des timides. Il avait écrit la trame de son premier roman, *Je veux regarder Dieu en face*, dans ma maison de Cely-en-Bière, y compulsant des nuits entières les vieux bouquins de notre bibliothèque; il avait tenté un essai sur *Violence ou non-violence*, examinant à la loupe son périple radiophonique – le fameux «Campus»; il avait obtenu le Prix des créateurs avec *Le jeune lion dort avec ses dents*. Son dernier ouvrage, *Julien des fauves*, cri d'espoir pour un monde d'utopies, le mettait de méchante humeur, on lui avait laissé croire qu'il pourrait avoir le Goncourt. Il me disait : « Mon vrai roman, celui qui devrait être l'accomplissement du talent que je sais en moi, ne verra hélas jamais le jour. » Cette réflexion ne lui est pas personnelle. Certains auteurs écrivent lentement et parlent d'abondance, pour n'avoir pas à terminer leur œuvre, qui serait au point extrême leur mort. Ils lâchent des phrases, des chapitres qui traînent dans leurs tiroirs, des manuscrits qu'ils n'osent pas montrer, tout un désordre qui les raconte. C'est dans le caché des choses qu'on trouve des étincelles de vérité. Les admirateurs des grands peintres – je pense au Titien, à Vinci, à Bosch, à Vermeer – seraient aux anges si l'on tirait de cartons sûrement enfouis quelque part les esquisses préparatoires à leurs meilleurs tableaux, ces trésors de recherches et de maladresses. Que sont les feuillets épars du dernier ouvrage non publié de Michel? Que sont devenues ses idées de paix, de bonheur, son souci d'une terre accueillante? A Garancières, il avait trouvé un gîte et surtout une femme, qui n'était pas la sienne si l'on s'en tient au registre. Or Marie-France Nollet, dont je fis récemment l'éloge, était bien plus : une *compagne*, celle des huit années les plus dures. Mais Michel était marié, Michel avait une fille de douze ans, il se voulait éternel et n'avait rien prévu. La loi ne s'est jamais entendue avec l'amour : elle favorise les habitudes, les vieilles signatures, elle comble les perfides assez astucieux pour prendre des précautions, elle récompense l'habileté de ceux qui au meilleur des alliances préparent des testaments... Marie-France n'a aujourd'hui pour tout héritage que sa peine. Beaucoup d'autres, près d'elle, trichent avec des sentiments bizarres, des attentions trop voyantes, un zèle qui n'est même pas subtil.

Pour accompagner Michel dans ce cimetière de Garancières, qu'il n'aurait jamais eu la curiosité d'aller visiter, Marie-France a choisi de lire quelques lignes de *Julien des fauves*.

« Laisse les morts à leur voyage. Accepte d'avoir été frappé ainsi et n'en veuille plus à personne car personne n'est responsable. Il ne sert à rien de haïr pour ceux qui sont morts. Détends-toi, ouvre-toi pour ceux qui vivent. Songe aux pauvres, aux internés, aux torturés, aux estropiés du corps et de l'esprit, aux boiteux, aux faibles et aux aveugles. Détends-toi... Non, pas ainsi, tu vois bien, tu es encore crispé. Voilà, comme ça, c'est mieux. Des torrents d'eau vive coulent éternellement sous les déserts. Sers-toi de ta force physique pour creuser et les faire jaillir. Acquiers la force mentale pour étancher ces milliers de soifs. Car tout le but de l'homme est le plaisir. »

Lancelot n'aurait pu rêver plus bel hommage à sa seconde dernière (ou première, comme nous disions tous les deux parfois). Dans nos crises mystiques, qui se terminaient dans d'immenses éclats de rire, nous nous persuadions qu'il y a *un jour futur*. En inventant *Julien*, il ne se doutait pas qu'il livrait son testament le moins ambigu et qu'il écrivait à la page 150 sa propre épitaphe.

26 février. – Il est de bon ton, dans les cénacles, de se moquer de ce qui va trop bien, de ce qui éclate. On écrase d'autant plus la victime que l'on a su encourager ses débuts. Regardez Kundera. C'est la curée. L'un des plus sûrs témoins de cette fin de siècle est aujourd'hui piétiné par une meute de roquets sans importance qui croquent à vif pour se croire à la mode. Son dernier livre, *l'Insoute-nable Légèreté de l'être*, est jugé prétentieux, raté, curieu-sement engagé. J'en sais – s'ils osaient – qui diraient que l'auteur est définitivement perverti. Rappelons-nous ce qu'a subi, et des plus médiocres, Soljenitsyne! C'est encore le temps des assassins.

De Milan Kundera, j'aime la pureté, la profondeur du *regard*, les sources qu'il lui trouve, la multiplicité qu'il lui donne. L'œil est le miroir le plus implacable, la référence la moins mensongère. Le regard reflète notre monde intérieur et il n'y a pas dans ses expressions de tricherie possible : il suffit d'y être attentif. Voici le regard de celui qui veut être regardé, qui espère la fin de l'anonymat, qui attend la gloire, et le regard de l'être qu'on aime, qui vous aime, et le regard qui s'adresse à une ombre, à un fantôme, à un désert, le regard du rêveur, et aussi le regard du jaloux qui est étrangement vide, et le regard de tous les malheureux, de tous les exilés, qui n'ont plus que des images pour univers. Le regard est le *don* le plus précieux et je remercie le Ciel de ne pas l'avoir trop longtemps voilé, ou plutôt d'avoir su le dérober, pour me le rendre ensuite *essentiel*. Quel bonheur que la lecture! Je fréquente en ce moment Robert Sabatier, académicien Goncourt, auteur d'une monumentale histoire de la poé-sie française, millionnaire en *Allumettes suédoises* et jouisseur à tout jamais devant l'Eternel. Ce grand vivant tire un trait sur sa facilité et expérimente un filon nouveau : les *Années secrètes* de la vie d'un homme. Bible de 600 pages, son bouquin est une exploration, un raid, son Paris-Dakar. Le voilà cherchant, taraudant, classant au plus intime de ses rêves, de ses chasses. Il raconte le voyage qu'il ne fera jamais, s'invente marin et japonise en chambre. Il traque sa baleine blanche ou son lama bleu et demande timidement qu'on lui accorde de l'importance, qu'on le prenne au sérieux. L'exercice est exclusivement romanesque mais son aventure passe par des lieux bien réels : Lyon, Okinawa, Hong Kong, Nancy, le Sud-Est asiatique, l'Afrique. Un formidable morceau de bravoure dans la longue balade de ce sédentaire : l'explosion de la première bombe atomique. L'horreur, comme un poème. Il y a là un immense plaisir d'écrire. Sabatier est tellement différent, dans cet ouvrage, que l'on peut parler de naissance. Alain Bosquet s'en plaint, c'est bon signe.

Autre regard, celui de Jean-Louis Curtis, mon voisin pyrénéen, qui dans le Mauvais Choix fait entrer la politique en littérature. Son dernier roman entrecroise deux récits qui se font écho. Le premier a pour cadre la Rome de 310 où un patricien, Lucius Macer, s'inquiète de l'expansion du christianisme dans l'Empire. Le second dresse un tableau de la fin du XXe siècle : un grand bourgeois, Lucien Mazerel – Lucius = Lucien, Macer = Mazerel –, assiste aux convulsions politiques qui précipitent l'Europe en une confédération d'États socialistes inféodés à l'URSS. Des dates : en 313, l'édit de Milan consacre la victoire de la religion nouvelle, en 1981, la France tombe dans le sein de Mitterrand. Je relis la page 175 et je la retiens : « Le 10 mai 1981 il s'est passé quelque chose d'assez comique : une partie de l'électorat de droite, ou centre-droite, a voté contre le président sortant pour lui donner une bonne leçon, et a été éberluée d'avoir élu son adversaire. Cela ressemble à ces élections de l'Académie française où le premier tour dit de " politesse " fait passer quelqu'un dont aucun académicien ne voulait vraiment. Ici ce n'est pas la politique qui a joué c'est la hargne. » Dans Lettre à mes ennemis de classe, Jean-Marie Domenach s'en prend, lui, à la gauche, au sectarisme d'un pouvoir qu'il interpelle : « N'attendez pas; le discours politique a vieilli très vite et le vôtre plus que les autres. On ne croit plus guère autour de nous à ce que vous dites; et ce qui est plus grave on ne croit plus guère à la politique. » Sur ce dernier point, je me reconnais à l'avant-garde. Il y a bien longtemps que je n'y crois plus, j'estime même que pratiquer ce jeu est une nécessité vulgaire. Aux fureurs de quelques malandrins, fiévreux de porter l'estocade finale, je préfère la douceur, l'exigence, l'amitié, la surprise d'un livre, moins stériles

57

que la parole bouillonnante et creuse. J'aime la découverte d'un Denis Tillinac, d'un Eric Neuhoff, et je me méfie des sentiments que Stendhal crut devoir prêter à Octave de Malivert, le nigaud d'Armance : « Cette obligation de ne pas aimer était la base de sa conduite et la grande affaire de sa vie. » Bizarre, bizarre. Je m'accorde plutôt avec ceux qui accumulent les raisons, fussent-elles mauvaises, de trop aimer. Il y a là, du moins, la tentation du naufrage. De nombreux auteurs se cherchent des nostalgies. Mais Nimier est mort, Blondin boit la vie à en crever, Déon académise, Franck journaliste et Laurent promène sa solitude dans les musées. Pourtant, la grâce est de leur côté. Les peurs tragiques des meilleurs écrivains m'entraînent à penser à Mishima qui, avant de se suicider, procéda à une toilette minutieuse et quitta son appartement en laissant sur sa table de travail cet ultime message : « La vie est brève mais je voudrais vivre toujours. » Cette impression, je la ressens profondément au récit des aventures du plus turbulent des romantiques anglais, Lord Byron, que mon cher complice d'adolescence, Gabriel Matzneff, a racontées pour mieux s'y peindre lui-même. L'essentiel de ce qu'il veut dire, de ce qu'il se souhaite est dans la deuxième page de l'essai qu'il a consacré au poète...

« L'optimisme nigaud me fiche le cafard, la lucidité, elle, est une vertu tonique... Byron me fortifie parce qu'il exalte en moi l'énergie créatrice, la fierté d'être celui que je suis, l'insolence de braver l'opinion du monde. » Plus loin... « Très vite, autour de Byron, s'est créé un mythe, qui est pour un écrivain le meilleur et le pire... Byron n'a jamais cessé d'être importuné par de prétendus admirateurs qui n'avaient quasiment rien lu de lui mais que sa réputation bizarre attirait. » Gabriel se regarde, il se retrouve dans tout ce qu'il écrit de son modèle et je songe, pour d'autres raisons, à Pierre Guyotat qui force l'incompréhension de ses contemporains. Méandres du labyrinthe! Guyotat nous avait donné, il y a une vingtaine d'années, un beau texte, *Tombeau pour cinq cent mille*

58

soldats. Aujourd'hui, je n'oserais pas dire qu'il se moque, qu'il provoque, mais *le Livre* est un étrange ensemble de 210 pages illisibles, faites de mots coupés, d'apostrophes et de contractions. Je comprends mal, je revendique mes ignorances, mais je voudrais que l'on m'éclaire. Que veut-il faire de la langue française, est-ce du terrorisme, une manière d'en finir avec l'institution littéraire? Je pose ces questions parce que je le sais sincère, pas le moins du monde malhonnête. J'ai tenté de *parler* le texte, comme je l'avais fait pour *Paradis*, de Philippe Sollers. Je ne parviens pas à m'écouter, je n'entends rien. Alors je prétends – bêtement? – que c'est de la typographie et j'en félicite les imprimeurs. Peut-être est-ce une langue nouvelle et je suis si peu doué pour les paroles étrangères! En voulez-vous des exemples pris au hasard... « Sôs amauroz' par excès kief bras conchiassié jusqu'deltoïd' à l'axterpation hors plus profond trô d'tôt l'ilôt yatchenko l'ukrânnian qu'évadé dexsaptann' parricid', crân tondu quarant' quatr' femm' UFF qu' desput aux putans rast... » Je ne suis pas sûr d'avoir bien recopié. Encore une giclée?... « Mâchoir' boul' act' d'vent' lots servil', en conq' rast' echo sereneen, vié eregé levitant... » Là je suis sacrilège, je n'achève pas la phrase! Guyotat invente des néologismes, tire la surprise de quelques racines grecques, saccage la langue, multiplie les apostrophes, contracte les diphtongues. Peut-être ambitionne-t-il la musique? Il faudrait faire chanter son texte, j'ai bien envie d'en parler à Pierre Boulez. Contrairement à d'autres, je ne suis pas scandalisé, seulement étonné et ne veux point ajouter au tintamarre des plumes en folie qui grattent contre lui dans les offices littéraires. Un écrivain a tous les droits. Voilà une forme personnelle de communication à laquelle, simplement, nous ne sommes pas obligés d'adhérer. A la vérité, Guyotat lance un appel au secours. Je l'imagine, au fil de la Seine, attendant les bouées de sauvetage. Et Françoise Xenakis est déjà là, qui écrit : « *Le Livre*, il faut avoir du temps et ne pas le feuilleter – mais humble, se mettre à son service. Et alors le vertige vous prend. »

28 février. – Londres pour quelques heures. Immuable Angleterre, noblement vaniteuse et grise et chaleureuse dans ses premiers contacts avec celui qui la visite. Sur le parking de l'aéroport le chauffeur de taxi vous offre, dès le départ, des bonbons et des cigarettes. Ce n'est pas nouveau, j'ai déjà connu deux fois cette heureuse surprise. L'hôtel Savoy : luxe de bon aloi, discrétion, chambres vieillottes. Des valets en queue-de-pie y promènent des airs de grande maison ; on les dirait échappés d'un roman d'Agatha Christie. Je les vois soucieux de ne pas être inférieurs à leurs collègues de Buckingham et j'imagine que dans deux siècles les choses ici n'auront guère changé. Julia Migenes-Johnson nous attend dans un appartement assez banal qu'elle a loué à Kensington. Patrice Ledoux lui montre les premières affiches, le coffret de trois disques de *Carmen*. Pudique, élégante, elle ne s'attarde pas aux outils de son prochain triomphe. Nous nous mettons au travail. Sacré bout de femme, incroyable volcan, petite mais à ce point mobile qu'elle incarne dans ses sauts, ses humeurs, son enthousiasme, toutes les tailles. Je n'ai jamais rencontré personnage d'une telle envergure, pareille fusée, qui sache à cette altitude du talent assurer ses trajectoires. Car elle peut aussi ralentir le jeu et parler calmement de la vie, de ses repos, de sa famille. Elle épouse mille tuniques, des feux de l'Amérique du Sud au grandiose de la Grèce, elle boit à toutes ces sources, qui sont les siennes, on la devine nourrie des plus vieilles civilisations et je comprends mieux ce que me dit le professeur Jacques Ruffié à chaque rencontre : « Le métissage est un phénomène heureux. » Elle est cantatrice, évidemment, mais encore danseuse, funambule, clown, comédienne et surtout femme. Quelle grâce naturelle dans l'attitude, le comportement, l'amitié ! J'en suis maintenant persuadé : avec elle le « Grand Échiquier » du 19 mars prochain sera une réussite, ou alors ce serait à désespérer des coups de cœur.

Nous sommes assis par terre, sur l'épaisse moquette blanche du salon. Patrice et André Flédérick, notre réalisateur, mon complice, sont bourgeoisement accrochés à leurs fauteuils. Nous inventons le programme.

– Trois heures de direct, ça ne t'effraie pas.

– Seulement trois heures! me dit-elle.

– Nous dépasserons sans doute...

Elle part d'un incroyable éclat de rire.

– Comme d'habitude, je sais, tant mieux.

– Il faut d'évidence quelques grands airs du répertoire.

– OK, Jacques. Comme ça les critiques musicaux qui n'y connaissent rien seront contents. Est-il vrai que l'on a reproché à Placido Domingo d'avoir chanté avec Mireille Mathieu?

– Exact.

– Ils ont tort. Placido sait mieux qu'eux ce qu'il doit faire. Et puis il faut agacer pour qu'on nous aime tout à fait...

– On choisit? Moi je voudrais t'entendre dans *Louise*, *la Bohême*, *Don Juan*, *la Traviata*, *la Chauve-souris*...

Elle ajoute immédiatement :

– Mais aussi dans *West Side Story*, *Porgy and Bess*, des airs latino-américains, des mélodies allemandes.

– Des chansons de Barbra Streisand, Liza Minelli?

– Je suis d'accord. Mais je voudrais également danser. Béjart pourrait peut-être m'aider à retravailler *Salomé*. Et puis je veux créer une chorégraphie de William Millié.

La fantastique machine est en marche. C'est le feu, l'eau, le vent. Il y a tant de liberté dans son expression que je suis ébloui. Tant de sortilèges.

– Tu es sûre de pouvoir tenir?

Elle me regarde, joyeusement attristée.

– Tu n'as pas confiance? Tu crois que je vais m'effondrer. Erreur mon bonhomme! Pour la première fois je tiens à faire chez toi mes propres jeux olympiques. Je te demande simplement de prévoir *Louise*, *la Chauve-souris*, *Bacchianas brasileiras*, *Don Juan* au début de

61

l'émission. Pour une simple question de tessiture de voix. Le reste viendra tout seul. Et ce sera alors le vrai triomphe ou le superbe accident...

Elle rit de tous ses yeux, de ses lèvres, de son corps, de ses cheveux qu'elle déploie en touffes parlantes, comme une torche. Elle s'adresse à André.

– Un dernier mot et puis nous parlerons d'autre chose. Vous devrez me filmer de très bas... Je suis si petite.

1ᵉʳ mars. – Je le regarde et je l'écoute. Ce gentilhomme du peuple aux épaules larges, aux rondeurs insolentes, lourd et agile, est aussi un enfant. Gérard Depardieu allie les contraires : il a des airs de Poulbot et l'onctuosité d'un chanoine. Sur son visage, tout frémit de délicatesse, de fraternité. Il y a eu malentendu au départ, ambiguïté, grossièreté. Loubard au cœur gros, à la pogne monumentale, il a eu du mal à se débarrasser des quelques oripeaux dont on l'affublait. Sans masque, on lui en prêtait, et s'il n'a pas succombé à sa légende, c'est que sa vérité était de taille à vaincre les impostures. Il est bon de se méfier de ce qu'autrui souhaite faire de vous. Gérard est poisson, il vous file entre les doigts, il faut le mériter et le prendre tel quel. Il a du culot et une étonnante timidité, du respect pour ses amis et le goût du déraisonnable. C'est un être de rencontres. Il a joué *Tartuffe* pour mieux aimer François Périer, je le dis avec certitude puisque je suis à l'origine de cette aventure théâtrale. Il le joue sans effet, contraint, austère, désarmé, selon les indications du metteur en scène. Presque une ombre de Tartuffe... un peu comme si Jacques Lassalle avait eu envie que Tartuffe n'existât point. La pièce pourrait ainsi s'appeler « Orgon ». Depardieu se plaît à ces contradictions. Il peut être violent, criard, cabotin comme Danton, lieutenant séduisant dans *Fort Saganne* et débutant frileux près de Barbara, la chanteuse qui lui mijote un opéra. Demain, il nous persuadera qu'il sait être don Juan et plus tard nous le trouverons sans surprise dans les chiffons de l'abbé

Pierre. Quelques-uns diront : « Normal, il est acteur. »
Moi, je prétends qu'il est lui-même. Son paradoxe est de
se montrer mesuré dans ses démesures, parce qu'il
contrôle ses outrances. Ses appétits et son physique le
condamnent à en faire trop. Mais il est assez rusé pour
déjouer ses propres pièges. Il revendique l'erreur, donc il
l'assume. C'est un voyou tendre, donc un gentleman.
Provoqué par les mousquetaires avant que de les connaître, il aurait été tout naturellement d'Artagnan. Démoniaque il est plus encore Athos et Planchais à la fois.
Seigneur et valet. Il proclame sans naïveté qu'il a toujours
été un vieillard. Façon de se convaincre que les années
n'ont pas de prise sur lui. Il s'inquiète pour se rassurer.
Comme Musset, c'est un romantique, un voyageur
sachant dire, écrire ses émotions. Nous avons pour nous
cette matinée entière : je le regarde toujours et je l'écoute
encore... « Le théâtre m'a appris à parler, à dire " je
t'aime " dans la vie... Je suis heureux de n'avoir pas
trébuché dans mes parcours. Je me suis construit acteur
pour ne pas devenir truand. Quitte à être jugé, j'aime
autant que ce soit par le public plutôt que par les
magistrats. » Sans doute doit-il à la littérature, toujours
elle, ce changement de cap. Son premier livre fut *le Chant
du monde*, de Giono. Depuis, il fait le vagabond.

5 mars. — J'ai d'affectueux rapports avec l'éphémère,
j'aime ce qui passe, le temps, le soleil, le malheur, et
jamais je ne suis tenté de les retenir. J'apprécie la légèreté,
j'ai horreur du sérieux des gens sans importance et me
méfie des adultes qui sont féroces, avec toute la sauvage-
rie de leurs peurs. Je voudrais être un spécialiste en art de
vivre et, comme Lord Byron, ne saurais vivre sans
quelqu'un à aimer. Je vais dans le monde à toute vitesse,
parce que je ne veux rien manquer. Je défends mieux le
plaisir que la joie, qui n'est pas de même essence. La
séduction impose une disponibilité, la gourmandise que
l'on soit flambeur. Et le jeu est à cet égard une discipline

trop souvent méprisée. Celui qui risque est déjà dans un état de grâce, la chute, une vertu des gens de goût. Autour de moi c'est le confort dont nous essayons tous de profiter qui abîme les êtres : le déraisonnable devrait être magnifié.

Je repense parfois à mes premières incartades dans les casinos – heureusement très espacées –, à ces moments d'abandon où le pire est toujours possible. On juge mal ceux qui s'y perdent, on les croit possédés des démons de l'argent alors que le vertige est seulement en cause. C'est un monde particulier que celui du jeu, et les hommes, les femmes s'y montrent tels qu'ils sont, délivrés de leurs masques. Personne ne pourrait dire que j'ai tremblé au dernier petit bruit de la boule tombant dans un numéro qui n'était pas le mien. Le sang-froid est ici une politesse. Curieusement la roulette ne me laisse que de bons souvenirs. A Saigon elle a été ma chance dès l'arrivée. Je n'avais que quarante-trois mille centimes en poche. Une bagatelle pour un massacre! Je les ai misés sur le 0, le 9, le 23 et le 35. Le 23 et le 35 sont sortis coup sur coup. Depuis, je n'ai plus changé de numéros; ils me sont fidèles puisqu'à chacune de mes apparitions dans une salle ils sortent sur l'une ou l'autre des tables. Bien évidemment je ne suis pas toujours là à temps pour m'en faire le courtisan mais croire que l'on aurait pu gagner est aussi excitant que le gain lui-même. Je sais les limites de ces rêveries et les dangers de leur réalisation. Le mystère est dans l'incantation muette. Il y a comme de la magie dans les couleurs et les cases choisies. Sur le tapis vert les princes de l'Orient et les simples audacieux que nous sommes se retrouvent à égalité. Seuls diffèrent les bénéfices et les pertes. Je témoigne qu'on peut sans jalousie toucher sur un même numéro des sommes vingt fois moindres que celles du voisin d'en face. L'important est de se persuader que l'on est dans le vrai du mouvement de la roulette, qu'il ne fallait pas jouer autrement, que la martingale, excellente bien sûr, a enfin payé. Alors que le hasard est le seul mauvais diable de cette thérapeutique

64

de groupe. J'ai vu une vieille dame digne s'abîmer dans des calculs savants, miser ensuite avec obstination, chronomètre en main, toutes les six minutes, à la seconde près, et pester contre le croupier qui dans le lancer de la boule ne respectait pas le temps par elle ainsi fixé – « Monsieur vous n'avez plus que vingt-deux secondes. » Une jeune institutrice du Var passe chaque année dix jours au Palm Beach de Cannes. De l'ouverture à la fermeture, elle fait quotidiennement le compte des numéros sortants, rouges ou noirs. Les vainqueurs déterminent la couleur de la robe, toujours de soie, qu'elle portera le lendemain. Rivée au bout de la table, elle ne joue jamais... Mais elle a donné un sens à sa quête : si, habillée de rouge (par exemple), le rouge l'emporte dans l'addition de la journée elle prétend avoir gagné et fête immédiatement sa victoire, seule, d'une coupe de champagne au bar! Plus étrange encore l'attitude de cet Américain, sûrement portoricain, qui, après avoir placé ses plaques de mille francs sur le tapis, fait à quatre pattes trois fois le tour de la table en aboyant. La vulgarité n'échappe pas à l'entreprise. Il y a aussi l'aristocratique patience de ce sexagénaire paresseux, à la rente modeste mais suffisante, qui depuis trente ans recherche mathématiquement la « construction idéale » qui lui permettra de tirer pendant une semaine tous les numéros gagnants. « J'aurai attendu, dit-il, plus d'un quart de siècle le milliard d'anciens francs qui ne me fera pas riche mais comblé. » On a les bonheurs qu'on peut et chacun de ceux qui fréquentent ces « maudits » lieux a mille histoires à raconter. C'est aussi une manière de jouer avec ses propres fantasmes. Les rabbins du Talmud ont donné ce conseil : « Transformez votre miroir en une fenêtre ouverte sur la rue. C'est le sens de la vie. » Je m'aperçois qu'elle est aussi une drôle de roulette.

8 mars. – De quels livres d'aujourd'hui le XXIe siècle saura-t-il faire pâture? Nul ne peut le dire et ce serait un sujet de concours pour des esprits éclairés. Les grands écrivains de demain ne sont pas nécessairement ceux qui paradent sur les voies royales de la république des lettres, et l'avenir nous étonnera par ses choix. Dans son pamphlet contre Aragon, injuste, excessif – la loi du genre – mais allègre, Paul Morelle assassine le poète et, pour mieux l'accabler, dresse la liste des ouvrages publiés de 1932 à 1938, époque où le séduisant Louis écrivait *les Beaux Quartiers*. C'était donc il y a cinquante ans et l'on est ébloui : Louis-Ferdinand Céline faisait paraître *le Voyage au bout de la nuit* puis *Mort à crédit*, Jules Romains *les Hommes de bonne volonté*, Montherlant *les Jeunes Filles*, Roger Martin du Gard *les Thibault*, Gide *les Nouvelles Nourritures*, Malraux *la Condition humaine* et *l'Espoir*, Giono *le Chant du monde* et Sartre *la Nausée*. Qu'elle est belle cette saison littéraire d'il y a un demi-siècle! Que retiendra-t-on en 2034 des années 80? Quels titres indiscutables? Personne ne saurait le dire, mais je suis persuadé que les auteurs sont en place.

12 mars. – Nostalgie des lectures d'adolescence. Un homme s'aventure la nuit dans le Paris des Boulevards, à la recherche d'une femme dont il poursuit la réalité et l'ombre. Elle lui échappe. Il reprend la course, file jusqu'à sa maison, se trompe de fenêtre, la rejoint enfin, l'anéantit de questions brutales. Doux chemin des tortures. Tout le mouvement des personnages de Proust, leur élan, est dans ce permanent va-et-vient, dans ce qui est dit, qui paraissait ne pas pouvoir l'être.

Volker Schlöndorff a réussi à porter à l'écran ce vagabondage du cœur, ce frémissement littéraire. *La Recherche* ne l'a pas tellement occupé : il a choisi *Un amour de Swann*, qui tient dans l'œuvre du romancier une place à part, il a voulu ce prologue, cette belle ouverture de la symphonie. Et la sonate de Vinteuil, cette camomille, est la petite musique de l'amoureux décalage de deux êtres, leur illumination. Il apparaît clairement qu'il n'est pas plus sacrilège d'adapter une telle œuvre au cinéma que de laisser les exégètes à leurs coquetteries de gardiennage. Philippe Sollers a raison de dire que Proust ne correspond pas du tout à cette image pieuse et ineffable que des générations d'universitaires idéalisant ont essayé de nous imposer. Le voilà donc dans la rue, à l'affiche, qui drague, et dans le noir se dévergonde pour le plus grand nombre. Il aurait aimé cette promiscuité évidente dans la distribution : Jeremy Irons a les traits de Swann, Ornella Mutti ceux d'Odette de Crécy, Fanny Ardant est Oriane de Guermantes et Alain Delon le baron de Charlus. Inattendu et bien jugé : ces mondes-là sont faits des mélanges les moins subtils. Odette est exacte, vulgaire, niaise, mais justement à cause de cela digne d'amour. Sa vérité est dans ses mensonges et la jalousie de Swann n'en sera que plus passionnée. J'attendais et je retrouve l'à-peu-près des notes du piano, la tendresse des lilas, la madeleine imbibée de thé, j'incorpore aux images de Schlöndorff tous mes souvenirs, ou du moins ce que j'ai cru comprendre de cette cathédrale littéraire. Je ne sais pas si j'ai vraiment aimé ce film. Je ne m'y suis pas ennuyé et si ma joie ne fut pas totale le metteur en scène n'est pas pour autant fautif; on met trop de soi-même dans un dédale comme celui-là, on est forcément perdu dès le départ, on reste sur sa faim, on voudrait suivre Proust qui continue son travail d'écriture jusqu'au temps retrouvé. Comme beaucoup d'autres, sans doute, immédiatement après la projection je suis revenu au livre et j'ai plongé dans ses très longues phrases. Une adaptation de ce roman ne peut être qu'un raccourci. Un signet me portant à l'une des pages, j'ai entendu la plainte de Swann qu'à Saigon, il y a bien longtemps, l'un de mes amis répétait un peu trop, comme si elle était de lui : « Dire que j'ai gâché des années de ma vie, que j'ai voulu mourir, que j'ai eu mon plus grand amour pour une femme qui ne me plaisait pas, qui n'était pas mon genre. »

13 mars. – Des étudiants, des ouvriers, des fous bien-heureux – autant de bénévoles – passent le meilleur de leurs loisirs à restaurer des ruines, seulement préoccupés de l'amour du beau et de ce qu'ils doivent à notre pays, à l'identité précieuse de chaque région. Ils font si bien qu'ils mériteraient que l'on s'intéressât à eux, en dehors des manifestations ponctuelles qui ne servent que ceux qui les organisent : les politiques, évidemment, ou les notables toujours en quête d'estime à l'heure des échéances électorales ou des changements de présidence. Voyageant en France, je m'arrête toujours devant quelque monument en péril, un château que ses propriétaires démunis retapent avec difficulté. J'aime ces gens-là. Ce ne sont pas des milliardaires, contrairement à une idée trop répandue, ni des nantis. Simplement des aventuriers de la pierre, donc de l'histoire, qui savent les sacrifices à venir. Les enrichis n'ont que des villas sans âme : c'est le prix à payer pour un manque de goût trop voyant.

Une maison modeste exige autant de foi qu'une demeure historique. La minutie de la reconstitution est la même, volumes mis à part. Patrice de Vogüé, qui a pris en compte l'énorme bâtisse de Vaux-le-Vicomte – la folie de Fouquet –, a raison de rappeler que de dangereuses menaces pèsent sur notre patrimoine, tenu aujourd'hui, sauvé parfois par des particuliers lancés dans une formidable croisade. Je me souviens de ce qu'il me disait : « Les monuments privés accueillent chaque année autant de visiteurs que ceux appartenant à l'État. Mais ces derniers ont un avantage considérable : ils sont à la charge du contribuable. Or notre mission culturelle est identique. Nous sommes les dindons de la farce. Nous relevons des murs que les impôts, immédiatement, écrasent. » Je peux témoigner de la malhonnêteté du procédé, de cette insolence qui sera cause, un jour, de disparitions définitives. Il nous faut conserver ces trésors, ne point craindre, pour eux, de nous battre. Quitte à désespérer les démolisseurs, qui aiment tant à préserver leurs intérêts propres.

14 mars. – La tendresse du plus grand nombre pour les hochets et les breloques m'a toujours étonné. Ce soir de mars, à l'Élysée, ils sont six offerts aux giboulées honorifiques. Je reconnais Dina Vierny qui fut l'égérie du sculpteur Mayol, je suis venu pour Alexis Weissenberg, l'ami sûr, l'initiateur de mes premières aventures musicales. Pas mal de monde. Chaque récipiendaire a sa petite troupe d'intimes. L'atmosphère n'est pas tellement recueillie mais avec un peu d'imagination on pourrait croire à de la grandeur. Les plafonds sont si hauts, les pièces si vastes! Michèle Cotta et Pierre Desgraupes me donnent quelques indications sur les lieux; nous sommes dans le grand salon Murat, je n'avais jamais vu le pouvoir d'aussi près. Lorsque j'interrogeais Giscard pour la télévision je n'avais pas d'autres spectateurs que les collaborateurs d'Antenne 2. Là je reconnais les princes de la cour. On les dirait descendus de leurs appartements privés au château, juste pour l'accompagnement de Sa Majesté. C'est la suite royale. Madame est en noir et collerette blanche, la duchesse Christine, belle-sœur du roi, a des manières douces et paraît recevoir à la place de la souveraine trop timide, trop distante. L'effacement va bien à cette dernière. Monsieur beau-frère, que je connus autrefois, emprunté, tourmenté, disert, arbore un visage tragique et passe, dominateur ou peureux, comme étranger à la demeure – je n'ai pas vu sa main tendue, ou inconsciemment m'y suis-je dérobé? Le marquis Lang du Palais-Royal, maître des menus plaisirs, a le sourire discret des barons bien en cour qui se savent nécessaires, le maréchal Deferre semble absent et Jospin le mousquetaire prend un malin plaisir à se vouloir simple c'est-à-dire irremplaçable : arrivé le dernier il est de ce fait le plus visible. Derrière une colonne, à l'écart, à droite de l'entrée, M. Attali, qui n'a pas encore été anobli, paraît être le seul à avoir conscience du transitoire de la situation. Son éloignement mesuré est le reflet de son intelligence.

Enfin, le roi. Droit, sombre, pharaonique. Pas une ride qui bouge. Le pas est majestueux, l'attitude sereine, le port avantageux. Je suis frappé par cette approche tranquille. Les pipelets se sont tus, je crains qu'ils ne tombent dans la vénération. Heureusement le silence et la dignité sont bousculés par l'entrée intempestive du chien de la maison qui prend le maître aux épaules et le secoue. Ce saut de la bête dans l'arène est la chose la plus inattendue, la plus charmante. J'avoue apprécier ce manquement au protocole et dans cet impromptu la bonhomie de François. Le chien est reconduit par un huissier à chaînes, la majesté retrouve ses droits, la pluie des décorations va tomber. Appliqué, guindé, précis, le roi s'adresse brillamment à chacun de ses sujets, en surveillant ses mots. Je le crois plus détendu dans le jeu de la conversation ou la solitude de l'écriture. Ce sont les lambris et les ors qui empêchent ici toute relation véritable. Bonaparte, à qui l'on faisait remarquer que les Tuileries où il souhaitait s'installer étaient tristes, répondit : « Oui, tristes comme la grandeur. »

15 mars. – Me voici à Coubertin. J'y retrouve les tribunes hautes de mes anciennes années : j'ai trop longtemps délaissé ce stade que je croyais endormi. Ce soir les Bigourdans, les Basques et surtout les Béarnais – gloire aux trois B – l'ont investi : c'est l'envahissement fou, le désordre attendu. En finale de la coupe Korac de basket, Orthez rencontre Belgrade. L'hystérie est manifeste, quatre mille spectateurs en transes composent un chœur que nous dirons polyphonique pour rester en accord avec la dissonance des voix. Cacophonique conviendrait mieux, mais nous ne respecterions plus alors notre petite musique intérieure. Tout est vert, les vêtements et les visages. Ce n'est plus Paris, c'est soir de corrida à la Moutète, ce ne sont que têtes chauffées par les bandas, le jurançon et le bonheur. Mon copain Mathieu Bisseni, long corps d'ébène qui, dans nos débordements de troisième mi-temps, au Sud-Ouest natal, se fait souvent mon garde du corps – 2,04 m, ça protège – est particulièrement fiévreux. Ce soir est le sien. Pour un peu il serait pâle, le Camerounais. Capitaine d'une équipe glorieuse, il dirige, il organise, il distribue le jeu; ses passes ne furent jamais aussi limpides. Une précision d'automate. Au millième de seconde près, au millième de millimètre juste. La machine tourne rond. Avec Henderson, Kaba, Hufnagel, Mac Callough, Laperche... Tous aux commandes. Homogénéité, rapidité, intelligence. La démonstration est complète. Victoire d'Orthez : 97 à 73. Les Yougoslaves entendent la fête et n'y participent pas. Anéantis! Joie et cruauté des gagnants. Il faudrait dresser des arcs de triomphe aux vaincus. Ce qu'il y a de plus vrai et de plus profond, c'est tout de même la désespérance.

Déjà vaniteux de nature, les Béarnais vont maintenant nous écraser de leur superbe. Bagnères, Lourdes et Tarbes – pour la Bigorre –, Bayonne et Biarritz, – pour le Pays Basque – devront s'accrocher à leurs poteaux de rugby les prochaines saisons. Il y va de notre honneur.

16 mars. – Je ne chasse pas d'ordinaire dans les cases blanches et noires des mots croisés. Pourtant cette définition d'un mot en trois lettres trouvée dans *le Figaro* m'amuse beaucoup : *jaune en couleur, rouge en volume.* J'ose dire qu'inhabituellement inspiré j'ai trouvé très vite : Mao.

17 mars. – Il devait être 17 heures... Je ne voyais plus que Jérôme Gallion, immobile, que l'on emportait sur une civière rouge, je devinais le désespoir de Rives et l'anéantissement de toute une équipe. Comme un coup du sort c'était le bizarre éclair de la foudre maligne. J'ai compris que c'en était fini de nos rêves de grand chelem, le ressort du cœur était cassé. Il n'y eut plus tout à coup que

71

fulgurances incontrôlées. Le malentendu avec l'arbitre était total, du vent mauvais soufflait dans les cornemuses : sur le terrain de Murrayfield, la chance n'était plus que pour ces diables d'Écossais qui fonçaient dans nos lignes, comme poussés par des fantômes échappés de leurs châteaux. Le coup de poignard de la soixante-neuvième minute nous a cruellement blessés, le Quinze de France s'est heurté à une vague d'hostilité et a été défait. Le rugby n'en sort pas glorieux : j'enrage pour Jean-Pierre Rives qui méritait une toute autre fin (si fin il y a). Observant Gallion, j'ai revu Battiston veillé par Platini au cours du fameux France-Allemagne de football. La légende est en marche, ces deux actions désastreuses sont le fait du gâchis et, parce que je me veux optimiste, je fais mienne cette déclaration d'un sociologue italien : « Dans un monde où plus aucun discours ne se tient, quelque chose, peut-être, naîtra de la cacophonie. » Espérons !

19 mars. – C'est un privilège de pouvoir jouir de moments comme ceux-là. Il n'y a pas de raison que la nuit s'achève, que le feu s'éteigne. A cinq heures, ce matin, *elle* danse encore chez Jean-Pierre Coffe, dans le petit bistrot de la rue Miromesnil. Jamais je n'avais vu Béjart regarder quelqu'un avec des yeux à ce point allumés, d'un bleu aussi limpide. Pour le temps que nous venons de vivre il n'y a pas d'adjectif et les mots ne traduiront pas le vrai. Seuls comptent l'émotion, l'enthousiasme, l'émerveille-ment. « Écrire c'est biffer », disait l'écrivain hollandais Bomans. Mais je veux témoigner pour moi-même et conserver ces notes, le fort de cet élan. La soirée aura été chaude, l'« Échiquier » l'un des plus réussis, parce que totalement dominé par mon invitée qui a su prendre en charge deux cents minutes de spectacle. Quel abattage, quelle simplicité, quelle intelligence du cœur, quel talent ! Julia Migenes est Carmen, inébranlable devant l'alterna-tive mort-liberté. Rappelons-nous le duo final : « Carmen ne meurt jamais. Libre elle est née, libre elle mourra. »

72

Carmen, c'est aussi Julia. Et je l'ai découverte, reçue, comprise telle que je l'imaginais, épanouie par toute sa rigueur, ses folies, son indépendance durement gagnée. Sa passion réchauffe le cœur. Je sais que demain elle sera célèbre; j'en ai les preuves. Dès la sortie du studio, des Buttes-Chaumont au cœur de Paris, les téléspectateurs se sont manifestés... « Bravo Julia ». Partout ce même bonheur et ce petit mot furtif qui fait du bien – « merci » –, et ces bouquets de fleurs achetés et offerts aussitôt au feu rouge de l'Opéra. Voilà une femme d'ombre et d'efficacité jetée en pleine lumière, une femme venue de la grande tradition tzigane et dont l'humilité est la seule coquetterie, la générosité le seul viatique. Je lui parle de cet amour qu'elle sème et elle me tend un papier discrètement glissé dans un carnet. Je lis : « La haine des autres est chose beaucoup plus claire que l'amour de soi. » Je la regarde, elle rit... « Je me défends contre cette phrase terrible, je joue avec elle. C'est de Paul Valéry que je ne connais pas. » Nous nous promettons de méditer là-dessus, mais un peu plus tard.

Une chose m'attriste : les spécialistes de l'art lyrique n'avaient pas prévu le succès de Julia. Leur curiosité – ou leur intérêt – s'est encore porté sur Placido Domingo et Ruggero Raimondi, qui méritent d'ailleurs toute leur attention. Migenes était pour eux l'inconnu. Maintenant ils vont se précipiter sur elle, la dévorer, sacrifiant à la mode. Quand donc y aura-t-il en France un quotidien musical qui donne à comprendre ces univers de rêve dans lesquels nous entrons trop timidement encore? Quand donc cessera-t-on de défendre le copinage contemporain des plus tristes chapelles et de pourfendre le talent? Qui s'est amusé à lire une seule fois dans sa vie les éditoriaux d'Anne Rey! Aujourd'hui, elle passe de la pommade à Catherine Clément, responsable de l'Association française d'action artistique. Il faut ménager le pouvoir. Elle est de ces valets de plume qui font de la musique un élément de propagande. Je me souviens avec ravissement de son effroi au lendemain de l'incroyable duo Placido Domingo-Mireille Mathieu. « Une insulte », écrivait-elle. Je continue de croire que Placido n'a jamais méprisé personne et j'ai la faiblesse de prétendre qu'il connaît la musique au moins aussi bien que cette dame. Toutefois, je ne la remercierai jamais assez pour ce moment de gaieté. N'est-ce pas Julia!

23 mars. – Françoise Sagan a résisté à tout et d'abord à la vie qui lui offrit, dès l'adolescence, des plaisirs que les moins doués appellent vices. J'ai de l'estime pour le charmant petit monstre que Mauriac découvrait il y a juste trente ans, j'apprécie sa capacité d'admiration et l'indifférence qu'elle accorde à ses ennemis. Elle ne sera jamais vieille puisqu'elle ne fut jamais aigrie. Toute son insolence est dans sa discrétion, elle ne manque jamais à la courtoisie, cela lui est naturel, c'est le don. Elle s'est rêvée écrivain dès qu'elle a commencé de lire, elle s'amuse d'elle-même, de ses succès, de sa légende, de ses fours au théâtre, de ses relations mondaines. Le meilleur de ses compagnons, c'est le hasard. Dans son recueil de chroniques, *Avec mon meilleur souvenir*, elle parle lucidement du jeu, de son comportement à une table de roulette... « J'ai même été félicitée pour mon flegme par des Anglais plus que flegmatiques et j'avoue en tirer plus de vanité que des quelques autres vertus que j'ai pu ou cru déployer dans mon existence. » Je la comprends, je trouve que l'élégance tient à une forme de vanité qui ne laisse rien voir du mal d'un échec, de la tristesse d'une déception. N'en rien montrer est délicatesse. Trop de gens nous ennuient de leurs drames. Il importe d'opposer au destin, quels que soient ses coups, une figure affable. Françoise Sagan aura conduit son existence à très grande vitesse, en prenant les risques seuls susceptibles d'ensoleiller nos marches, sans tenir compte du jugement hâtif des censeurs de tout poil constamment en retard d'une aventure. Souvent nous avons eu les mêmes attitudes devant les événements, le même masque près du fameux cylindre aux trente-six numéros. Qui ne se trahit pas au casino va dignement sa route. Le jeu est un terrain privilégié pour une bonne analyse des caractères.

Dans ce dernier livre, Sagan parle de Sartre, de leurs dîners complices, de la lettre d'amour qu'elle lui envoya et cite cette déclaration d'estime du philosophe : « Vous êtes quelqu'un de très gentil, non ? C'est bon signe, les gens intelligents sont toujours gentils. »

24 mars. – Tous ceux qui aiment la littérature devraient vite mettre de côté le remarquable essai de Marthe Robert qui paraît aujourd'hui chez Grasset sous ce titre brutal : *la Tyrannie de l'imprimé.* C'est un acte de foi, une approche raisonnable du déraisonnable de la création qui suppose un enthousiasme quasi religieux. L'auteur pose ici les grandes questions, et d'abord celle-ci qui me paraît être la plus importante : d'où vient la fascination que le livre suscite, quel est son étrange pouvoir, quelles sont ses correspondances secrètes avec le lecteur ? Chacun d'entre nous devrait pouvoir y répondre, à travers ses propres motivations, ses croyances particulières. Pour moi, c'est un rendez-vous obligatoire, une quête ininterrompue. Je cherche dans les pages, comme d'autres dans les filons du Colorado, et je plains ceux qui n'ont pas la chance d'avoir ce territoire de pépites, perdues dans des tonnes de poussière. Le bonheur de lire est une grâce, à côté de la difficulté d'écrire qui est un bienfait et une souffrance. Il nous faudrait du temps et de la liberté, du silence. Je rumine un roman entre dix activités prenantes : je n'ai pas encore eu l'audace de la solitude...

Marthe Robert reproduit la lettre que Kafka écrivit un jour à Félice, son éternelle fiancée, pour l'informer du genre de vie commune qu'il lui réserve au cas où ils viendraient enfin à se marier : « J'ai souvent pensé que la meilleure façon de vivre pour moi serait de m'installer avec une lampe et tout ce qu'il faut pour écrire au cœur d'une vaste cave isolée. On m'apporterait mes repas et on les disposerait toujours très loin de ma place, derrière la porte la plus extérieure de la cave. Aller chercher mon repas en robe de chambre en passant sous toutes les voûtes serait mon unique promenade. Puis je retournerais à ma table, je mangerais avec ferveur et je me remettrais au travail. Que n'écrirais-je pas alors! De quelles profondeurs ne saurais-je pas le tirer! Sans effort! Car la concentration extrême ne connaît pas l'effort. Sauf que je ne pourrais peut-être pas le faire longtemps et qu'au premier échec, peut-être inévitable dans de pareilles conditions, je serais contraint de me réfugier dans un accès grandiose de folie... » C'est vrai, cette lettre est un chef-d'œuvre, mais l'idée d'un tel éloignement est inhumaine, un pareil exil à mon esprit insoutenable. Et si je le souhaite, je suis bien incapable de le vivre. Il me faut la tranquillité mais aussi le bruit du monde, la voix des autres. L'exigence d'absolu n'est donnée qu'à quelques-uns.

26 mars. – Le Salon du livre est devenu l'un des temps forts du printemps parisien, on y voit des piles d'ouvrages livrés en perles comme des rivières et des auteurs qui s'exposent comme dans les vitrines de Hambourg. Voilà qui parfois taquine l'âme et agace la pupille. En signant avec les autres – service commandé oblige –, j'ai regardé admiratif tous mes bouquins, les plus beaux, les plus fantasques, les plus lisibles, ceux que depuis des années j'écris dans ma tête, dont je rêve et qui ne viendront sans doute jamais au bout de la plume : collection de chimères. Je n'ai pas rencontré Jean Blanchard qui d'ailleurs, dans l'esprit de quelques-uns, n'existe pas. J'aurais voulu le connaître. Rarement on a dit tant de choses belles au sujet d'un écrivain. J'aurais parcouru volontiers *les Allées de Tournis*, j'aurais fait des pieds et des mains pour me procurer les enregistrements de ses concerts de jazz donnés en compagnie de Luter, Moustache et Averty. J'ai de l'intérêt pour les inédits et, puisque Poirot-Delpech nous assure qu'il était aussi excellent musicien, je me fie à son goût, je le crois sur parole. Blanchard est un canular littéraire, une coquetterie de mars qui sent bon notre époque tricheuse. Jérôme Garcin, le père de l'idée, l'inventeur du piège, a remarquablement mis en scène sa plaisanterie et beaucoup sont tombés dans le panneau. J'en sais qui affirment l'avoir lu, l'avoir aimé. Cette nécessité de ne pas paraître ignorant n'est pas nouvelle. J'ai déjà raconté l'aventure assez cocasse que j'avais vécue un soir, au milieu d'une centaine d'universitaires devant lesquels, très tard, j'avais planché. Téléspectateur assidu j'avais, avant de me rendre à cette réunion, suivi l'émission de Pivot qui s'appelait alors « Ouvrez les guillemets ». Raymond Devos y présentait son premier essai *En aparté*. C'était une drôlerie bienfaisante, propre à l'humour sans faille des deux hommes. J'avais apprécié ce moment qui dopait avantageusement mon discours d'après. Je parlais donc à mes professeurs de la force de la télévision et de ses dangers, lorsque vinrent se mêler à notre conversation un couple d'observateurs pressés de rejoindre l'un de leurs amis. Je les sentais impatients de prendre la parole. Profitant d'un silence ils ne résistèrent pas à l'envie de nous dire leur éblouissement. Ils avaient été séduits par Devos, par sa manière irrésistible de raconter son « œuvre ». Et ils avaient, disaient-ils, l'avantage de l'avoir lue. J'enviais leur chance, je posai des questions.

– Comment vous l'êtes-vous procurée? Elle n'est pas encore en librairie.

Réponse : « Nous connaissons l'éditeur qui nous en a confié les bonnes feuilles. » Veinard!

– Que pensez-vous du style?

– Remarquable. Il y a du Jules Renard, du Léautaud et du Céline chez Devos. Pivot a eu tort de ne pas le signaler.

J'étais curieux de tout, mes interrogations étaient multiples et on me répondait avec une précision exemplaire. Cela dura une dizaine de minutes. A la fin, n'y tenant plus, je m'inquiétai de savoir si ce merveilleux couple de lecteurs avait vu l'émission jusqu'au bout...

– Hélas! non, rétorqua la dame. Nous ne voulions pas manquer votre débat. Nous avons fermé le poste dès que Devos eût terminé son exposé.

Je m'écriai alors : « Dommage, si vous aviez accompagné le programme jusqu'à la fin vous vous seriez aperçus que la couverture du livre de Devos a été faite spécialement pour Pivot – c'est un faux –, que notre clown génial n'a jamais écrit et qu'il n'y a donc pas de livre. Vous auriez également constaté que nous sommes aujourd'hui le *1ᵉʳ avril* et qu'il y avait donc poisson dans l'air. » Embarras et désolation des deux comparses, stupéfaction de la foule. Ils n'avaient pas menti par malhonnêteté, mais par besoin de se vouloir dans le coup, de se croire au courant. La vanité d'un instant de parlote les avait piégés. J'ai souvent donné cet exemple de la perversité d'un bruit qui court...

On pourrait rapporter d'autres exemples de la fureur « canularesque ». Ainsi, lorsque – toujours avec Pivot – nous avons laissé entendre, au cours d'un « Échiquier », que Jacques Dutronc avait écrit son premier essai, dix-sept éditeurs de grand renom se sont spontanément portés acquéreurs du manuscrit, offrant à l'acteur, conquis, de très confortables avances.

L'arroseur, parfois, peut être également arrosé. Je pense à Garcin, qui a créé de toutes pièces un Jean Blanchard... qui existe. Et plutôt deux fois qu'une! Si j'en crois *le Matin*, l'un aurait publié *le Récit de l'aventure à Terre-Neuve* aux Éditions France-Empire, l'autre *Voyage de Grèce* chez Grasset. Et si c'était encore une farce?

29 mars. – Accueilli par Edgar Faure, qui coule un déluge de mots dans son discours, Léopold Sédar Guilane Senghor entre aujourd'hui à l'Académie française. La négritude, cet ensemble de valeurs du monde africain,

78

fait ainsi une percée attendue sous la Coupole. Et nous devons nous en réjouir. Je n'ai pas oublié son invitation chaleureuse, d'il y a dix ans, en son palais de Dakar. J'apprenais à le bien connaître et à approfondir l'idée qu'il souhaitait imposer d'une civilisation noire, différente mais égale.

Au départ, Senghor n'avait pas d'autre ambition que de devenir professeur de linguistique négro-africaine au Collège de France. Mais la politique et le pouvoir s'en sont mêlés qui l'ont fait président de la République du Sénégal. Ayant renoncé à l'enseignement, il s'est voulu poète. « Je n'écris plus maintenant que pendant le mois d'août, en Normandie. Ce sont mes vacances. Mais j'ai l'impression que les responsabilités m'ont donné beaucoup plus de choses à dire. Écrasé par le poids de l'État, je n'ai pas subi ce déracinement de l'art qui est une facilité et une convention. » Développer son être est sa vanité tant il a peur de son insuffisance. Je me souviens de notre conversation sur les différentes manières d'écrire : « Je note sans arrêt, je noircis des feuilles de papier, de petits carnets, j'inscris des mots, des phrases, surtout des images, je me fabrique mon dictionnaire personnel... Plus tard lorsque je me laisse aller au poème, je me souviens de quelques impressions et j'en recherche la formulation dans mes dossiers. C'est bien évidemment la *négritude* qui nous occupe le plus. Ce mot est une invention d'Aimé Césaire, mon frère en poésie. Il aurait pu dire *négrité*, comme on dit affinité, mais le suffixe " itude " est plus concret. Si nous sommes les premiers habitants de la négritude nous reconnaissons aussi le métissage. Le général de Gaulle disait " l'avenir est au métissage ". Il avait raison. Moi je pense d'abord au métissage culturel qui a été l'apanage des grandes civilisations nées autour de la Méditerranée, je voudrais être l'homme d'un monde nouveau et je sais la force de mes origines. Les Grecs affirmaient que les Ethiopiens – c'est-à-dire les Noirs – étaient les créations les plus anciennes du monde. D'après eux nous aurions inventé la religion et la loi, l'écriture et l'art. Nous devrions pouvoir les partager encore malgré les terribles fautes de l'Histoire, malgré la traite des nègres qui restera comme le plus grand génocide de tous les temps. Moi, je suis authentiquement noir... avec une goutte de sang portugais. » Quoi qu'il en dise, Léopold Senghor n'aura pas été comblé par les mauvaises grâces du pouvoir et j'en veux pour preuve cette supplique qu'il adressait à ses enfants : « Surtout ne faites pas de politique. » Il pensait que le plaisir n'était pas compatible avec ce genre de combat. De nos bavardages, ce matin du 6 février 1975 à Dakar, j'ai retenu surtout son intarissable plaidoyer pour notre langue : « Le français est un parler de gentillesse et d'honnêteté. J'aime sa vérité, sa clarté. Je prends " gentillesse " au sens étymologique du mot, je devrais dire " noblesse ". Le français est économe de moyens, c'est son élégance. Tout mon travail linguistique consiste à supprimer ce qui est inutile, par exemple les superlatifs dont nous abusons en Afrique. Ayant élagué, j'obtiens un texte court, dense, précis, gentil dans le beau sens du terme. Vous avez eu tort de diminuer l'importance du latin, les Anglo-Saxons n'ont pas commis cette erreur et les Russes eux-mêmes en ont admis la nécessité. Savez-vous qu'à Moscou tous les élèves de la faculté des lettres sont initiés à cette pratique? J'ai une véritable passion pour la langue française et j'ose avouer que je suis plus poète que chef d'État. On pourra brûler tous mes manifestes, toutes mes lois et ce ne sera pas une grande perte, mais j'en voudrais à la terre entière si l'on sacrifiait mes textes. Parce que le poème, c'est l'œuvre artistique la plus parfaite, l'expression exacte de l'âme humaine, le signe qui vient du plus profond. Vous connaissez sans doute l'amitié qui nous liait, Georges Pompidou et moi. Ce que j'ai écrit sur lui après sa mort m'a été dicté : j'étais à Pékin, j'avais rêvé de lui dans la nuit. J'ai immédiatement senti qu'un poème m'était commandé; j'ai résisté pendant quelques jours puis un matin, à Shanghai, je me suis laissé aller. Très tôt, à 5 heures, comme je le fais en général, j'ai commencé la première strophe d'une élégie qui était de tendresse et de fidélité. L'ordre venait d'ailleurs. J'en fus flatté. Pompidou m'avait demandé un jour : " Faut-il être fier d'être noir ? Faut-il être fier d'être blanc ? " Je crois qu'il faut d'abord être fier d'être *homme*... et ensuite conscient d'appartenir à une ethnie. Sachant tout cela, j'ai aussi la fierté nationale : j'ai noté qu'en 1789 les Sénégalais envoyaient leurs cahiers de doléances aux États généraux de Versailles avec cette phrase d'entrée : " Nous, Nègres et Français... " Sur mes épées de paix il y aura toujours une tête de lion : cette bête qui n'est pas la vôtre doit représenter pour vous comme pour nous le courage, la loyauté et l'honnêteté. Nos jungles sont semblables et je n'aurai avec vous tous que des querelles d'amour. » Dans l'œuvre de Senghor, il y a cette très belle phrase « *Et je boirai longuement le sang fauve qui remonte à mon cœur.* » Je la fais nôtre.

1er avril. – On connaît les vertiges du continent africain depuis les indépendances. La descente aux enfers suit toujours la montée au paradis. Déroutante sinusoïde de l'espoir et du malheur. Les écuries d'Augias ne pourront pas se plaindre de manquer de nettoyeurs. Les toilettes se suivent qui toutes se ressemblent. A chaque révolution, de glorieux libérateurs se pressent aux marches du palais. On promet des aubes lumineuses et viennent des drames nouveaux. Le va-et-vient des peuples est pris entre la peur de croire et celle de douter. Tout un pays a célébré les obsèques du sanglant Sékou Touré, guide suprême, prince de Conakry durant vingt-six années de dictature. Nous avons vu des femmes et des hommes pleurer cette fripouille et, plus étrange encore, les grands chefs du monde libre se précipiter à son tombeau pour l'honorer. Les monstres au pouvoir ont toujours des thuriféraires. C'est le jeu assez déroutant de la diplomatie. Heureusement les dieux veillent, qui n'ont pas tous bonne conscience. Huit jours après la disparition du gourou guinéen, l'armée, sans effusion de sang, a confisqué le trône à ses héritiers. Mais on n'effacera pas de sitôt un quart de siècle de terreur.

3 avril. Chaque époque se donne un langage « neuf ». Les branchés d'aujourd'hui sont nos précieuses ridicules. Seul a changé le décor de leurs exploits.

4 avril. – Les personnages qui ont tant inventé au cours de ce siècle sont hélas! de moins en moins vivants. Le naufrage de la vieillesse. Certains y résistent, se font des touches de jeunesse : ce sont leurs plus belles rides. Marcel Bleustein-Blanchet est de ces grands coquets. Il s'habille encore comme un adolescent, ce bon père de la première radio libre que l'on appelait Radio-Cité. Il garde intacte sa capacité de gamberge, qui va bien au-delà de la rêverie. « Le danger, dit-il, c'est la fréquentation des sentiers battus. Je me souviens du conseil que m'avait donné le général de Gaulle : " Montez plus haut Blanchet... Il y a moins de monde. " »

5 avril. – *Dignité* est le mot qui lui convient. Cette femme est un éblouissement pour l'œil et pour l'oreille. Si sa voix nous porte à l'extase, c'est qu'il y a majesté des attitudes et délicatesse de l'âme. Dans le rôle de Didon, de *Didon et Énée* de Purcell, Jessye Norman, sur la scène de l'Opéra-Comique, embrasse l'univers de ses bras en corbeille d'offrandes. Il n'y a soudain plus qu'elle, et les chœurs pourtant si beaux ne sont que cortège. Elle est souveraine. Le geste est seulement esquissé, le pas délicat, le regard haut. Les toutes dernières minutes du troisième acte où elle sublime son art ne lui appartiennent pas et pourtant elle les occupe totalement. Mais c'est aussi la femme qui me séduit. Et les heures partagées ce soir avec elle chez Nicole et Pierre Sallinger comptent parmi les plus heureuses. Quel amour de la vie, quel dynamisme, quelle santé! Je ne l'avais pas revue depuis notre rencontre d'Aix-en-Provence, où j'avais été obligé de demander à l'assistance de ne plus applaudir, de freiner un enthousiasme qui avait déjà croqué sept minutes de notre espace d'antenne. Elle parle maintenant un français parfait qu'elle ponctue d'énormes éclats de rire. La cuisine et la politique sont ses sujets de discussion préférés : « Venez me voir dans ma petite maison de Londres, je vous ferai un poulet aux herbes de Provence. » Deux mois en Angleterre, cinq mois aux États-Unis, le reste sur tous les continents : voilà sa vie.

– Pour qui voterez-vous, Jessye?

Réponse immédiate.

– Pour Gary Hart.

– Pas pour Jackson?

– Il n'a hélas aucune chance.

Elle n'hésite jamais dans ses choix et dit franchement, calmement, ce qu'ils sont. Au petit matin, rue de Rivoli, elle ne manifeste aucune impatience : « J'aurai tout de même mes huit heures de sommeil. » Je la raccompagne jusqu'au Ritz dont les grilles sont peureusement fermées.

6 avril. – Toujours l'Afrique et ses fièvres. Le Cameroun, que l'on croyait « serein », se paye le luxe d'un coup d'État manqué. Des morts, des blessés, plus encore la suspicion, la haine et demain peut-être des tragédies. Le nouveau président, Paul Biya, accuse formellement l'ancien maître Ahidjo. Délicate affaire de famille, malédiction des Atrides. Le Sud s'en prend au Nord; c'est, douloureusement bégayé, le constat renouvelé d'un absurde découpage : la politique et l'administration ont écartelé des peuples. De Gaulle parlait de l'impossibilité de gouverner un pays qui possède 600 sortes de fromages; cette boutade d'ironie mordante fixait nos frontières régionales. Que dire alors d'un pays, comme le Cameroun, riche de 220 ethnies et d'autant de dialectes? C'est un monde d'incommunicabilité.

10 avril. – J'ai trop l'honneur de ma liberté pour accepter les complaisances de la vie mondaine, les dangereux effleurements du copinage, les redoutables compromissions de l'exercice professionnel. Je ne me savais pas à ce point marginal du monde tourbillonnant qui est le mien. Refusant les invitations qui ne sont pas de stricte amitié, je m'aperçois, au fil du temps, que l'on comprend mal mes dérobades. J'ai été mêlé de si près, si longtemps, à tout ce qui se fait d'apparemment futile, que mes fuites n'en sont que plus équivoques. Je déteste de plus en plus l'hypocrisie bienveillante de quelques-uns des princes de nos métiers en vue, leurs déclarations courtisanes, les phrases d'allégeance à tel critique, tel journal, tel parti. Je pense qu'on ne doit pas vivre en état d'endetté si l'on tient à son indépendance. L'envie d'être reconnu, loué pour ses actions, aimé – angoissantes gourmandises – engage à la lâcheté et condamne à épouser de mauvaises causes. Mais l'indifférence m'est également difficile. Je revendique la curiosité, l'errance, le partage, les divines surprises. Le père Marie-Alain Couturier, qui a introduit l'art contemporain dans les édifices religieux et dont on édite chez Plon, sous le titre *la Vérité blessée*, des textes écrits dans les quatorze dernières années de sa vie, fait remarquer que « c'est l'une des tristesses de l'existence de pouvoir être charmant, séduisant même pour ceux qu'on n'aime pas et peut-être précisément parce qu'on ne les aime pas ». Il y a tant de gens à admirer que l'on peut se passer des esclavages d'une dévotion béate et commerciale. Le temps est venu de se perdre, donc de se retrouver. L'excès en tout étant une vertu, si l'on sait bien choisir ses précipices...

« Tu as reçu, disait mon père, un magnifique cadeau à ta naissance : l'enthousiasme. L'important est maintenant pour toi de ne pas te désobéir. » Si j'y arrivais !

84

12 avril. – Acrobate des plus hautes notes, Luciano Pavarotti vit aujourd'hui ses états de grâce, remarquablement accroché à la lumière, léger de ses 130 kilos qu'il caresse d'un mouchoir de batiste, prince et bouffon, mélange de Falstaff et d'Orson Welles. Françoise Giroud constate qu'il est rond de partout et comme échappé d'un tableau de Botero. Il a en effet l'épaisseur des personnages de ce peintre, leur monstruosité : je le trouverais à sa place dans le fameux trio musical, l'une des œuvres maîtresses de l'artiste. Il est énorme de physique et d'ambition. Il assume les pires excès pour gommer un peu de sa fragilité et sa vanité n'est pas excessive qui le pousse à vouloir entrer dans la mythologie du bel canto, à ressusciter la gloire de Caruso et de Gigli. Admiré – idolâtré, même –, il n'a pas d'autre but que de dépasser la légende des plus grands, dévoré par une boulimie perpétuelle, torturé par la peur de décevoir et une avidité qui masque son angoisse de toujours. Il est insolite dans ses attitudes, presque caricatural, fait argent de tout – son instrument n'a pas de prix –, se vend avec une allégresse sonnante et trébuchante, mais ces observations grossières sont anéanties dès qu'on entend sa voix. Un timbre de velours, une agilité, une souplesse, des aigus limpides, un phrasé génial. Admirable.

Lorsque je l'ai reçu pour la première fois, il y a plus de dix ans, Luciano était inconnu du grand public. Il avait la timidité de ceux qui ne se croient pas encore tout à fait coiffés par les lauriers du succès, mais sa réserve n'était qu'apparente. On le devinait armé pour les triomphes, hésitant mais décidé. Il me disait : « De grâce, accordez-moi le maximum de temps », et je lui avais donné avec joie une trentaine de minutes. Aujourd'hui, son discours serait plutôt : « Combien vais-je toucher ? » Il sait son importance et veille à son image. J'en ai eu la confirmation en janvier, au cours du tournage que nous réalisions ensemble pour l'« Échiquier » de juin consacré à Daniel Barenboïm. « Filmez-moi en gros plan, m'avait-il demandé. Ce sont les yeux qui chantent. Ne me cadrez pas

« large ". Mes épaules sont de trop. » Mais tout cela, je l'ai
déjà noté. Qu'importe la statue : vocalement, il est exemplaire.

Je le revois, ce soir, au cours de l'excellente émission
d'Eve Ruggieri, « Musiques au cœur », qui emprunte
plusieurs de nos séquences. Le bougre a désormais une
surface prodigieusement corrigée. Son duo avec l'oiseau
en cage est un petit chef-d'œuvre de raffinement. Je
l'écoute : il a gagné en charme ce qu'il a perdu de pureté.
J'apprécie sa lucidité, qui le prépare à son inévitable
crépuscule. On le dit tout miel, tout tendre, tout modeste ;
je n'en suis pas si sûr. Il cache son jeu et c'est son affaire.
Il n'empêche que Placido Domingo et Ruggero Raimondi
me paraissent être de meilleurs complices pour l'après-
concert. Qui aurait l'insolence de demander à Pavarotti de
se montrer gai luron ?

14 avril. – Plus que l'espérance un peu cocardière de
notre propre pays, c'est la marche cahotante du monde
qui devrait nous occuper. A ceux qui ne font pas des rêves
de carrière, des placements à court ou long terme sur les
titres et les honneurs, l'avenir paraît assez grisâtre. Autant
que de la Chine, en pleine « révolution pacifique », je
m'inquiète des secousses de l'Afrique, qui subit en ce
moment la plus grande explosion démographique de
l'histoire contemporaine. Cette seconde moitié du siècle y
allume un extraordinaire incendie : 220 millions d'habitants en 1950... 900 millions en l'an 2000. L'inconnu de ce
continent, l'immensité de ses déserts nous préparent bien
des surprises. Il faudra compter avec des richesses
insoupçonnées et une islamisation redoutable. Ce feu est
pour moi une fascination.

17 avril. – Philippe Noiret me reproche de vouloir
« amener la culture au bon peuple » – ce qui lui semble

vulgaire – et je me désole d'avoir eu la maladresse de ne pas l'apporter *lui* sur notre plateau. L'idée ne nous en est pas venue et ce manquement à l'honneur, à la dignité est vraiment une faute professionnelle. Pourtant j'ai déjà invité Barrault, Renaud, Depardieu, Montand, Périer, Brasseur. J'attends Piccoli. D'où vient donc cet oubli, cette absence qui paraît mépris? Aujourd'hui encore nous n'en trouvons pas la cause. L'indifférence?

19 avril. – A Monte-Carlo la balle de l'Uruguayen Perez touche la ligne mais le juge l'annonce dehors. Noah s'en va regarder la trace de très près et demande à rejouer le point qui est d'importance. « Le coup était bon, dira-t-il ensuite. Je m'en serais voulu de voler un adversaire. » Je le reconnais à cette élégance, je retrouve Yannick tel qu'il est : ennemi de toute tricherie. Cecilia, sa femme, a dû apprécier. Il y a sur son visage ce reflet qui ne trompe pas : la droiture.

24 avril. – Gabriel Matzneff publie aujourd'hui à la Table Ronde sa dernière recette gourmande, *la Diététique de Lord Byron*. Il est ivre encore de vin perdu, il se passionne plus que jamais pour les filles de moins de seize ans, je l'imagine dans les jardins du Luxembourg. « La diététique, écrit-il, ce ne sont pas seulement les régimes alimentaires qui furent, dès son adolescence, une obsession de Byron, mais aussi une philosophie de l'existence, son art de vivre... Ce grand seigneur nonchalant fut un révolutionnaire actif, ce nordique était fasciné par l'Orient, ce tempérament de droite avait des idées de gauche, ce pédéraste se couvrait de femmes, cet ami des Turcs est mort pour la liberté du peuple grec... » Byron-Matzneff, même combat.

La vie de Gabriel n'est pas moins tumultueuse, romantique, scandaleuse, dispersée que celle de son modèle. Il la voudrait à son terme mythifiée par la rumeur, et si quelques-uns la jugent romanesque ils ne peuvent lui faire plus beau compliment. Dandy à l'esthétique fine, chauve bienheureux, dévoreur de jeunes adolescentes et parfois sensible à la beauté masculine, cet aristocrate russe du XXe siècle français est d'abord fou de littérature, assoiffé d'inattendus. Il s'amuse à parler de Byron pour mieux se raconter et c'est toute la grâce de l'autoportrait réussi – il va bien plus loin que Jacques Laurent avec Stendhal. Il mène vraiment l'existence de son héros, multipliant les plaisirs de la chair, les débordements du cœur. Il bronze son âme aux soleils des rencontres qui sont ses turpitudes, indifférent aux interdits, aux pudeurs de circonstance, aux alibis de la morale sociale. Je le connais assez pour le savoir offert à l'impertinence, à la provocation, au seul bonheur d'aimer en tout sens. S'il fait des ravages parmi les jolies poules d'eau de la piscine Deligny, c'est pour mieux se dévergonder et se perdre davantage. Dans ses pires chutes il est profondément vertueux. Par bravade, il s'annonce solitaire, indépendant, dégagé de la moindre courbette, et lorsqu'il s'en prend aux « larves obscures de la critique », il n'a pas d'autre ambition que de régler quelques comptes, de poser un peu de bleu entre les lignes. Matzneff n'a jamais dissimulé qu'il aurait du plaisir à se laisser porter par les ailes de la légende. Il accumule tous les penchants qui sont les thèmes essentiels du romantisme : mal de vivre, bonheur de paraître, fureur d'aimer, de plaire, nécessité de détruire ceux que l'on poursuit, folie paradisiaque des causes perdues. Il est persuadé que le malheur rend génial, que la désespérance est une oasis. J'apprécie qu'il soit un aventurier avide de sensations nouvelles, étranger au confort : sa grande affaire, c'est l'anarchie. Je comprends qu'il ait envie de musarder, de buissonner, de désirer, d'étonner ses amis. Un jour peut-être tentera-t-il une deuxième expérience du mariage... Comme Byron, il prendra alors des notes et « si cela échoue il en fera un livre ». Il en veut à Hugo et Lamartine, qui se font une fausse idée de son modèle : « Ils ne semblent pas voir chez Byron que la misanthropie, le pessimisme, le désabusement et la pensée du suicide s'accordent en permanence avec l'amour des êtres, le goût du bonheur, la capacité d'enthousiasme et une vitalité de chat-tigre. » Message bien reçu, mon cher Gabriel. Je n'ai pas oublié que l'optimisme nigaud nous fiche le cafard, que la lucidité est une vertu tonique.

26 avril. – Le ver est dans le fruit, certains diront que l'Opéra s'est prostitué en choisissant Bercy, d'autres plus prudents estimeront que les expériences les plus osées ne sont pas inutiles : *Aïda* fait une entrée fracassante dans l'arène populaire. On peut penser qu'en seize soirées 250 000 spectateurs s'associeront à cette lecture musicale de l'antique mythe égyptien du soleil. L'art lyrique prend à Paris une nouvelle dimension mais ne perd rien de sa magie. Le spectacle est total, les costumes très beaux, les volumes énormes installés par Vittorio Rossi à la mesure de l'événement, et le public ne s'y trompe pas qui applaudit chaque changement de décor. Les organisateurs n'ont pas lésiné sur les moyens : 175 musiciens, 200 choristes, 250 figurants, 60 danseurs. Alors, est-ce réussi? Je me méfie autant de l'adhésion inconditionnelle que du refus systématique. Il conviendrait d'ailleurs de s'interroger sur la facilité bébête que nous avons, en toute circonstance, de prononcer des oui ou des non trop hâtifs. Je suis persuadé qu'il fallait tenter cette expérience. J'accorde toujours plus d'attention à des professionnels amoureux qu'à des amateurs soi-disant avertis. Or, qui a pris en compte le déroulement de cette œuvre? Michel Plasson, chef d'orchestre incontestable, animateur du Capitole de Toulouse depuis quinze ans, et Vittorio Rossi, familier des arènes de Vérone où il a créé *la Bohême, la Tosca, Turandot, Paillasse, Othello* et trois *Aïda.* Ce ne sont pas gens qui s'engagent à la légère. Les risques étaient donc calculés.

On doit s'inquiéter toutefois du gigantisme de la salle : j'y ai tout à l'heure cherché mes routes, j'étais perdu dans ce lacis dont les portes trop petites, les couloirs tellement nombreux, les travées si hautes tracent un mauvais jeu de piste. Il est à ce point déroutant, ce Palais aux allures de pyramide tronquée, qu'en coulisses, où se morfondent les acteurs, tous les parcours sont signalisés par des flèches de couleurs. C'est assez dire le fâcheux des itinéraires. Pour parvenir aux loges, dont quelques sociétés ont fait leur quartier général de relations publiques, le chemin qui emprunte corridors et ascenseurs est également sinueux. De là-haut, de cette passerelle, la vue sur le paquebot est magnifique, mais l'acoustique décevante. Sans doute, à une telle altitude, sous les poutrelles du toit, sommes-nous mal placés! D'autant plus désespérant que la fête est magnifique. Verdi affirmait qu'il fallait inventer la vérité. Considérons donc que nous sommes ici dans un rituel, que la scène y est lieu idéal de la pensée et de l'imagination, laissons-nous aller à sa poésie : les voix et les musiques nous viendront de surcroît. En tendant l'oreille je reconnais les aigus de Seta del Grande, l'Aïda du jour, le timbre superbe de Fiorenza Cassoto (Amnéris). J'aurais sans doute été comblé au Palais Garnier, et ce n'est pas là une perfidie à l'égard de Bercy. Nous devons défendre cet espace, aider ses responsables à lui trouver un meilleur confort, nous battre pour que l'Opéra n'y perde rien de ses exigences. Et il est plus urgent de le sauver que de le saboter. Demain, le *Turandot* de Puccini nous éblouira peut-être d'éclats sonores inespérés! Et plus tard nous irons à la Bastille, qui prépare nos prochaines révolutions musicales. Ce sera le Jockey-Club des critiques.

27 avril. – Il ne pesait jamais sur les notes, il les effleurait et ces caresses auront été, pour beaucoup d'entre nous, l'éblouissement d'une aventure amoureuse.

Une musique de lui, un corps qui s'oublie, l'abandon à ce piano qui nous inventait des mondes, nous racontait un pays de rêve. Pionnier du swing, géant d'un style qui était manière de vivre, Count Basie s'en est allé discrètement, comme toujours, à la veille de ses quatre-vingts ans, tué par le cancer. Déjà jaunies par le temps, les pages de l'histoire du jazz n'auront jamais été aussi lumineuses. Duke Ellington, Louis Armstrong, Charlie Parker, Fats Waller, Johnny Hodges ne m'ont pas quitté. A seize ans, je les reconnaissais au son, aujourd'hui ils sont mes autres classiques, et tous jouaient de si simples choses... « Juste un p'tit disque de Count Basie », chantait Salvador et, c'est vrai, cela suffisait parfois. Il était le brillant au mille carats de nos enfances. Que de suites sentimentales n'aura-t-il pas inspirées! Avec lui, c'était un bonheur sans frontières. Maintenant que la goélette a sombré, l'épave est devenue trésor.

28 avril. – L'Andalousie, Séville, le Guadalquivir... Des noms de rêve, des caresses, des lieux magiques qui enflamment l'imagination, allument le cœur et l'âme. J'entends partout le bruissement des fontaines, je me perds dans les jardins, je recherche la fraîcheur des patios, je sais des guitares sous chaque balcon. Ce pays est une légende où les civilisations se mêlent très visiblement les unes aux autres. On y devine la folie des Vandales, la puissance des Goths, la finesse des Maures. Richesses de l'Histoire : elle tire ses preuves de chaque pierre, de chaque mosaïque et d'un parfum qui n'a dû guère changer depuis les premiers siècles. On voudrait mieux connaître ce passé, secoué de mille fureurs dominatrices, et voir revivre ces hordes de pachas, bâtisseurs des monuments musulmans qui subsistent encore. La Giralda, merveille de Séville, est le phare de toute promenade. Ce minaret, devenu clocher au hasard des guerres de Religion, chante encore de toutes les voix de ses muezzins. Il vous prend d'en haut, il sort des mille et une nuits, et je le préfère à l'Alcazar, ce palais des sultans et des rois d'Espagne, seulement triomphant et comme accablé de sa puissance. La Giralda, c'est la tour des prières, le guide et l'amie. Elle me fait retrouver mes routes, elle est la lueur où je reviens malgré moi. « On ne voit bien qu'avec le cœur, disait Saint-Exupéry. L'essentiel est invisible pour les yeux. »

Le Guadalquivir... Sur ses bords, on rêve de grands départs vers les Amériques; c'est le port des conquistadors, la première eau des folles traversées, la vanne ouverte sur le vaste monde. Salut, Colomb! J'accompagne Vélasquez, qui se promenait ici en 1560, et j'oublie que dans ce paradis l'Inquisition aussi prit sa source et fit ses débuts tragiques. Déjà fourbu de colères, je m'accorde aujourd'hui au flamenco le plus pur, cette grâce ibérique, et à la feria pour laquelle nous sommes venus en commando d'amitié, Patrice, Jean, Francis, Le Zou, François, Michel, Tatoua – et pas d'autres. Huit garçons de nos vallées de Bigorre, Béarn et Pays basque, célibataires le temps d'une fête... « Il y a du maure en eux », diront nos femmes. J'aime assez, je l'avoue, ce plaisir égoïstement masculin qui ne s'encombre pas d'un jupon et nous fait une semaine durant adolescents en goguette. J'irai même jusqu'à dire que ces retrouvailles d'hommes sont une nécessité. Annoncées, déclarées d'entrée turbulentes, elles ont du moins l'avantage de ne pas être tricheuses. Rien à voir avec le sérieux factice de qui se condamne à vivre convenablement au foyer. Nous, nous sommes en perdition. La feria, qui suit la semaine sainte, nous est terre païenne, hymne au plaisir, aux toros, au cheval, à la beauté andalouse. J'aime la fierté sévillane, la nonchalence arabe, la fougue des gitans, la délicatesse et le feu des musiques qui dessinent des jeux de mains et de pieds irrésistibles. Le flamenco a des pouvoirs, une sensualité qui vous dévore. C'est une offrande, cette sarabande somptueuse de tout un peuple. Les corps ici ne se touchent pas mais se promettent. Il y a plus d'érotisme à frôler une poitrine qu'à la saisir. Paul Morand : « Séville est une courtisane mystique. On devrait se réjouir de ce que l'appétit et la pénitence aillent de pair. Y a-t-il rien de plus beau qu'une fille qui se fait attendre derrière les grilles de sa fenêtre? L'Andalousie est désirable par tout ce qu'elle suggère. » Je le signe avec lui.

Les plaisirs de la feria, ce sont aussi – loin des casetas, ces milliers de tentes dressées où les Sévillans dansent jusqu'à l'aube – les cris et les bravos des arènes, construites en 1760, qui comptent parmi les plus grandes d'Espagne. Là tout un peuple est toro ou torero selon l'humeur du jour. Corridas dans le soleil et parfois l'orage, au cœur d'une violence qui n'est pas seulement rite sacrificiel. On ne raconte pas de tels combats, de tels affrontements, on les vit, on s'en désespère, on y est facilement transporté et je comprends que certains ne puissent supporter ces arabesques de mort. Ils se veulent tranquilles au creux de leurs certitudes. Ici les passes devant la bête et la charge de celle-ci sur l'homme sont un patrimoine culturel. Qu'importe les drames! Je ne sache pas que leurs ennemis se soient aussi violemment élevés contre les quarante guerres qui aujourd'hui déchirent le monde, ou contre la famine qui tue des millions d'enfants. L'art tauromachique est d'abord, quoiqu'on en dise, un face à face amoureux, l'écriture plastique d'une tragédie à venir, un enchaînement parfait de mouvements qui sont les phrases pures d'une littérature d'images. Le public aime tant l'habit de lumière qu'il ne pardonne rien à celui qui le porte, il exige trop, sans doute, mais c'est la rançon d'une gloire unique. Les toréros sont des dieux, qu'on peut affectivement détacher de leur socle, piétiner même, dès que leur grâce n'est pas à son zénith. Ce qui se produit, hélas, en ces jours d'avril! Les hommes dans l'arène ne sont plus sorciers et la bête est passive, trébuchante. Je ne garderai pas un souvenir ébloui des matadors de La Maestranza : Antonete, Curro Romero, Tomas Campuzano, Paquiri, Paco Ojeda et Curro Duran auront été bien en dessous de leur réputation. Les toros n'avaient pour eux que lente indifférence. Rien à admirer, pas de miracle,

93

l'envoûtement n'eut pas lieu. Il nous reste Antonio Ordonez, le sublime ancien, qui garde les traces d'une fulgurance de cornes et qui traîne glorieusement la jambe. Chez lui, dans sa ganaderia, nous avons rencontré les fauves au repos : des toros noirs de 600 kilos. « Je les aime, me dit-il. Quelques-uns ont voulu ma mort, j'ai été grièvement blessé, j'ai fait des fautes, j'ai eu trop d'audace, trois fois j'ai manqué de finesse, je méritais mon sort. » Je le crois, il est sincère, ce fut un maître, il demeure un illustre. « C'est une maladresse, ajoute-t-il, de montrer, au milieu de l'arène, qu'on entend la rumeur de la foule. On torée d'abord pour soi, on ne partage son bonheur qu'avec la bête. Les autres ne pourront jamais le comprendre. » Cela dit très vite, comme un murmure. Une passe de plus, une esquive. Ordonez est de ces hommes qui vont à l'essentiel en deux ou trois phrases courtes.

... Revenu à Paris après cinq jours de fantaisies sévillanes, je fais le tri des derniers livres reçus. Et, permanence du signe, l'un d'entre eux me ramène en Andalousie. Dans *l'Enfance de l'art*, Jean Cau torée à son tour sur une bonne quinzaine de pages et nous conte « l'antique duel que se livrèrent, de 1913 à 1920, deux génies : José et Juan. Joselito, " El gallo ", le plus grand belluaire de l'histoire de la tauromachie, et Juan Belmonte, qui osa se mesurer à lui ». Durant cet âge d'or, les deux titans s'affrontèrent. « Classicisme contre romantisme, perfection contre invention. » Jusqu'à ce jour de mai 1920 où un toro, qui s'appelait « Bailaor » (danseur), mit fin à cette rivalité fabuleuse en tuant Joselito. Soudain, l'ivresse ne fut plus la même sur la plaza. Il y manquait un sorcier. Et le survivant s'ennuyait. Un jour, poursuit Jean Cau, Belmonte eut un pincement au cœur et le médecin lui déclara qu'il était temps de devenir sage. Le vieux torero dit d'un ton calme : « Muy bien! » Il fuma le cigare, but du jerez avant de s'asseoir dans une haute cathèdre, derrière une lourde table, où il écrivit quelques lettres pour que tout fut en ordre. Ensuite il sella son cheval et visita son élevage de toros braves... Puis il revint à la ferme, but un café, s'assit droit dans sa cathèdre et se tira une balle dans la tête. Juan se savait en cavale. Mais un suicide dans un tel pays, quel scandale! Jean Cau écrit amoureusement la suite : « Il était impensable que l'Espagne n'enterrât point l'un de ses plus illustres enfants en terre chrétienne mais il était impossible que l'Église, en 1962, accueillît en son sein, pour la renvoyer à Dieu, l'âme impie d'un suicidé... » Alors l'Espagne et Séville ne voulurent pas savoir comment Juan Belmonte était mort. Le peuple fit l'innocent et accompagna son enfant jusqu'à la cathédrale, dans les ors, les orgues, l'encens et les chants... « Lorsque le cercueil sortit du monument, porté sur les épaules de quatre matadors, un cri jaillit de l'immense foule. Et ce cri disait " A la Maestranza " (C'est le nom des arènes)... Les porteurs stupéfaits hésitèrent puis obéirent et se mirent en marche vers la plaza... La foule suivait. Arrivé devant la porte du Prince, le cortège stoppa... Dans un silence absolu, les quatre matadors portant le cercueil entrèrent dans la plaza et, devant les gradins déserts, firent décrire un tour de piste, lentement, pour un dernier triomphe, à Juan Belmonte »... A la sortie, de milliers de poitrines jaillit un formidable « Olé! ». L'histoire ne s'arrête pas là. « Le cortège allait reprendre sa marche vers le cimetière mais la foule cria : " A Triana! " Triana est le faubourg populaire de Séville où Belmonte avait passé son enfance... Les matadors-porteurs montrèrent donc son royaume au héros... Enfin on se dirigea vers le cimetière mais la foule eut un dernier cri et ordonna " A Joselito ". Et dociles, mais cette fois les yeux remplis de larmes, les porteurs, suivis de tous, aristocratie et plèbe taurine mêlées, se dirigèrent vers la tombe de l'ancien rival... Et il fallut coucher Juan aux côtés de José. »

Merci Jean Cau de nous donner à aimer, à célébrer une telle légende solaire.

30 avril. – Comment se peut-il que Montherlant ait écrit : « De tous les plaisirs, le voyage est le plus triste. » Je m'étonne d'une telle réflexion chez un homme qui a connu l'Espagne, le Maroc, qui a profité de quelques errances dans ces pays dont on dira seulement qu'ils ne sont pas le bout du monde. Je lui avais posé la question au cours de l'une de mes nombreuses visites et je crois que je l'avais froissé... « Jeune homme, vous auriez dû me relire complètement. Je me suis déjà prononcé sur ce sujet dans *le Carnaval noir.* Je n'aime pas que l'on effleure un lieu, qu'on l'abîme de trop de curiosité malsaine et parfois d'un mépris né de l'ignorance. Je refuse le superficiel des actuelles sorties de masse, de ces lamentables promenades mal organisées, je me méfie du pittoresque. Une terre vaut qu'on la pénètre, qu'on s'humilie à la deviner. Il faut vivre d'elle longtemps si l'on tient à en parler, y séjourner et non pas y passer. Je suis effrayé par l'insolence de ceux qui poussent la goujaterie jusqu'à donner des conférences à Pleyel ou ailleurs après deux ou trois petites semaines d'une croisière distraite. Le voyage d'agrément peut être un passe-temps. Je plaide, moi, pour un *séjour* prolongé, une approche sérieuse des gens et des choses. C'est le minimum du respect que l'on doit aux autres. »

Je me souviens de cette conversation, et de cette colère, parce qu'une note jetée à l'instant sur mon bureau aligne les itinéraires de mes prochaines « expéditions » : Brésil, Uruguay, Côte-d'Ivoire, Cameroun, Québec, Angleterre, Espagne. C'est vrai, de ces pays je ne connaîtrai que le plus lisse de l'écorce et il me faudra être prudent si j'en fais le récit. Mais je me sais armé pour la discrétion. Après huit années totalement données au Sud-Est asiatique, je n'ai livré que des bribes de regards. Montherlant, qui n'ignorait rien de mes voyages, me demandait souvent : « Alors, ce grand livre, c'est pour quand ? » Et je répondais : « Tout a déjà été écrit. »

96

1ᵉʳ mai. – J'aime tant les livres que je leur ai fait une maison dans ma vieille demeure pyrénéenne. Sur deux étages coupés par une galerie tournante et ouvragée, des Compagnons du devoir pareils à mon père leur ont bâti un temple, ils en ont sculpté les colonnes, les ont habillées comme pour une cérémonie. Et le plafond, grâce à Mady de la Giraudière qui a joué de son pinceau entre les poutres, est devenu l'illustration des Fables de La Fontaine. Mes milliers de bouquins ont enfin trouvé leur place et partout tables et fauteuils offrent des coins accueillants au curieux qui passe. Une bibliothèque, c'est d'abord un voyage. Je ne sais plus le nom du philosophe chinois qui parlait ainsi du lecteur : « Il est sur la route sans avoir quitté la maison, il est dans la maison sans avoir quitté la route. » Heureux celui qui a la passion du livre, qui prend plaisir à l'accueillir, à le caresser, à se gorger de ses mots, à se laisser glisser entre ses pages. Je revendique ce don du ciel. Sur l'une des grosses planches de chêne, j'ai rangé tout à l'heure l'ouvrage de Jean Gaulmier, écrit en 1931, réédité aujourd'hui par Jean-Claude Lattès : *Terroir*. Une mosaïque de tableaux, un hymne à la nature, un chant sincère. J'aurais souhaité m'exprimer de la même manière : « Nous avons cru à la sagesse des philosophes, à la justice divine, au devoir social... Nous n'avons trouvé nulle part l'apaisement désiré... Oui, pourquoi tant chercher puisque ce pays – entre Bourbonnais et Berry – nous offre de quelque côté que s'égare notre course, des fontaines pour rafraîchir notre front et de hautes luzernes pour nous reposer... Il a suffi de prendre un peu de cette terre féconde, de rouler entre nos doigts une feuille sèche pour nous composer un humble bonheur subtil... L'ancre a mordu les roches, et nous sommes au milieu des choses familières, à demi consolés déjà... » Ma Bigorre, je la vois ainsi, en écartant les branches, en faisant mon miel de chaque promenade...

5 mai. – Le texte est si délicat, si drôle, riche de mots si brillants, qu'il aurait sa place au théâtre pour un nombre illimité de représentations. Il donnerait une délicatesse rare à un art qui, à force de se chercher, ne se trouve plus ; les grandes scènes s'honoreraient en l'empruntant mais je crains qu'il ne soit entaché de la marque infamante : produit télévision ! Le fruit de l'ennemie numéro un, celle qui frappe, massacre, engloutit en tous domaines. Trente ans après, le mal n'a pas changé de nom. Qu'importe ! Avec *Dernier banco*, remarquablement écrit par Alain Riou, mis en scène par Claude de Givray, TF 1 touche ce soir le gros numéro. La véritable comédie, l'intelligente, la brillante, qui ne sacrifie pas à l'à-peu-près, à la vulgarité, au médiocre des situations convenues, est réinventée : une grâce des dieux de l'humour. L'histoire ? Celle d'un homme, un bateleur, dévoré d'une exceptionnelle joie de vivre, dilettante jusqu'au raffinement, qui mène de front, avec une étonnante gourmandise, ces passions exaltantes, fières, que la morale bourgeoise considère comme dangereuses : le théâtre, les femmes, le jeu. Dans ce rôle, Jean-Pierre Cassel se montre époustouflant, si profond dans sa légèreté, plus sage dans ses folies que les philosophes dans leurs graves réflexions, et si fragile. Une composition superbe, où le comédien joue à l'acteur avec ce brin de coquetterie qui touche à la désespérance. Je suis bluffé. Je le croyais à son déclin, riche de ses seules nostalgies, empêtré dans les images assez agaçantes du faux distrait, du danseur à claquettes, toujours débutant, et je le retrouve magnifique, énorme dans sa manière d'épater le monde, l'égal de Jouvet, Meurisse, Berry, Brasseur. Sa noblesse est dans ses abandons, sa vertu faite de toutes ses fautes, et réjouissante l'idée d'Alain Riou qui campe à ses côtés, pour l'aimer et non plus pour le perdre, un percepteur, fonctionnaire d'ordinaire redoutable. L'autre face de la comédie humaine ! Dans cette peau, le plus souvent rugueuse, Michel Duchaussoy installe des boursouflures de désirs. C'est insolent, primesautier, le lit blanc des femmes se confond avec le tapis vert des casinos, on s'étourdit dans les draps du plaisir, le sérieux de la vie se dissout dans la désinvolture, l'ivresse nous gagne... « Je ne sache pas que la société des inutiles fasse du mal à qui que ce soit », dit Cassel à Duchaussoy. Ce n'est pas là une pensée insignifiante. Mon cher Paul-Jean Toulet, dont je viens de refaire le voyage, de Saint-Jean-de-Luz à Saint-Jean-Pied-de-Port, en passant par Cambo, aurait adoré cette pièce, lui qui avoue dans son testament, « Ce que j'ai aimé le plus au monde, ne pensez-vous pas que ce soient les femmes, l'alcool et les paysages... » A quelques nuances près, c'est la même fascination. Une générosité semblable. A Séville, un soir de cavalcade, y faisant la fête avec ces milliers d'hommes et de femmes, Toulet notait sur son carnet : « Je jouis de toutes leurs joies et les ajoute aux miennes. » Mon sentiment n'est pas contraire : ce que j'apprécie le plus est notre faculté d'émerveillement. La vraie luxure est là. Je ne suis pas d'accord avec ceux qui pensent que l'indifférence est la liberté. S'attacher à un être, ce n'est pas le lier à soi, ce n'est pas fatiguer une amitié, apitoyer un amour, peser sur l'autre de tout son égoïsme. La création, certes, est une solitude, mais qui mérite d'être accompagnée. Je me suis beaucoup battu, affectueusement, avec Gabriel Matzneff, qui estime raisonnable, lorsqu'on écrit un roman d'amour, de commencer par rompre avec la jeune personne qui vous l'inspire. Il a ses raisons : une rupture, d'abord, c'est comme la retraite, ça donne des loisirs. Et puis, pour peindre une passion, il faut la contempler avec un certain recul. Quand on a le nez dessus, c'est plus doux mais on ne voit plus rien... C'est oublier que la vie ne vaut pas tant d'angoisses voulues, c'est se débarrasser à trop bon compte de l'inattendu, de la surprise.

Vraiment, j'aime le personnage né de l'imagination d'Alain Riou. Lui au moins fait naufrage de tout ce qui lui cause bonheur. Épicure n'est pas seulement d'Athènes : le plaisir de l'esprit, la pratique d'une vertu dévergondée

restent, deux mille ans après, des expériences enthousiasmantes.

6 mai. – Sur le circuit d'Imola, dans un tonnerre de
centaines de chevaux lâchés, Alain Prost enlève le Grand
Prix de San Marin au volant de sa Mc Laren. Course
remarquable. En tête de bout en bout avec, pour ajouter
au spectacle, quelques frayeurs de circonstance. Du grand
art, une leçon de pilotage. J'aime de tels hommes, qui
prennent le risque à bras le cœur et font des moulinets
avec la mort. Mais j'apprécie qu'ils s'exposent raisonnablement : « Mon métier, dit-il, est de conduire un pur-
sang, pas de courir au suicide dans une voiture cercueil. »
Prost est précis sur ce point, il sait les dangers de son
aventure et la veut réfléchie. Le drame ne peut y être que
l'accomplissement d'un destin, le prix incalculable d'un
bonheur. Il y a là quelque chose qui se situe au-delà de
l'argent et de la gloire.

7 mai. – On le dit grand paquebot ancré sur le Léman
et c'est vrai. Pas d'autre manière de le voir et de le vivre.
En abordant au « Royal » d'Évian, j'ai toujours eu l'impression de commencer une croisière, immobile, riche en
découvertes qui échauffent l'esprit. Le vent, la musique,
une certaine qualité de la fréquentation et du ciel, pas
forcément bleu, aident ici à l'apaisement. Cet hôtel est
l'une de mes îles et je me fiche que la nostalgie y fasse
bouger encore de beaux fantômes. Je sais simplement
dans quelles chambres Vanderbilt dissimulait ses valises
de pierres précieuses, je connais le montant des bancos de
l'Aga Khan – ils valaient déjà, en millions, son poids de
chair –, nous visitions sans trop d'émoi le petit salon, assez
changé aujourd'hui, ou l'infant d'Espagne, le bey de
Tunis commentaient leurs accidents de cour avec le
mahàràdjah de Kapurthala. Bornes sur la route, pierres
tombales, mais qui restituent l'air du temps. Le présent ne

s'encombre pas des mêmes brocarts et les caftans n'y ont plus leur place. Les nouveaux princes arabes, porteurs de robinets à pétrole, n'auront jamais l'impression d'être chez eux dans ce palais. Le raffinement y est trop feutré, le luxe y manque de tapage et la Méditerranée s'y fait si lointaine! Évian n'a aucune parenté avec Cannes, curieusement semblable à La Mecque aux heures estivales de transhumance. Sans le sable, c'est tout de même une plage brûlante de la musique. Salzbourg célèbre Mozart, Bayreuth honore Wagner, Évian s'offre à la jeunesse, lui donne des voiles, joue la difficulté, l'exigence et le charme. La tradition et le modernisme y sont liés, roulés par les vagues des *quatuors* qui ont enfin un cadre de manœuvre. « Il est indispensable, affirme Serge Zehnacker, que les jeunes s'intéressent à la musique de leur temps et apprennent à la pratiquer au même titre que celle du passé. » Il a raison, mais je m'accorde de préférer Mozart ou Brahms à Kurtag, Ligeti, Lutoslawski ou Rihm. Affaire d'âme. Je dois à l'honnêteté de dire que le concours de quatuors, l'un des plus réputés au monde, n'a pas cette année la qualité des précédents. 1983, avec le groupe Hagen, reste le grand millésime. Nous aurons eu toutefois la joie de rencontrer le Mannheimer Quartett de la République fédérale allemande, les Autrichiens de l'Artis Quartett et nos propres représentants, les très jeunes artistes du Quatuor Parisii. Évian, c'est aussi ce turbulent et superbe jamboree des moins de vingt ans, venus de tous les pays, qu'une même et dévorante passion rapproche. Il faut avoir vécu depuis une décennie ce bain de sons, s'y être noyé, pour comprendre la beauté de tels assemblages. La prière musicale ne s'étouffe pas de règles trop strictes, elle a plus de ferveur que de discipline. Lumière de chaque note, éblouissement de chaque accord. S'il y a sans doute ailleurs des festivals de plus grande importance, dont nous sommes souvent les pensionnaires, il n'en est pas de plus sympathique; chaque répétition est ici poésie pure, dépouillement, éclats de rire, complicité. J'aime ces têtes penchées sur les instruments, ces joues attendries contre le violon, ces étreintes que Pierre Petit contemple avec ravissement – « Je n'ai jamais vu tant de dévotion », s'exclame-t-il. Sous la direction de Christopher Seaman, escogriffe burlesque, l'orchestre de l'Institut Curtis de Philadelphie travaille le *Concerto pour violon en ré mineur* de Sibelius, avec Gidon Kremer, l'un des archets les plus sûrs de notre fin de siècle. Quelle chance de pouvoir partager ces minutes divines, le fantastique d'une telle œuvre! Avec le Curtis, télévision : cette formation, née d'une école privée américaine qui fête aujourd'hui son soixantième anniversaire, sera l'invitée du prochain « Échiquier ». J'apprends à connaître ses cent cinquante « enfants » – le plus jeune a onze ans, le plus âgé vingt-deux. Merveilleuse jeunesse armée par cet incomparable alliage de l'enthousiasme et du métier, de la technique et de la foi. Exceptionnellement doués, tous sont solistes, qui ont la possibilité de jouer avec les plus grands. Miracles du don et du travail.

8 mai. – « Depuis cette nuit, le centre Isabelle ne répond plus. » Je me souviens de ce communiqué de défaite, de cette tragédie préparée mois après mois par des ministres tranquilles, des généraux froids, blottis dans leur imbécillité et leurs certitudes parisiennes. 1954. Trente ans déjà et une plaie juste boutonnée. Toute liaison avait été coupée avec le dernier carré de résistance de Diên Biên Phu. Nous étions sans renseignements sur le sort de dix mille hommes des forces de l'Union française et la métropole laissait encore échapper des notes de victoire. J'étais descendu du Nord, abandonnant Hanoi, appelé par Saigon qui mobilisait tous ses correspondants de guerre dans les studios de Radio France-Asie. Nous savions que la partie était perdue, qu'il faudrait cruellement payer, que c'était la fin. Là-haut, de son abri, le général de Castries faisait le point de la situation. « Les Viets s'infiltrent massivement à travers les points d'appui. » Et ce furent les derniers mots : « Ils sont là. Plus rien à dire. Terminé. » Les vagues de Hô Chi Minh déferlant sur le camp retranché venaient de s'emparer du poste de commandement français. Avec Yves Desjacques, nous avions enregistré la dernière conversation des généraux Cogny et Castries. Cette bande précieuse, je l'ai offerte quelques jours plus tard à un garçon de vingt ans, que l'on avait fait sauter au dernier moment, pour l'honneur, sur un tapis de mitraillettes viets. Il y avait abandonné ses deux jambes. Plus blanc que ses draps, si petit sur son lit de l'hôpital Grall, heureux tout de même d'avoir été rapatrié d'urgence, de n'avoir pas suivi le long cortège des prisonniers, il n'arrivait pas à comprendre : « Pourquoi nous avoir lâchés sur cet enfer alors que tout était consommé? » Le coup des gants blancs des cadets de Saint-Cyr à l'assaut, la glorieuse stupidité! Dans l'horreur s'achevait ainsi l'un des plus tragiques faits d'armes de nos annales militaires.

Le monde fut touché par ce drame et la France, qui a tant à faire avec les désespérés de toute la planète, sut enfin où se trouvait l'Indochine. Géographiquement parlant, un progrès! On nous racontait que l'émotion y était grande, on faisait le compte des morts, des blessés, des égarés. Un menu à la Prévert. Les pourquoi, les comment, les yavéka couraient tristement les rues; on essayait de justifier l'ignorance, l'indifférence; on s'obligeait à oublier que ces jeunes gens, torturés par le feu et les fièvres, avaient été envoyés là-bas par une politique qui se moquait bien de la vie et de la mort, par le mépris et l'insignifiance de quelques hommes, qui ont poursuivi néanmoins, sous tous les gouvernements, et aujourd'hui encore à différents postes, leur coupable industrie. Ils avaient été assez inconscients, donc criminels, ces princes au pouvoir, pour sous-évaluer la force, la discipline et surtout la foi de nos adversaires. Sur place, nous avions appris à les estimer, à respecter leur combat, à nous plaindre ensemble du malheur. Chez certains des nôtres, seul l'esprit d'aventure fut un viatique.

J'avais fêté mes vingt ans dans cet ailleurs meurtrier.

J'ai dit ma tendresse pour ce pays, pour son peuple, dont je sais la désespérance endémique : je ne le crois plus capable d'arrêter sa guerre de cent ans. Oui, j'aime l'Indochine devenue Vietnam, enfin libre mais infirme, vaincu par ses conquêtes, défait par l'hystérie marxiste. Y reverrai-je mes terres d'adolescence?

Je m'en souviendrai de ce mai 54, de ce bal tragique de Diên Biên Phu, de cette interminable soirée, commencée à 16 h 45, qui nous a armés pour la vie. C'est alors que je décidai de me méfier de tous les pouvoirs. Je m'y tiens.

12 mai. – Je l'ai croisé tôt ce matin du côté de la Maison de la Radio. Il allait dans Paris à l'heure où la ville n'est pas encore ce camp de concentration qui lui brise le cœur : « Quelle folie de vivre ici ! » Claude Lévi-Strauss n'est jamais à sa place dans les lieux « civilisés » qui l'accueillent, il avoue ne pas être du siècle où le hasard l'a fait naître. J'ai de l'amitié pour cet égaré des temps modernes, ce scientifique espiègle qui fait de malice vertu, de la fausse indifférence un dogme. Il navigue dans les eaux troubles de l'Histoire comme un peintre dans ses couleurs. Avec la désinvolture de ceux qui sont nés pour explorer des mondes. Cet alchimiste se croit maladroit, mais c'est une coquetterie. Je le soupçonne de bien connaître son pouvoir intellectuel et son énorme influence. Ses travaux sur les mythes lui assurent la première place dans l'anthropologie contemporaine. Une immense érudition, mise au service de la pensée sauvage, lui fait détester les envolées idéologiques : « Méfions-nous de ceux qui veulent mettre l'homme au carré dans un cercle, aux trois points d'un triangle. La prison n'est plus loin. » Il a conscience de la fragilité de son art, imagine le destin de l'ethnologie, condamnée à mort comme les peuplades primitives. « Tuer les commencements du monde, c'est se consumer à petit feu, s'éteindre et ne plus faire que des petits tas de cendres. »

Je m'amuse de cette rencontre, dans le désert provisoire de la rue des Marronniers, parce que j'y vois un signe. Il y a cinq minutes que j'ai reçu chez moi son nouveau livre, *Paroles données*, et la réédition de *Tristes Tropiques*. Voilà une invitation à le lire, à le relire, à me souvenir. J'ai visité son grenier, un cinquième étage encombré de livres, de quelques masques, de tables de bois, et surtout de planches qui font office de bureau. L'appartement est confortable, mi-bourgeois, mi-étudiant, antique au plus près, tenu par une femme ravissante qui a décidé de prendre en charge le génie de l'artiste et de l'accompagner aux honneurs. Le 28 mars 1973, lorsque nous avons fait notre première heure de télévision, Claude Lévi-Strauss n'était pas encore Immortel. « Pouvez-vous ne pas me parler de l'Académie française...? De grâce, ne fêtons pas les rois. Il suffit d'une mauvaise angine et paf! une voix de moins. Et sous la coupole, toutes les voix comptent. Oublions cela. » Je savais qu'il n'aurait pas à regretter ni à se plaindre, que sa famille pouvait déjà applaudir, qu'il était assuré de passer au vert. Mais il ne fallait pas attendre de lui un mot de plus à ce sujet. Pourtant, il me semblait heureux d'aller en cette terre inconnue, les académiciens du quai Conti formant d'évidence à ses yeux l'une des dernières peuplades de la vie culturelle organisée. « Je me suis fait propret, me disait-il, le bleu nuit, affirme-t-on, passe bien sur l'écran. Si vous souhaitez un costume d'une autre couleur, je suis à votre disposition, mais il ne faut pas m'en demander plus; c'est déjà un gros effort. » Mon réalisateur, Jacques Brialy, pouvait seul en décider : « Ne changez rien, c'est parfait. » Nous étions prêts. A ma première question : « Qu'est-ce qu'un penseur? », il répond sans hésiter « Un homme qui sait ses ignorances. » Je lui rappelle le résultat d'un sondage récent, réalisé auprès des élèves du lycée français de Barcelone, selon lequel il passait pour « le plus grand philosophe actuel ». Un sourire et ce verdict : « Tout le monde peut se tromper. Ils ne doivent pas connaître Sartre et Aron. »

Point de vanité dans cette conclusion rapide. Une modestie courtoise. « J'aurais été séduit s'ils avaient parlé de mon amour pour la musique. Mon grand-père était chef d'orchestre, ma grand-mère était l'amie de Rossini. Je rêve de diriger moi-même un concert. En sacrifiant à votre envahissement, je manque *Tristan* sur France-Musique. Mais je suis tout de même content de vous accueillir. » Je peux aujourd'hui révéler qu'en arrivant chez lui, conduit par sa femme, je l'avais surpris, debout, une baguette à la main, dirigeant je ne sais plus quelle œuvre qui tournait sur son électrophone. « Ne nous laissons pas aller aux bruits de la foule. Permettez-moi de parler de la Bourgogne, de ma campagne. Quittons tout ceci... Allons nous promener à pied, en silence, nous nous entendrons mieux. » Claude Lévi-Strauss prise; délicatesse des doigts dans une adorable petite boîte d'argent. Il m'en offre une pincée, qui déclenche mon rhume des foins! « En prisant, j'ai pu me débarrasser des cigarettes », conclut-il.

Paroles données, ce livre qu'il qualifie lui-même de « rébarbatif » pour nous mettre la puce à l'oreille, reproduit les comptes rendus de cours, tels qu'ils parurent ces dernières années, de 1959 à 1982, dans l'annuaire du Collège de France. Une manière insolente de couper l'herbe sous le pied à tous les universitaires, qui auront un jour l'idée de réfléchir sur ses méditations. « Regroupés, ces textes rendront peut-être service à qui voudrait étudier de plus près mes livres. » Et c'est vrai que l'on trouve tout Lévi-Strauss dans cet ouvrage et qu'il faut s'y prendre à dix fois pour le contourner. J'en ai fait la bienheureuse expérience toute une semaine à « Radioscopie », au cours de six heures de conversation à bâtons rompus, où son intelligence et sa culture me posaient des problèmes. Il fallait m'habituer au jeu des contradictions qui composent sa logique. Je le ramenai d'abord à la première page de *Tristes Tropiques*, où il écrit d'entrée : « Je hais les voyages et les explorateurs, et voici que je m'apprête à raconter mes expéditions! » Je m'étonnai de cette déviance... « J'ai réagi spontanément contre cette idée assez répandue qui veut que " le voyage soit un but en soi ". L'ethnologie à la vérité n'est qu'un *moyen*, laborieux, difficile, en vue d'une certaine fin qui est l'étude approfondie de sociétés différentes des nôtres. Mes envolées au bout du monde, en 1939, me laissaient une impression de profonde tristesse. Je me lamentais sur les populations indiennes de l'Amérique du Sud, sur ces groupes très peu nombreux, perdus dans un milieu hostile et déjà très largement détruits par l'expansion de la civilisation industrielle et condamnés à mort à très brève échéance. Voyager pour ne voir que cela est stupide. Mais c'est la loi du monde, la loi du siècle, la loi du millénaire où nous sommes. » Claude Lévi-Strauss n'aime pas les voyeurs, les passants des croisières organisées en terre étrangère, il estime que *savoir regarder* est un art qui s'apprend pendant des dizaines d'années, que ce n'est pas un simple exercice d'assouplissement : « Aller au bout de l'univers impose que l'on s'y prépare. Observer est une exigence, s'approcher de trop près d'une communauté vivante comporte une forme d'indélicatesse. Prenez votre plaisir comme vous l'entendez et soyez en même temps conscients qu'en le prenant vous détruisez totalement l'objet de ce plaisir. » Phrases prémonitoires! Que de peuples massacrés par des hommes qui se croyaient plus évolués et qui ont voulu les faire à leur image, les transformer et les châtrer de leur identité! Que de minorités en exil aux bouts du monde parce que leur différence était un obstacle à l'idéologie ambiante! Je ne puis m'empêcher de penser ici à mes chers Moïs, ces désenchantés d'une tribu autrefois à cheval sur le Cambodge et le Vietnam, au-delà de Locninh, et qui vivaient sur les hauts plateaux dans le plus simple appareil et une liberté totale. Où croyez-vous que la politique et la haine les ont installés? Au Danemark, dans le plus froid de l'exil. Peut-être seront-ils demain dans une réserve, visités et célébrés comme derniers spécimens d'une race. Ce ne serait pas nouveau! Savoir regarder est un art qu'il faut cultiver avec patience et discernement. Lévi-Strauss est plus observateur que moraliste, il ne juge pas et, comme nous tous, se demande parfois s'il est tellement différent de ceux qu'il condamne! Au cours de nos conversations, pour oublier les « pestes de l'univers » et reprendre souffle il nous arrivait de passer par la musique : « Heureusement qu'elle est là pour me donner un territoire de joie, disait-il, autrement la désespérance serait trop forte. J'ai hérité ma passion de mon grand-père, qui était chef d'orchestre des bals de la cour sous Louis-Philippe et Napoléon III. Il était aussi le collaborateur d'Offenbach et un très grand collectionneur. J'ai suivi quelques-unes de ses traces. Très jeune je me suis mis à l'écoute du répertoire classique, m'amusant à découvrir les œuvres sur la partition, et puis j'ai collectionné des estampes japonaises, des armes exotiques, des livres anciens. Aujourd'hui, je vais encore, trois fois par semaine, à Drouot. C'est le seul délassement que je connaisse. J'en aime les odeurs, je me rafraîchis l'œil, je m'éblouis de ce brassage extraordinaire d'objets. Je suis dans mon élément, ces univers sont les miens. Sans doute y a-t-il là un rendez-vous manqué! Je ne suis devenu ethnologue ni par hasard, ni par nécessité, mais pour des raisons impures : tout simplement parce que ça m'embêtait d'être professeur de philosophie toute ma vie. J'avais mon idée des voyages, de l'aventure, cette fascination remuante de la découverte. J'étais à l'âge où l'on s'imagine qu'il suffit de réfléchir pour refaire la société. » Claude Lévi-Strauss parle peu de cet intervalle, très court, où il fit comme tout le monde de la politique militante. Il appartenait alors à la SFIO. Jeune professeur à Mont-de-Marsan, il était alors secrétaire général des Étudiants socialistes. Il fut même tenté par le conseil général, mais un accident de voiture, le premier jour de la campagne électorale, allait l'éloigner à tout jamais de ces joutes guerrières. Un dieu malin savait déjà que sa place était retenue au Collège de France et son fauteuil avancé sous la Coupole, où en 1974 il succédait à Henry de Montherlant. « J'ai emprunté le siège glorieux d'un écrivain, d'un homme de théâtre très différent de moi. Je ne suis pas de ce monde, je n'ai pas écrit de roman parce que j'en suis bien incapable, mais il est toutefois peu de genres qui m'attirent autant que le théâtre. C'est le summum de l'art, la précision : chaque mot doit servir la progression et le dénouement de l'intrigue. » Pour lui, le théâtre est un rite, comme le rugby, le football ou la partie de cartes. La coutume, la tradition, sont nécessaires à l'homme. Une société ne pourrait pas vivre sans leurs règles, dont la valeur est d'abord symbolique.

L'ethnologue « impur » – c'est ainsi qu'il se veut – n'est pas persuadé de la lisibilité de ce qu'il écrit : « Je pense juste, je rédige laborieusement. Je fais plusieurs brouillons successifs et parfois, pas toujours, j'ai l'impression de comprendre ce que j'ai dit. Sitôt qu'un livre est imprimé, je prends avec lui de la distance, il me devient étranger. » Il sait tout de même l'importance de son œuvre et recommande quelques titres à ceux qui voudraient l'approcher : *l'Homme nu, Tristes Tropiques, les Mythologies*. Il a reconnu une fois pour toutes les vertus et les vices de la critique : « Ou bien les essais et articles me sont favorables et reposent alors sur des malentendus, ou bien ils me sont hostiles et témoignent d'une grande ignorance. » Ce n'est pas de la vanité, tout au plus un système de défense. Il n'engage personne à le suivre dans ses expériences structuralistes, mais il passerait des heures à vous parler de Rousseau, de Chateaubriand, de Conrad, qui l'ont profondément marqué. Il est assez surpris des résultats de l'enquête menée par Bernard Pivot dans son magazine *Lire*. Le voilà donc « Maître à penser n° 1 » pour le plus grand nombre, devant Raymond Aron et Michel Foucault : « Je ne suis pas d'accord. Je comprends parfaitement bien que l'on cite Aron et Foucault qui ont pris à bras le corps les problèmes de notre société et formulé quelques réponses. En ce qui me concerne, je n'ai rien fait de tel, je me suis au contraire écarté avec empressement et crainte des affaires nationales. Il serait à mon avis légitime de proclamer d'abord l'influence de Sartre qui a été l'inspirateur de toute une génération. Je ne suis donc pas le maître à penser que l'on dit ; je préfère m'en tenir à cette explication simple qui vise les miens : volontiers subversif parmi les siens, en rébellion contre les usages traditionnels, l'ethnographe paraît respectueux jusqu'au conservatisme dès que la société envisagée se trouve être différente de la sienne. L'ailleurs est plus enthousiasmant que le proche, et de toute manière nous devons nous faire à cette idée : le monde a commencé sans l'homme et il s'achèvera sans lui. » Pour éloigner cette éventualité et ne point nous désespérer plus que de raison nous revenons au léger, au beau, au profond, aux respirations réconfortantes que peuvent nous offrir Mozart, Beethoven, Brahms, Ravel et Mahler.

Amoureux de la musique, sensible au grandiose des architectures lyriques – je le répète –, Claude Lévi-Strauss va de plus en plus rarement à l'opéra : « Parce que je supporte mal le massacre que les metteurs en scène contemporains font des œuvres que j'apprécie. Trahir Molière ou Verdi est un scandale. On a le devoir d'essayer de réaliser ce que le créateur – fût-il écrivain ou compositeur – avait dans la tête au moment où il enfantait. Mais on a aussi le droit de mettre à la disposition de ce rêve tous les moyens techniques dont nous disposons aujourd'hui et qu'il n'aurait pas eu la folie d'imaginer. Le droit, à cet instant, devient un autre devoir. Pensons à Wagner qui fut toujours déçu par la construction scénique de son don musical. Aujourd'hui, *l'Or du Rhin* peut s'éblouir d'un décor ultra-réaliste et d'audaces convenables. Ce que je refuse, c'est la médiocrité satisfaite des organisateurs de nos actuelles fêtes, cette vanité qui ne sert jamais l'œuvre mais réconforte à grands frais l'assassin. Si je n'avais pas craint d'être trahi, j'aurais eu du bonheur à laisser porter *Tristes Tropiques* et *les Mythologiques* sur le plateau du Palais Garnier. Très certainement j'ai pensé ces livres comme des opéras. Je me console en écoutant le quatuor du premier acte de *Fidelio*, avec l'Orchestre de Vienne dirigé par Furstwangler, ou le chœur du troisième acte des *Maîtres chanteurs*. Proust a merveilleusement exprimé, dans *le Temps retrouvé*, ce bonheur, ce grand bien de la musique, cette sorte de mer, d'océan qui donnent à la pensée des espaces immenses. Au moment où nous croyons ne plus les entendre, de grands projets se forment, l'esquisse d'une œuvre peut-être... Il n'y a pas si longtemps, je vivais de la radio de 7 heures du matin à 7 heures du soir, elle était posée sur ma table de travail. C'était l'époque bénie où on consentait à jouer de la musique et non pas à la parler. Je ne voudrais surtout pas que l'on traite la musique comme un fond sonore, elle n'est pas une moquette, pourquoi l'abîmer ! »

Curieux de toutes les croyances, Lévi-Strauss n'a jamais eu la moindre attirance pour la religion de ses ancêtres. Élevé dans la maison de son grand-père maternel, qui était grand rabbin de Versailles, il a vécu à deux pas de la synagogue sans jamais lui accorder le moindre intérêt. Bouddha, qui n'est pas un dieu, lui paraît être le grand exemple qui inspire la méditation... Je me sens bien avec cet homme, qui n'a pourtant pas le goût de communiquer, qui pense lentement, difficilement, qui masque sa sensibilité sous un trop plein d'ironie, une critique systématique de son propre personnage. Il n'est pas de ce siècle : comme notre vieil ami Joseph Delteil, il vit au néolithique.

14 mai. – Est-ce la pluie, la nostalgie ou la vulgarité, je ne sais, mais Cannes, dans le remue-ménage de son festival, ne me plaît guère de n'être plus qu'un champ clos où pataugent les mauvaises langues, affreusement pâteuses, les affamés de publicité et les marchands du temple. Un monde interlope. Ni enfer ni paradis, le banal y tient ses assises médiocres, et sans doute faudra-t-il être plus patient que je ne le suis, moins pressé, ou plus indulgent, pour vivre entre deux averses un peu de ce qui fait, malgré tout, la gloire du cinéma. Je l'ai pratiquée longtemps, cette fête aux images, j'y ai même laissé quelques traces, bonheurs ou cicatrices. Nous étions bretteurs en ces temps-là. Nous combattions à visage découvert. Une nuit terrible, avec l'appui de Samuel Lachize, je me fis l'avocat acharné d'Antonioni, pour éviter que mon cher Cino del Duca ne coupât une quarantaine de minutes dans l'admirable *Aventura* qu'il avait produit. Au petit matin, nous avions gagné. Samuel, le communiste, et Michel Aubriant, de l'Action française, inséparables à la ville comme à la scène, pouvaient reprendre leurs joutes affectueuses. Les débats d'idées, à ces heures glorieuses, embellissaient l'amitié. Aujourd'hui, le business a supplanté le charme, la réalité l'emporte sur la légende, l'ordinaire a terrassé la mythologie. Restent les forts en gueule, qui s'inventent une gloire. Seul, John Huston plane au-dessus du volcan.

16 mai. — Il y a du vent dans les cordes, du souffle dans les tubas. Berlin et Vienne ont la fièvre. La musique complique singulièrement les mœurs; on ne saurait plus croire, là-bas, aux grâces épanouies de l'art qui calme les tourments. Herbert von Karajan n'a plus pour sa chère Philharmonie les yeux de l'amour. Un peu du cœur a lâché et l'idylle s'estompe, parce qu'une jeune femme est venue... Est-ce la fin d'une fabuleuse alliance, le point de non-retour, va-t-il nous falloir pleurer sur ce qui était la *perfection*? Je n'y crois pas, je veux espérer que le ciel s'éclaircira, mais pour le moment c'est la guerre. Ayant voulu imposer un deuxième jupon dans une formation sacrément misogyne, le maestro a consciemment fissuré, déséquilibré le vieil édifice, par cet autre accroc à son contrat de mariage : les statuts de l'orchestre de Berlin stipulent en effet qu'une instrumentiste femme ne peut y être acceptée. En embouchant sa clarinette sur le territoire de ces messieurs, Sabine Meyer a provoqué un schisme. Désuet et ridicule. On attendait autre chose de tels musiciens qui comptent parmi les meilleurs du monde. Un brin d'humour plutôt qu'un mouvement d'humeur. Ne nous dissimulons pas qu'il y a dans cet édifice une faille plus profonde : la révolte des enfants, l'indifférence du père, un besoin d'aération, la nécessité de cadences nouvelles dans une partition trop sage. Je connais assez Karajan pour deviner qu'il ne capitulera jamais, patientera, s'épanouira sous ces foudres. Un jour prochain, sans doute, il s'offrira le luxe de pardonner et tout le petit monde rentrera au bercail pour fêter ces retrouvailles.

Égoïstement, je prie pour que les choses s'arrangent ainsi. Nous avons un projet qui devrait prolonger de la manière la plus heureuse le bel « Échiquier » de 1978. Je voudrais qu'au cours d'une soirée de quatre heures Karajan pût présenter les grands moments musicaux de son existence, choisis dans l'imposant répertoire qu'il a si admirablement servi. J'ai pensé à cela un soir que nous dînions tous les deux à Berlin. Il me disait : « Il y a quatre minutes sublimes dans Mahler, deux phrases de toute beauté dans Ravel, des diamants comme des éclairs de génie dans Mozart, des envolées extraordinaires dans Wagner, instants souvent fugaces qu'il faut retenir, dégager de l'ensemble... » J'avais un plan dans la tête : « Faisons un bouquet de toutes ces fleurs, lui dis-je, vous m'expliquerez vos emballements. Nous en donnerons à entendre les passages. On invitera les meilleurs solistes, on appellera des voix : Pavarotti pour le grand air de *Turandot*, Kiri Te Kanawa pour *Zaïde*, Placido Domingo pour *Carmen...* »

– Non, Placido Domingo chantera *Don Juan*.

Je m'étonnai : « Ce n'est pas sa tessiture! »

– Il travaillera... Et puis ça agacera Ruggero Raimondi! »

Nous nous amusions de ces petites querelles d'influence, de ces piques d'amitié. Vraiment, je serais navré que nous en restions là. Alors, gens de Berlin, déposez vos armes.

La bataille est plus chaude à Vienne, où les cabales vont leur train et font d'irréparables ravages. Un ministre de la Culture, d'une mégalomanie dangereuse, poignarde chaque matin à son petit déjeuner le beau Lorin Maazel. Un assassinat de cour! Le chef d'orchestre a décelé les pensées intimes de cet homme entouré d'amis perfides. « Franz Endler est un politicien sournois qui voudrait que le directeur de l'opéra de Vienne fût un garçon de course. Je ne suis pas de cette étoffe. Je le chasse en démissionnant. Il n'est pas de notre monde. Je le laisse à ses mignons! » Maazel est accusé d'arrogance, de négligence, d'indépendance caractérisée. Quelques journalistes, appointés par le ministère, y sont allés gaiement : « Qu'il parte. Bon débarras »... « Maazel, dehors »... « A la frontière l'étranger »... Je suis assez bien informé pour dire qu'un chroniqueur de bas étage, valet attitré des grandes premières à l'Opéra de Vienne, avait écrit : « Au four, le juif. » L'article a été mis au feu par le rédacteur en chef lui-même, c'est dire l'importance, la brutalité des combats. Nous ne sommes plus en 1933 : l'Autriche aime la musique et les spectateurs qui apprécient Maazel ne se laissent pas prendre à ce jeu, mais l'intolérance criminelle des petits cercles de soi-disant initiés y est comme partout honteuse. Lorin doit partir, son élégance et son talent ne peuvent se satisfaire de tant de médiocrités – même si elles se révèlent distrayantes –, il lui faut céder devant les imbéciles, ces siffleurs patentés des générales. En amour, le seul recours est la fuite. Le public, qui lui manifeste avec force sa sympathie à chaque représentation, le retrouvera bientôt, délivré de son carcan, cette charge de directeur pour laquelle un artiste véritable n'est pas fait. Il redeviendra le chef qu'il n'a jamais cessé d'être, et seulement cela. Il aurait dû savoir qu'un mal mystérieux pèse sur l'opéra de Vienne et pose une énigme. Mahler y a laissé sa santé et Karajan, encore lui, enduré le pire.

Victime d'une intrigue de palais, Lorin Maazel saura transformer cet épisode difficile en victoire. La suite de la symphonie en gris lui donnera raison. Il est entré à son tour dans la légende viennoise, on parlera encore de lui quand le ministre se sera étouffé dans les velours de sa piteuse ambition.

20 mai. – L'événement de cette fin de semaine : une ascension, une chute. Vingt ans après, la résurrection du Racing et la descente aux enfers de Saint-Étienne. Ce sont les morts qui appellent les vivants. Ainsi sont réveillés les vieux souvenirs et attisées les tristesses.

21 mai. – En cette période de l'année on nous demande toujours d'indiquer quelques titres de livres susceptibles d'intéresser les juillettistes ou les aoûtiens. Cela se passe au téléphone. Les questionneurs sont le plus souvent d'excellents confrères de la presse écrite, à qui l'on répond en leur citant vite deux ou trois ouvrages. Le tour est joué, la sélection est faite, on passe à côté de l'œuvre rare qui a pu nous émouvoir. A Sylvie Genevoix, qui m'interrogeait tout à l'heure pour *Figaro-Madame*, j'ai dit mon intérêt pour *Je vous écris d'Italie*, de Michel Déon, *le Bal du gouverneur*, de Marie-France Pisier, *l'Insoutenable Légèreté de l'être*, de Kundera. Après ce choix, que je ne renie point, je me suis trouvé injuste et, pour moi seul, j'ai complété la liste. Non pas dans l'intention d'aligner tous mes bonheurs de lecture, mais celle de dépoussiérer une dizaine de bornes sur le parcours 84. Déjà, en oubliant *la Place*, d'Annie Ernaux, j'ai fait une faute. Sur cent pages, pas plus, dans le strict enchaînement de phrases simples, directes, l'auteur raconte son père, l'ignorance, la pauvreté, son milieu; elle y brosse sur un mode pointilliste l'existence d'un homme condamné à l'humilité, garçon de ferme devenu commerçant et, là aussi dépourvu de ce qui fait le bleu d'une vie : la recherche instructive du beau. Annie Ernaux aurait voulu donner à sa famille ce qu'elle croit être, elle, la richesse : un peu de culture. Elle ne savait pas qu'en se

115

haussant jusqu'au professorat de lettres elle lui apportait la fierté : il n'est pas pour des parents de bonheur plus grand. Tout cela exprimé avec une économie de moyens, une maîtrise de l'écriture qui témoignent un talent littéraire indiscutable. *La Place* répond à l'ambition des Goncourt.

Je regrette de n'avoir pas parlé du *Regard de la mémoire*, de Jean Hugo, arrière-petit-fils du grand Victor. Peintre et graveur, pensionnaire à part entière de la vie parisienne des années folles, ce vieux dilettante fut le complice de Cocteau, de Radiguet, d'Érik Satie, de Max Jacob, de Picasso, de Paul Morand, de Stravinski. Converti au catholicisme, il eut pour parrain Jacques Maritain. Son récit, énorme pavé qui résiste au poids des ans, constitue une pièce nécessaire à la reconstitution du puzzle qu'est notre siècle dans tous ses états. Jean Hugo est mort avant que je ne le visite dans son mas de Fourques (Hérault). Nous étions convenus de passer une semaine ensemble, il avait promis de me montrer sa bibliothèque, ses dessins, ses peintures, les souvenirs de l'ancêtre, tous ses trésors : je souhaitais en garder la trace sur France-Inter, mais j'ai trop tardé; je ne voulais pas l'encombrer de notre présence à la veille de l'été. Hubert Nyssen, son éditeur, avait eu raison de me dire : « Viens le plus tôt possible »... Il avait pressenti la fin.

J'ai déjà accueilli Jeanne Champion, peintre et romancière. J'aime la puissance de son verbe, ses emportements, sa colère, son ironie. Je ne l'ai pas encore reçue pour son dernier livre, *Suzanne Valadon ou la recherche de la vérité*, et pourtant je suis emballé par cette biographie à la fois exacte et imaginaire. Voilà l'un des ouvrages les plus accomplis de la saison.

Le personnage d'abord en vaut la peine par une démesure à laquelle on ne peut résister. L'écrivain s'identifie à son héroïne et il lui fallait en connaître intimement les couleurs pour aboutir à un tel portrait. Marie-Clémentine Valadon est devenue Suzanne par la grâce de Toulouse-Lautrec, son amant, qui l'a ainsi baptisée. Le cirque des coucheries commence. Érik Satie, qui sera vite plaqué; Degas qui admirera ses sanguines, un aristocrate-poète, qui lui donnera un fils, objet de sa gloire et de ces malheurs. Au fait, cet enfant est-il de cet homme? Le mystère n'est toujours pas éclairci mais Utrillo est entré dans l'histoire. Jeanne Champion, avec espièglerie, tendresse, fureur, raconte ce couple démoniaque, nous installe avenue Junot, mêle le vrai et le faux, décrit et invente des scènes, fait bouger Montmartre et dans un même élan va de Toulouse-Lautrec à Braque et à Picasso; admirable fresque de ces années 20, où Maurice Utrillo, follement à la mode, se vend à prix d'or. Difficultés de Suzanne, mère délaissée, qui a la faveur de la critique mais que personne n'achète. Ce sera l'histoire d'une longue suite de vilenies et d'une déchéance. Perdu d'alcoolisme, Utrillo est enfermé dans sa chambre et exploité : « Peins et tu pourras boire un verre. » Il s'exécute : le vin lui est indispensable depuis l'âge de treize ans. Nous touchons là au sordide d'une gloire. Mais existe-t-il, en matière de création, un génie sans drame?

Pour être en règle avec mes plaisirs littéraires de l'année j'aurais dû citer l'*Abstraction prophétique*, de Georges Mathieu, dont je tiens les bonnes feuilles : cet essai paraîtra en juin. L'ambassadeur de la calligraphie occidentale est un cas et je me suis toujours demandé au prix de quels efforts il arrivait à ne pas se défaire totalement de son temps. Il n'est pas de ce XXe siècle et pourtant il le marque. S'il passe de la bataille de Bouvines à la libération de Paris, c'est pour montrer qu'il n'appartient à aucune époque, qu'il n'est de nulle part. Son physique, pour certains une caricature, est une œuvre parmi tant d'autres. Il s'est dessiné; il s'est voulu homme de cour d'un royaume qui n'a plus de prince. Nulle cape n'enveloppe ses épaules, mais les favoris de François-Joseph lui font un cadre jusqu'à ses cheveux tressés en mèches fines. Sa moustache est guerrière, son élégance, celle d'un gentilhomme. Il reçoit, en son hôtel de l'avenue Leopold-II, avec parcimonie et prudence. Il ne répond pas au téléphone, appareil trop vulgaire; on ne sonne pas un tel homme! Je connais sa maison, son premier étage au désordre étudié, son bureau, sa galerie, son salon qu'il a voulu pareils à ceux de Mazarin, bellement encombrés. Le Roi-Soleil l'eût fait conseiller de son décor intime. Nous avons beaucoup travaillé ensemble, en 1975, lorsque j'ai eu la bonne idée de lui confier la réalisation du sigle d'Antenne 2, cette lettre et ce chiffre entrelacés qui sont aujourd'hui − puissance des médias − connus du monde entier. Je me souviens de ces heures actives, difficiles, où il me fallait choisir entre cent maquettes, et j'étais seul à en décider. Mathieu ressemblait à un débutant qui sollicite une approbation, il recherchait l'architecture idéale, les couleurs qui n'encombrent pas le trait. Il avait trouvé depuis longtemps, mais il attendait que je me détermine en désignant le dessin qui lui paraissait exemplaire. J'avais compris sa sournoise impatience et je me demandais si j'allais tomber juste. Nous fûmes d'accord sur l'image que l'on connaît et qui, au début, parut déroutante et confuse à quelques-uns. Marcel Jullian avait estimé notre signature à sa juste valeur, d'autres la trouvaient peu lisible. J'avais eu d'ailleurs les mêmes difficultés avec le générique de Folon, que l'on jugeait trop poétique. Je tiens à redire, puisque je parle avec attendrissement de ces embrasements de chaîne, que jamais ces artistes ne sollicitèrent le moindre argent. Il n'y eut pas de droits d'auteur, ni pour l'un ni pour l'autre. Quelques journaux écrivirent que Mathieu avait touché la bagatelle de deux cents millions d'anciens francs! C'était l'honorer et l'accuser. J'affirme encore que l'œuvre fut gratuite. J'aime ce peintre pour son amour de l'art, le désintéressement glorieux qu'il affiche en toutes circonstances, dans un fracas de déclarations perfides, pour l'affiné de sa plume et de ses mots. Sa méchanceté est seulement une rigueur. Son intelligence, compliquée à certains égards, plus aiguë qu'il ne convient aux gens de sa race, l'emprisonne et le dessert.

A la première page de *l'Abstraction poétique*, Georges

Mathieu emprunte à Schiller : « C'est par la beauté qu'on s'achemine vers la liberté. » Son livre est d'abord une somme de réponses à la curiosité des journalistes et des critiques. Ce monarchiste convaincu, très en avance sur son temps, veut démasquer tous les quiproquos humanistes du monde contemporain. Il en a assez d'un univers en noir. Pourquoi les brumes crépusculaires annonceraient-elles fatalement les blêmes angoisses de la nuit, et non la lente et hésitante naissance du jour? Cet optimiste malheureux plaide pour le plaisir : « Depuis deux siècles, de Hegel à Spengler, de Comte à Guénon, les meilleurs esprits d'Occident se penchent sur l'agonie de la planète. Autant de clairvoyance aurait été plus utile orientée vers la propulsion d'un élan collectif, vers les conditions d'un nouvel art de vivre, vers la préparation d'une renaissance. » Il est vrai que l'idée de tout mettre en œuvre pour le triomphe de l'être sur l'avoir, pour la victoire de la dignité humaine sur les instincts primitifs devrait rester notre seule obsession. Les politiques, qui se révèlent chaque jour, ne sont que des politiques économiques, aucun État ne mène une politique humaine. Rêve d'artiste! La réussite, partout, tient à la patience, à la volonté, à la chance et bien sûr au don : non du savoir-faire, mais de voyance. Je crois personnellement à cette voyance.

Né au pied du château de Boulogne-sur-Mer, l'enfance de Mathieu a été marquée par ce monument de 1231 et cela explique sa passion pour le Moyen-Age. Le XIIIᵉ siècle est à ses yeux le sommet de la civilisation occidentale. Et il vit un peu dans un rêve au milieu d'un musée d'objets anciens. Il est ému par Le Brun, Rubens, certains portraits de Goya, du Greco, de Rembrandt. Il a horreur de Cézanne, il déteste Vélasquez et là je ne le comprends plus. Entouré, mondain, familier des dîners en ville, il est toujours et partout seul. Il n'est de solitude que morale. Il s'inquiétait des ivresses de Malraux juste avant sa mort, après celle de Louise de Vilmorin, mais j'ai retenu son interrogation : « Qu'est-ce que la santé, ou même qu'est-ce que la vie, pour ceux qui ne sont pas allés jusqu'au bord du gouffre? »...

Je m'en veux d'avoir passé Borges sous silence. Il faudrait recommander le *Livre de sable* à chaque saison. Un émerveillement. Le rêve comme une création. L'un des grands ouvrages de cette fin de siècle. L'un des écrivains les plus mystérieux, qui parle d'abondance, qui n'écrit plus, qui dicte, que l'on raconte, dont on prend le bras, qui attend la mort. Jorge Luis Borges aura été souvent le guide lumineux de mes escapades à Buenos Aires, l'étincelant compagnon qui sut embellir plusieurs heures de « Radioscopie ». J'apprécie le pittoresque de ce vieux prince florentin tiré à quatre épingles, secret et facétieux, qui, au gré des conversations, s'invente un passé toujours différent, brode sur l'avenir et tient la barre d'un présent de plus en plus difficile à vivre. L'offrande de béatitude est une élégance et une tricherie, ses voyages retardent l'échéance, la nuit est venue trop tôt. Vingt-cinq ans de cécité pour un homme qui avait ses chemins dans les bibliothèques sont une horreur. Et qu'on ne me dise pas qu'un aveugle trouve dans son infirmité l'occasion d'aiguiser ses autres sens. On s'oblige à une autre vie, c'est tout. Nous n'eûmes pas, sur ce point, à nous mentir. Un soir, dans une pizzeria, il m'avait dit, parodiant les Anglais : « Savant l'enfant qui sait qui est son père, sublime l'homme qui sait qui est son Dieu. Je connais quelques abandonnés. » Aujourd'hui, pour se persuader de la réalité du monde, il se fait des pays qu'il visite des images fausses. Nous pourrions témoigner qu'il est dans le vrai.

D'autres livres... J'ai beaucoup aimé *les Jardins du consulat*, d'Angelo Rinaldi, qui nous mènent de la Corse à la Seine, une chatte à la patte. Je me souviens, parlant de lui, de nos débuts à *Paris-Jour*. Il y triait des dépêches et rares étaient ceux qui avaient deviné son talent d'écrivain, car il avait eu le bon goût de se faire tout petit dans une salle de rédaction où les moins doués péroraient. Nous nous amusions de cette apparente modestie. L'œuvre était

120

déjà en construction et je suis heureux d'avoir été le confident de ces années en jachère, de ces premières pousses. Nous évoquions Ernst Junger que je retrouve dans son journal *Soixante-dix s'efface*, avec lequel nous pourrions maintenant voyager.

Un dernier titre, qu'au téléphone je n'ai pas eu l'idée d'inscrire sur la liste des ouvrages pour l'été : *Châteaurenard mon soleil*. Et pourtant, c'est toute l'enfance provençale de mon ami Marcel Jullian, son essai le plus accompli. J'ai reconnu ses éblouissements : son verger, son père – expéditeur de fruits –, sa mère-tendresse, son cheval (Bijou, bien sûr), ses sœurs-chahuteuses, son ciel. Ce qu'il écrit de son grand-père me touche profondément... « Une à une il m'a appris les étoiles. Très vite j'ai su comme lui les reconnaître et les appeler par leur nom. Mais c'était la menue monnaie de nos vagabondages. L'essentiel était dans ce que nous disions, lui et moi, aux autres mondes habités ou non et qui avait pour unique objet de nous confier l'un à l'autre ce que nos pudeurs nous auraient interdit de nous dire. » Je ne me conduisais pas différemment avec mon père. Peut-être saurai-je le raconter un jour...

Je regarde mes piles. Les livres sont des hôtes de bonne compagnie. Je leur demande peu : de me garder les yeux bien ouverts.

24 mai. – Un quart de siècle de dictature et personne ne semble s'en soucier. Fidel Castro fête aujourd'hui ses vingt-cinq ans de pouvoir absolu et c'est l'absolu silence sur les allées guerrières entre Bastille et Nation. Certains salauds ont de la grâce, quelques-uns diront des circonstances atténuantes. Il y a bien eu une révolution en 1959. Et puis, comme ailleurs, la répression, la torture, la déportation et la mort! Un million de Cubains ont quitté leur pays, dix pour cent de la population! Qui dit mieux en Amérique Latine? Alors troupes fières de l'antifascisme, on manifeste?

26 mai. – Un suspense à la Hitchcock avec rebondissements multiples, coups au cœur, angoisses. Un scénario à la conduite imprévisible et qui échappait à tous. Trente acteurs bondissants, enfiévrés, deux villes ennemies. L'audace gasconne d'Agen, la rosse vigueur de Béziers. Nous n'aurons plus, en finale du Championnat de France, un rugby comme celui-là, pareille fête, de telles envolées. Les dieux de l'ovalie s'étaient donné la balle et il a fallu des diables pour nous désespérer d'un aussi beau moment. Le ciel, qui avait décidé du score – 21 à 21 –, choisi des pénalités de même importance, imposé l'égalité, a vu toutes ses coquetteries abîmées par les hommes qui ont sacrifié, pour un désastreux partage, aux stupides tirs au but. Entre des poteaux vides. Un jeu de gamins : c'est la bêtise dans toute sa laideur, un obscurantisme primaire. Sur un dernier coup de pied à la lune – c'est fou ce qui se perd –, Béziers a donc été déclaré vainqueur et ne s'en félicite pas. Il fallait rejouer la finale quitte à rayer du calendrier l'inutile tournée en Nouvelle-Zélande ou alors installer les deux équipes dans un même triomphe, à charge pour elles de faire circuler d'une cité à l'autre le bouclier de Brennus. Il eût été splendide que l'imagination dépassât le dérisoire. Tendrement ironique, Michel Desfontaines fait dans *le Matin* cet amusant parallèle avec la Transatlantique en solitaire : « Éric Tabarly et Marc Pajot coupent la ligne d'arrivée ensemble sans qu'il soit possible de les départager. Un organisateur un peu pressé décide alors d'un concours de pêche pour désigner le meilleur. » L'hameçon n'est pas plus gros que celui de notre chère Fédération.

28 mai. – *Elton John* est à Paris, les foules se rassemblent, Bercy est occupé et je n'ai pas la moindre nostalgie. Ce vivant ne m'est pas même un fantôme, tout au plus un passant d'ancienne bonne compagnie. Il m'amuse beaucoup de regarder les anciens combattants de la chanson 60-70 qui s'époumonent à ressusciter leurs fantasmes, leur jeunesse, leurs batailles qui n'étaient que des feux de camp. Les années d'après-guerre de ce siècle nous ont laissé le surréalisme et le jazz. Il ne restera pas grand-chose des deux dernières décades, terriblement encombrées mais vides. L'histoire oubliera ce vent de mille modes qui a tout balayé. J'en retiendrai quand même la traversée des Beatles, qui ont écrit – seulement pour nous, non pour l'avenir – le beau roman d'une adolescence. Leurs extravagances furent aussi musclées que leurs musiques, aussi romantiques : leur folie n'était que débordement du cœur. Avec Michel Lancelot, nous les avions suivis toute une année. Les connaissant bien, nous avions juré, par délicatesse, de nous taire, de ne point en écrire, de ne pas réaliser sur eux de « grandes rétrospectives » à la radio ni à la télévision. Nous avons abandonné cela à ceux qui les avaient simplement aperçus et qui les aimaient plus que nous. Je ne sais pas ce que sont devenus les poèmes et les dessins qu'un soir à Londres – en 60, je crois – John Lennon avait couchés sur des nappes de papier pour nous les offrir. Michel en était le dépositaire et nous n'en avons jamais plus parlé...

Ce soir de mai, enclin à la paresse devant Elton John mais porté à l'enthousiasme par une jeune violoniste, j'ai fait escale au Théâtre des Champs-Élysées. Anne-Sophie Mutter a un talent immense, toutes les séductions, une grâce encore un peu trop retenue, un tempérament qui mérite plus de liberté. Je ne reconnais plus la petite fille de treize ans que Karajan m'avait présentée à Berlin, que j'avais accueillie aussitôt dans l'une de mes émissions. Quel changement, depuis 1976! L'enfance ne l'a pas quittée mais elle est devenue pulpeuse, non pas forte, ronde, pour un peu d'aspect femme fatale. Elle est aussi serrée dans sa robe que Marilyn Monroe le fut dans les siennes, son archet vous éblouit, dont le mouvement est peut-être trop généreux – la *Symphonie espagnole* a besoin de tendresse –, mais il en enlève si bien le rondeau final qu'on lui pardonne le reste. Quel régal de vivre les épousailles d'une telle virtuose avec l'Orchestre national de France, conduit, soulevé par Seiji Ozawa, petit homme génial plein de lumières dans ses yeux bridés. C'est cela, l'euphorie. Ozawa est aujourd'hui l'une des grandes chances de la musique; on ne résiste pas à son charme, sa volonté, cette attention particulière qu'il porte à chaque musicien, geste ondoyant qui crée les creux et les sommets de la vague et fait de *la Pavane pour une infante défunte*, de Ravel, et de *la Mer*, de Debussy, de purs chefs-d'œuvre où les bois de l'orchestre ne furent jamais si merveilleusement accordés. Il y incarne la poésie de la nuit et du jour, de la terre et du ciel.

29 mai. – Enrichie de neuf nouvelles chapelles, édifiées sur le terrain voisin, la cathédrale n'eut jamais tant de fidèles. C'est que la messe y est goûtée, la liturgie observée, la célébration parfaite. Nous sommes quelques-uns à prier là-bas, de belle façon païenne, depuis un petit quart de siècle. Au début, la mode et le grandiose n'étaient pas au rendez-vous, mais il y avait dans l'air les prémices d'une révolution sportive et sociale. Les stars, les beuveries, les agapes sous la tente – tout le factice – sont venus après et ce détournement du jeu n'a pas grande importance. On peut être chevalier parmi les maquignons. La vérité de Roland-Garros n'est pas dans l'extravagance des marchands du temple mais dans l'observance du rite immuable du geste. Ceux qui jugent terriblement snob ce territoire d'exploits parlent avec la même légèreté du film qu'ils n'ont pas vu, du livre qu'ils n'ont pas lu, de la musique qu'ils n'ont pas entendue. Hirondelles tristes de la libre circulation des idées fausses. Le snobisme est d'abord au bout de leurs lèvres qu'ils accablent. Le mauvais spectacle est ici réalisé par des ignorants, qui piratent la manifestation à des fins publicitaires. Oublions cette vulgarité. Seule compte la passion, et plus encore cette volonté affirmée par Philippe Cha-

124

trier et ses samouraïs de donner le tennis à aimer. Il est loin, et tant mieux, ce temps où avec Jean-Loup Dabadie, Jean Gachassin, Claude Brasseur, Claude Lelouch, Pierre Bouteiller, nous allions dans des travées désespérément vides aux premières heures de la compétition. Les aficionados de la petite balle savent maintenant que les parties de « l'aube », celles qui viennent au commencement du tournoi, sont plus enthousiasmantes que les sublimes envolées des demi-finales. Le public, qui a fait d'étonnants progrès, comprend mieux les difficultés de cette discipline, la belle incertitude d'un échange. Bien des carnets de rendez-vous sont vierges aux jours de la confrontation. Dabadie se fait un point d'honneur de terminer son scénario avant la date d'ouverture, Brasseur se refuse à tout film dans cette période, Lelouch se lève à 4 heures pour boucler son travail à midi, Gachassin ferme son étude, Lino Ventura écarte toute obligation professionnelle, d'autres prennent sur les tribunes leurs deux semaines de vacances et des centaines de potaches sèchent les cours pour une prétendue cause de malaise : ils l'avouent si spontanément qu'on aurait mauvaise grâce à leur en tenir rigueur. Parenthèse privilégiée que celle-là. Il y a eu *Aïda* à Bercy, Wim Wenders à Cannes, Anne-Sophie Mutter au Théâtre des Champs-Élysées, voici McEnroe, Connors, Noah à Roland-Garros. Platini et Hinault auront du mal, demain, à soutenir la comparaison.

Aux abords du bois de Boulogne, avant la fête, le tirage au sort des champions, l'architecture des tableaux, la répartition des tâches sont plus évidents, plus heureux que l'établissement démocratique et démagogique des interventions politiques aux européennes. On parie sur la pluie et le soleil, le bon état de la cendrée, les colères de John, la tristesse de Lendl, les folies de Jimmy, l'intrusion des Suédois aux fins de noms très lourdes, Nystrom, Carlsson, Sundstrom, on compte les rides de ceux qui pourraient passer pour des adolescents et, dans une nostalgie de bon aloi, on guette la chute de Nastase, Pecci ou Roger-Vasselin, glorieux combattants d'une guerre

125

hélas perdue. Qu'il est dur de vieillir lorsqu'on est si jeune. Nastase, cette année, n'a même pas été drôle, ni généreux, lui qui a encore toute la finesse d'un toucher de balle unique, Pecci est mort de sa victoire contre Connors et Roger-Vasselin jouera toute sa vie dans sa tête sa fameuse demi-finale de l'an dernier. J'aime ces fabuleux perdants et sans doute ai-je trouvé dans leurs défaites accumulées la meilleure illustration du succès actuel du tennis.

Certains se scandalisent de la toute-puissance de l'argent qui roule ses dollars sur tous les courts du monde. Des rivières de millions. Qui coulent toutefois avec plus de charme que les chars de combat ou les avions-napalm mis en place par des hommes d'État et paraît-il de paix. Ne nous y trompons pas : ce sont les moins favorisés qui font le succès et la fortune des grandes figures du sport. Et nous devons, comme un supplément, leur dire merci pour les félicités qu'ils nous offrent.

A Roland-Garros on joue à bureaux fermés. J'en connais qui économisent toute l'année pour cette série de galas, qui ne coûte pas plus cher que la fréquentation assidue du tiercé ou du loto. L'on s'interrogea longtemps sur cette inégalité du sort, et cela me rappelle la réflexion d'une chanteuse à forte connotation idéologique : « Mais pourquoi certains de mes confrères gagnent-ils tant? » Mais parce qu'ils ont du talent, madame, ou, à défaut, un public.

Le public, parlons-en. Aux Internationaux de France, il a pris du poids avec les années. Sa voix s'est enflée jusqu'au tumulte, ses bonnes manières y ont été balayées par l'enthousiasme qui donne plus de rondeur aux échanges. Les tenants de la tradition ne s'y retrouvent pas, mais les nouveaux adeptes se laissent prendre à ces frissons. Les balles ne sont plus enveloppées de la soie des murmures, c'est un crépitement d'orage, ce sont des cris comme à la corrida mais venus du cœur. Qui n'a pas vu, ce mardi d'averses, une foule de milliers de personnes, transpercées par la pluie, attendre patiemment ses héros, ne sait pas la véritable vie de Roland-Garros. Il faudrait donner des raquettes d'or à tous ces fous et tresser des couronnes à ces inconditionnels que sont Michel Piccoli, José Arthur, Michel Sardou, Charles Gérard, Lelouch, Boniface. Voilà des supporters qui n'attendent pas les splendeurs des dernières parties pour se manifester. Et on me pardonnera de ne parler que des plus connus. Noah ne s'y est pas trompé, qui a tenu à glisser quelques balles entre les gouttes et reconnu les siens. Le prestige est intact et c'est l'ovation du premier jour qui avait une grâce particulière. Il a reconquis les bravos d'un fameux dimanche de 83. Oui, les commencements sont magnifiques et je me fiche des résultats. Participer impose autant que de réussir. Un regret, toutefois. Pouquoi Noah, vainqueur l'an dernier, n'a-t-il pas joué le premier match ? C'eût été une heureuse manière d'ouvrir spectaculairement le débat...

1er juin. – Les petits matins de Paris sont des filets de protection jetés sur le trop-fiévreux des heures. Je les conçois comme une préparation, une mise en train et j'avoue les attendre. Ils ont des teintes que l'agitation n'a pas encore délavées. Lorsque nous les abordons, les oiseaux ne se sont pas enfuis. C'est le moment où tout un monde dessine ses gestes les plus vrais. La comédie n'a pas commencé, l'énervement n'a pas eu le temps d'abîmer les rencontres, les tourments ne se sont pas déclarés. Minutes nécessaires de détente avant l'affrontement. Depuis des années nous occupons ce paysage pour faire la fête de l'amitié et du bavardage au bistrot du port qui change au rythme des errances. Longtemps, nous aurons été les pensionnaires d'un tabac de l'avenue Rapp, que nos quêtes professionnelles avaient peu à peu transformé en club de l'audiovisuel, ou en café du Commerce, au choix. J'ai dans la tête des carnets de croquis, toute une suite de figures, et maintenant que nous avons déserté cet endroit je pense à l'adorable petite fille qui accompagnait la frêle boulangère à la panetière lourde, à la jeune femme élégante, énigmatique, qui au long d'un millier de jours ne m'aura donné qu'à peine un sourire, un clin d'œil amusé – elle portait au creux du coude de son bras gauche une robe d'avocat –, au vieux couple qui occupait toujours la même table du fond, elle soixante-dix ans, lui quatre-vingt-cinq, et qui se querellait pour un loto perdu, un croissant dur, une cravate mal serrée. Elle était exigeante, hargneuse, détestable, en noir, grande dame qu'une Rolls déposait; il venait à pied et semblait à sa dévotion. Nous ne savions pas qui ils étaient mais il ne faisait pas de doute qu'une passion forte et contrariée avait dû les unir autrefois. Ils portaient les blessures d'une grande et furieuse liaison, qui se devinait à des éclairs de tendresse qu'elle éteignait vite comme une grossièreté du passé. Un jour, elle fut seule; nous imaginâmes une brouille plus forte mais les semaines passaient. Nous comprîmes qu'il était mort. Elle n'avait rien perdu de sa superbe; je ne crois pas qu'elle fût malheureuse, étant le genre de personnage qui se suffit. Nous décidâmes, un peu méchamment, que la délivrance lui était accordée, qu'elle n'avait plus à avoir pitié ou honte d'un amour trahi : la pureté lui était rendue! Il y avait aussi l'homme au vélo : chaque matin, à 8 heures sonnantes, il glissait allègrement de sa selle, posait sa machine sur le bord du trottoir – le pédalier servant d'appui –, ôtait ses pinces, défroissait le bas de son pantalon, allait au comptoir prendre un café, suivi d'un grand verre d'eau, puis repartait en danseuse, traversait l'avenue et s'arrêtait devant le panneau de la météo. Jamais il ne fut infidèle à ce rite, que nous contemplions pour la perfection de ses gestes. A 8 h 4, une fille-jogging, jambes tendues à la verticale, en extension sur la pointe des fesses, élancée, trop musclée, lui faisait trente secondes de conversation. Ils étaient convenus de ce rendez-vous et ne le prolongeaient pas. Beaucoup d'autres nous étonnaient, sans parler de ceux de nos chapelles médiatiques, étrangers au groupe, et plutôt serviles, qui croyaient obtenir de nous des bribes de privilèges ou des informations.

Depuis novembre dernier, nous trompons l'avenue Rapp avec l'avenue Montaigne. Antenne 2, qui n'y était pas espérée – la télévision est jugée par les boutiquiers trop remuante et peut-être perverse –, fait maintenant le bonheur d'un quartier célébré partout dans le monde comme un monument de la qualité française. Nous lui avons apporté un peu de folie, des visages bien de chez nous, qui tranchent bizarrement avec le teint basané des Turcs, des Libanais, des Iraniens, de toute une meute affamée de princes arabes et de leurs suites insolites abonnées au luxe dispendieux qu'autorise l'étrange marée du pétrodollar. Nous avons changé de monde et nous voilà, par la grâce du siècle, bouffons convaincus d'une petite île des mille et une nuits que nous lavons le matin de toute impureté.

C'est au bar des Théâtres que nous faisons maintenant nos orgies de café. Le zinc d'avant n'est pas si loin – juste la Seine à traverser –, mais le climat est ici différent, le parfum plus subtil, les couleurs plus criardes. L'étonnante diversité de ses hôtes fait du comptoir, à l'aube, un caravansérail gourmand : les balayeurs y préparent l'entrée des mannequins que l'on dirait échappés d'un bal costumé. J'aime ce mélange des genres, cette alternance du raffiné et du banal. Nous nous saluons tous comme de vieilles connaissances et le faisons avec d'autant plus de liberté que nous ne savons rien de personne. Parfois, notre curiosité est aiguisée par des personnages baroques, qui semblent ne pas appartenir au métier qu'ils exercent. Ainsi avons-nous été frappés l'autre jour par l'attitude noble d'un éboueur, qui remuait élégamment d'énormes poubelles. Qui était-il? Que faisait-il là? On le sentait étranger à son milieu, ardent à un travail qui n'était visiblement pas le sien. Il nous a fallu des semaines avant de connaître son histoire. « Léon » est dentiste, marié, père de trois grands enfants. Soudain, il en a eu assez de payer soixante-douze pour cent de ses revenus, d'assurer le grand train de vie d'une épouse hautaine et volage, d'essuyer les humeurs, la cupidité et la paresse de ses trois fils. Il a donc organisé sa mort pour renaître : on n'a retrouvé de lui qu'un voilier démâté errant au large de la Corse. Démasqué par Christian Dutoit et moi-même, il affichait pourtant une belle sérénité... « A la vérité, quoi qu'il advînt, j'avais envie de parler à quelqu'un. Ce genre de secret est trop lourd et votre bienveillance m'a fait craquer. Tant mieux que ce soit vous. Mais vous ne me verrez plus. Je commence demain la deuxième étape de ma reconversion. » Maintenant, lorsque les camions-avaleurs d'ordures s'arrêtent devant le Plazza ou le Théâtre des Champs-Élysées, nous pensons avec attendrissement à notre cher « Léon ». Nous guettons. Quelle est sa nouvelle galère? Vers quel rivage rame-t-il?

Autre déambulation, celle d'un clochard au long collier de barbe qui a fait de l'Alma sa terre promise et que je rencontre au coin de la rue Jean-Goujon. Il m'a abordé une fin d'après-midi, au lendemain de l' « Échiquier » consacré à Placido Domingo... Simplement pour me dire merci. Je l'ai retenu.

– Où avez-vous vu l'émission?

– Au commissariat de police. Il y faisait chaud.

Il m'a parlé de sa passion pour la musique, les mots, de sa haine des hommes. Nous nous sommes revus par hasard, nombreux sont ceux qu'étonne notre bavardage. Jamais il ne consent à accepter le moindre argent et je n'ai plus l'insolence de lui en proposer. Je n'aurais rien su de lui s'il n'avait lui-même posé la question.

– Vous ne m'interrogez pas. Est-ce délicatesse ou indifférence?

– A vous de choisir.

Et il choisit de me raconter... Professeur agrégé de lettres dans un lycée de province, il en avait eu « ras le bol de subir l'ignorance crasse des élèves, l'agressivité née de leur bêtise et plus encore la démission du corps enseignant qui fait copain avec les coquins (...) Aujourd'hui je n'appartiens qu'à moi, je n'ai pas à prendre en charge la

130

lâcheté des uns et des autres. » Je l'ai rencontré hier, un travail de nuit dans un garage lui avait rempli la musette. Il ne me parle plus de ses cours, de ses étudiants, il me dit du Rimbaud, du Verlaine, du Racine. Et puis il s'en va, sans au revoir, de son pas lent, dans ses hardes! Il viendra sans doute un matin au bar des Théâtres, à notre table, et nous lui ferons bel accueil. Je lui offrirai le *Journal* de Jules Renard édité au format de poche dans la collection 10/18 de Christian Bourgois. Il aimera ce bêtisier, ce carnet de notes, cette somme de bons mots. Il sera séduit surtout par l'exercice de style de l'écrivain. Comme quoi le fourre-tout peut être un genre littéraire.

2 juin. – Bernard Pivot et *Lire* ont eu l'idée de lancer un référendum pour connaître les dix plus grands écrivains européens. Et pour couronner le premier d'entre eux. Raz de marée sur une seule tête. Consultés par voie de presse, les Allemands, les Anglais, les Espagnols, les Italiens et les Français ont unanimement désigné Shakespeare. Un véritable plébiscite. Si la question avait été posée aux autres grands pays du monde, il est vraisemblable que la réponse eût été la même. On peut voir là le triomphe d'un homme qui a magnifié la tragédie, la comédie, la poésie, dont le rayonnement est universel et le mystère toujours impénétrable... *To be or not to be.* La formule est immortelle. Goethe arrive bon second, talonné par Cervantès et Dante. Proust est sixième et – surprise – Molière, huitième. Victor Hugo, dix-huitième, battu sur le fil par Balzac et Voltaire. Ce sondage est une pierre pour l'avenir, un monument déjà dressé au crépuscule de ce XXe siècle, un jeu de flèches que nous aurions tout intérêt à suivre.

5 juin. – Ayant épuisé, à chaque âge, les disciplines sportives qui lui convenaient, me voici quinquagénaire piqué au vif par la passion du golf, que je regardais auparavant, je l'avoue, avec un brin d'ironie. Ce jeu est démoniaque et je comprends maintenant que certains, à le pratiquer, puissent être pris de folie. Il exige une telle concentration qu'une herbe qui bouge vous y devient ennemie jurée. Je crois pouvoir me garder de toutes les inquiétudes qui l'accompagnent. Je m'y adonne si tard, mon style y est si peu conforme aux usages, que je tiendrai longtemps une place à part dans le silence des greens. Bernard Pascassio m'a fait entrevoir, au premier geste, mes possibilités : « Tu fais tout ce qu'il ne faut pas faire. » Perfide, il a même ajouté : « Ton mouvement est si naturel qu'il ne peut être amélioré. » On ne saurait être plus élégant dans la critique! Comme je répugne aux leçons et qu'il n'est pas question que j'en prenne, mon ambition reste mesurée. Alors, sans angoisse, je caresse adroitement mes balles d'un coup peu académique. Cette sérénité m'autorise à fixer en toute lucidité les mille aspects d'un parcours et le tempérament de ceux qui le hantent. Monde bizarre que celui-là. J'ai lu hier dans *le Matin* l'histoire de George Jones, un célibataire de soixante-dix-sept ans qui avait demandé dans son testament que ses cendres fussent éparpillées sur le terrain de golf de Renishaw, près de Sheffield, en Angleterre, où il jouait depuis 1954. Jones est mort la semaine dernière et la cérémonie qu'il souhaitait a eu lieu en présence des 375 membres du club, après que la requête eût été soumise à un vote... « Il n'est venu à l'idée de personne qu'avoir ces cendres sur le parcours pût porter la poisse », a déclaré l'un de ses amis « Tout au plus évite-t-on de lécher la balle au 18e trou. On pourrait y ramasser un peu du vieux George », a-t-il ajouté. Les anecdotes concernant ce jeu sont nombreuses, les traités innombrables, Pierre Delanoé a même écrit un roman pour exorciser ses démons, et on m'assure que l'aventure que je vais vous conter est vraie. Un milliardaire américain jouait au golf depuis une trentaine d'années avec opiniâtreté et peu de réussite. Fidèle, il n'avait jamais changé de caddie; tous deux vieillissaient ensemble, voyageaient à travers le monde à la recherche du parcours idéal. L'homme aux dollars poursuivait un rêve : *faire un trou en deux coups*. Et la chance ne venait pas. Le caddie s'employait, discrètement, à placer les balles le mieux possible. Rien n'y faisait. Jamais il ne descendait au-dessous de cinq. Un jour, cependant, il balança un drive d'une force et d'une perfection exemplaires. La balle était sur le green à trente centimètres du trou. Le caddie n'en croyait pas ses yeux. Pris d'une inspiration subite, pied léger, il la poussa à son terme. Triomphant il cria : « Monsieur... *En un* »... Et le milliardaire s'affaissa. On eut beau faire, il était mort. Je suis sûr que cette fin-là ne sera pas la mienne.

8 juin. – J'aimerais pouvoir collectionner les rêves, si difficiles à retenir, je voudrais ne pas les voir se dissiper dans le raisonnable du matin. Je refuse qu'on me les explique, comme s'il s'agissait d'une banale leçon de choses. Trop de scientifiques, d'esthètes de l'expression symbolique se piègent à ce genre d'exercice. Le rêve n'est pas l'apanage des esprits ésotériques : si je ne pense pas qu'on puisse lui accorder une finalité, je ne crois pas absurde d'y voir des signes. Il est un passage, une oasis plus que l'espace extra-humain dont parle Freud, sans doute le lieu provisoire d'une autre vie qui devient selon les circonstances le bonheur ou l'enfer d'un moment. Le rêve, qui embrasse toutes les images de l'univers pour en nourrir notre monde intérieur, il convient simplement de le retenir et d'attendre...

Ainsi Jules Verne a rêvé le futur puis écrit *Vingt Mille Lieues sous les mers;* Victor Hugo, familier des esprits, reconnaît qu'ils l'ont inspiré; Rainer Maria Rilke, qui avait quotidiennement rendez-vous avec un visiteur de l'au-delà, obéissait à ses ordres : la nuit orchestrait ses jours. On y croit ou l'on s'en amuse, mais il n'empêche qu'il y a là un *plus* indéfinissable, aux sens multiples, qui vient du fond de nous.

Voilà quelques années – je crois l'avoir déjà raconté –,

j'ai sauvé d'un péril extrême le roi d'Arabie Saoudite, attaqué par des truands. Pour me remercier, l'illustre descendant des déserts du pétrole m'avait fait dès le lendemain l'un de ses héritiers. Je vivais au rythme des princes, dispendieux à souhait. J'avais mon avion, un yacht qu'utilisaient surtout mes amis, des objets rares que m'envoyaient les musées, des Manet, des Modigliani, un Van Gogh, deux Balthus, des Brueghel, quelques primitifs, les trois plus beaux Vermeer, vingt Magritte, deux Delvaux; je disposais aussi d'une bonne trentaine de palais, à la vérité je ne les comptais plus! Or ce monde s'évanouit au matin, car je l'avais rêvé. Mon rire fut à la hauteur de l'éclat de mon inconscient.

Je me souviens d'un autre réveil, une nuit d'août. Debout je restais attentif au mouvement de la boule sur la roulette qui tournait dans ma tête depuis de longues minutes. Quelqu'un me disait : « Il est minuit, jouez le 23 »... Un mois plus tard, alors qu'au Palm Beach de Cannes j'observais une partie menée par un quarteron de Libanais, j'entendis cette supplique à un vieil homme d'une jeune femme ravissante : « Minuit juste, il est temps de partir, de grâce faites cela pour moi. » Je regardai ma montre, je pensai à mon rêve et misai le maximum sur le 23. Il sortit! Je n'en tire pas une leçon, mais le hasard a tout de même d'étonnantes conclusions.

10 juin. – Ils pratiquent un parisianisme exagéré – ou un provincialisme douteux –, ceux qui prétendent que Roland-Garros entretient des relations coupables avec la gloire, l'argent, les privilèges. C'est encore la tarte à la crème des nostalgiques du nivellement par la base. Erreur grossière, messieurs les censeurs! Le tennis aujourd'hui a réussi ce miracle : *devenir populaire.* On a tordu le cou aux vieux clichés, à l'élitisme des uns, au paupérisme des autres. Il fut un temps, pas si loin, où l'on refusait ce sport, parce que noble.

« Ce n'est pas pour nous », criaient dans les réunions

des conseils municipaux les moins avant-gardistes, soucieux, au vrai, de poursuivre la lutte des classes. Cela est fini : une fédération et un homme, Philippe Chatrier, ont éteint les vénérables badernes et allumé l'enthousiasme de tous. Même les plus médiocres, nous pouvons enfin monter au filet et faire de longs échanges gauche-droite. La balle, qui a des rebonds inattendus, assure la complexité des diagonales perverses. Pour obtenir ce succès, il a fallu l'obstination quotidienne d'un groupe de serviteurs, généreux jusqu'à vouloir offrir ce qu'ils préféraient au plus grand nombre. La partie est gagnée, le tennis est sorti du jardin des Finzi-Contini, cher à Georgio Bassani et Vittorio de Sica, il a quitté le feutré des propriétés privées pour se mêler à la vie, il est de chaque ville, de beaucoup de villages et Roland-Garros en est le phare, le haut lieu, non plus les hauts murs.

La fête 84 a pris fin. Quinze jours durant nous aurons tout partagé, l'orage et la canicule, l'éblouissement et l'ennui, l'angoisse et la peur. Au bout, nous voilà bêtement épuisés : au soir de ce deuxième dimanche de juin, nous sommes quelques milliers à avoir gagné les Internationaux de France. Nous restent, comme une récompense, des carnets de notes et des croquis...

Je ne serai pas allé au Village, sous ces tentes d'arrière-boutique où l'affairisme fait des courbettes et le billettiste des chroniques mondaines. Je ne dirai pas que ce ghetto est inutile, mais on peut l'éviter et n'y rien perdre. Sans doute est-ce le comble du maniérisme de refuser le doré du gazon! À chacun sa quête. Le temps ainsi retrouvé m'aura permis de vivre toutes les minutes de l'épreuve, au milieu d'un public extraordinairement fidèle, attentif ou gouailleur, qui met désormais ses humeurs au rythme des cris et chuchotements des champions. Marcel Bernard, grand chambellan du court, affirme que la tenue des spectateurs dépend de la conduite plus ou moins gavroche des joueurs. Connors suscite l'attendrissement, Lendl, une neutralité ennuyeuse – cette fois-ci l'étonnement, Noah poursuit avec les abonnés des gradins une

135

étonnante histoire d'amour, Wilander semble encore pauvre de vie. Tous ont en commun la passion du combat. Au moment fatidique, c'est moins l'argent qui les met en transes que le titre. Le vrai héros n'est orgueilleux que de ses victoires. A la seconde où il les souffre, le dollar a beaucoup perdu de ses vertus : là est le triomphe de l'affrontement, le panache de cette discipline exigeante. Si les multinationales se vautrent dans les commerces les plus ambigus, si les honnêtes gens se meurent de jalousie, si les politiques se perdent dans le remboursement de leurs dettes électorales, le *tennis*, lui, *investit dans le bonheur*, et cette phrase magnifique est encore de Marcel Bernard qui doit au charme des terres battues sa « féerique existence ». Son couronnement de 1946, à Roland-Garros, en simple et aussi en double avec Petra, a embelli toutes ses autres années : l'enfant de la balle s'en ira peut-être mais ne sera jamais vieux. Persuadons-nous quand même que ce paradis est aussi un enfer, où dans des flammes de toutes les couleurs se font et se défont les réputations. On a rêvé de Pecci un seul après-midi ; autrefois, on a bâti des châteaux en Tulasne, on vient de voir Vilas, au crépuscule, sans la hargne de vaincre ; on s'est désespéré de Connors, humilié par John, le garnement génial, mais on se souvient de Jaïté, de Sundstrom, écrasé par Gildemeister dans les deux premiers sets – 6/2, 6/2 –, puis mené au troisième 5/1 et enfin vainqueur après une étonnante série de passes glorieuses, de Carlsson, de Gomez, d'Edberg, de Krickstein, de Frawley. Ils ont dix-sept, dix-huit, vingt ans et l'apparente humilité des plus hautes ambitions.

Dans cette arène de l'art tennistique, où le meilleur se juge à la plus haute altitude, les Américains semblent aujourd'hui mener la danse. J'aime leur manière de jouer. Cet engagement de tout leur être, cette explosion de mille colères intérieures, leur foi, leur enthousiasme et le sens inné qu'ils ont du spectacle. Ils n'ont pas honte de leurs éclats, ils se savent observés, ils donnent du piquant à la représentation. Ils sont conscients de ce qu'ils doivent à la foule. Ils n'ont pas cette vanité qui fait croire à certains, les moins doués heureusement, que l'on joue d'abord pour soi. Ils revendiquent les bravos et les sifflets, la justice et la malhonnêteté, dans le même tremblement d'âme. Ils ne ressemblent pas à quelques-uns des nôtres qui se comportent sur la terre battue comme des employés de bureau.

Pour ces raisons et d'autres encore, McEnroe est admirable. Il a, au paroxysme, tous les défauts de ses qualités. Sa folie est une souffrance, ses insultes au monde un bréviaire de mauvaises manières raisonnées, la solitude qu'il s'invente est son épée de jeune dieu et son visage méchamment fermé un bouclier. Constamment tendu, il lui importe peu d'être aimé : il exige le respect et se refuse à toute complaisance. Sa perfection, son professionnalisme habitent des ailleurs interdits aux autres. Et puis, de quoi se plaint-on ? Les spectateurs s'enthousiasment de ses saillies. S'il était sage, ils seraient volés. Je le remercie d'une simple chose : nous estimer assez pour nous rendre heureux.

Jimmy Connors est né de la même fontaine, mais les eaux y étaient moins mêlées. Malgré ses dérapages, il est toujours le favori des Français, celui que le cœur plus que la logique voudrait voir triompher, ne serait-ce qu'une fois !... Cent victoires en Grand Prix, et la chute, comme une habitude, à Roland-Garros. Avec, en prime, cette année, punition imméritée, le chemin de croix, la gifle d'un score épouvantable, le mépris simulé d'un adversaire qui se couvre de lauriers laissés en jachère. On ne pouvait imaginer plus injuste saccage. Et pourtant je rêve encore : pour ses trente-trois ans je le crois capable de nous éblouir par sa résurrection.

Le tennis atteint à de tels sommets, il impose tant de sacrifices, il dépend à ce point de la grâce de l'instant que les questions de stratégie y sont gommées par l'émotion, le frémissement psychologique, l'impalpable. La réussite est la cible d'une incroyable trajectoire d'exploits et ce triomphe des meilleurs joueurs du monde en quart de finale est conforme à la vérité, à l'honneur de cette discipline. Le premier quatuor à cordes de la grande philharmonie des stades est bien composé de McEnroe, Lendl, Connors et Wilander, qui exécutent sur tous les registres, dans des tempi différents, la même œuvre passionnante. De sacrés musiciens, qui font une carrière de solistes. Quel est le sport qui peut, à ce point, respecter la hiérarchie d'un classement? Aucun. C'est sa force et ce ne peut pas être sa faiblesse : les jours viendront où l'usure fera son sinistre travail et désignera les têtes nouvelles. La logique et le droit seront encore respectés. Il y aura demain, pour chaque tournoi, d'autres carrés d'as.

Roland-Garros, porté au bout du monde par la télévision et une armada de photographes qui assurent les gros plans de tous les combats, l'intime des coulisses, peut être considéré maintenant comme le plus beau terrain de plein vent. De la bonne terre pour d'exceptionnelles plantes grimpantes. Et parmi celles-ci, Noah, qui nous prépare des lendemains magnifiques. Ne nous y trompons pas : sa défaite devant Wilander le fera plus populaire que sa victoire de l'an dernier. Cœur immense, sublime gourmandise, élégance naturelle. Quel drame, et quelle merveille, de le voir, tétanisé par son mal, rebondir au moment crucial – et rendre un point pour se délivrer de ce qu'il a toujours estimé être un vol : cette balle de l'adversaire que l'on compte faute et qu'il juge, lui, excellente. Nous en avons eu l'illustration avec Taroscy, qui a d'ailleurs déclaré « Je n'ai jamais joué contre un garçon aussi correct », nous l'avons encore constaté dans son match contre Wilander et les journalistes américains ont apprécié cette courtoisie inhabituelle à un pareil niveau de la compétition. Je retiens l'hommage qu'ils lui ont rendu : « Merci d'être le champion que vous êtes. » Des mots qui illuminent une carrière. Noah est un félin à l'attitude majestueuse. Au service, il est admirable de capacité physique, d'affrontement : jambe gauche lancée à l'avant, raide, nerfs tendus au maximum, genou droit fléchi pour la détente, mouvement de tout le corps, c'est le geste du toréro avant la mise à mort. Paco Ojeda n'était pas différent à Séville. Trahi par ses jambes Yannick n'aura pas bissé son triomphe d'hier mais son nom est pourtant inscrit deux fois au palmarès des Internationaux de France. Simple 83. Double 84. Trente-huit ans après Petra-Marcel Bernard, avec son ami Leconte, il a assuré de façon glorieuse la répétition d'une bataille qui sera reprise bientôt en Tchécoslovaquie pour la Coupe Davis. Décor différent, mêmes adversaires. Une belle paire : Smid-Slozill. Et si la belle aventure continuait?

Le difficile, le tragique du final de la fête, incombait à McEnroe et à Lendl. Grâce leur soit rendue pour ce festival du talent et du courage, cette pluie d'étincelles, cet embrasement, cette fulgurance des coups, l'intelligence, la volonté, leur dignité. Rarement nous aurons eu cette chance de dire notre admiration. C'est Béziers et c'est Agen, et cela va encore plus loin en quatre heures et huit minutes. Une partie monumentale, fantastique. Avec un John, royal aux deux premiers sets, un Yvan, terrible, irrésistible dans la dernière ligne droite qu'il franchit enfin, vainqueur incontesté. Ce match n'aurait pas dû s'arrêter, le scénario s'écrivait au fil des secondes, le suspense s'inventait à chaque itinéraire de la balle. C'était sur le plan de la dramaturgie un chef-d'œuvre dont personne ne pourra jamais déceler les mécanismes. Que de joies retenues sur le visage de Lendl, que de tristesses accumulées sur celui de McEnroe frappé de plein fouet à l'ultime moment! Son appel à Jésus n'y aura rien fait, le ciel lui était déjà tombé sur la tête, il lui aurait fallu quelques colères nouvelles mais étrangement il s'était fait discret : la sagesse l'aura condamné. Les dieux qui semblaient lui avoir promis la gloire ont couronné l'autre maudit. A ces deux colosses du Central nous devons dire simplement *merci*.

Les soleils ont avivé le rouge du court, dont la poussière s'envole doucement. J'en vois qui ne se décident pas à quitter leur siège. J'aurai passé cent vingt heures à

Roland-Garros et je suis heureux pour Philippe Chatrier, pour le tennis, qui mérite que nous soyons ses fous, pour Martina Navratilova et Chris Evert-Lloyd, qui nous ont donné aussi une finale de gala. J'entends Chris dire à la foule : « Vous êtes un super public, le meilleur qui ait jamais existé pour une joute féminine. » Elle a raison. Ces dix-huit mille spectateurs endiablés sont la fusée d'une fédération en marche. Rendez-vous en 1985.

Aux prochaines vendanges, Lendl aura peut-être changé de masque, il saura poser un sourire dans ses yeux soupçonneux et ne plus contrôler cet orgueil qui l'accable en toutes circonstances. S'il devient à son tour acteur il aura enfin un auditoire. L'humilité lui va mal mais il a piégé la peur. Son combat sera maintenant différent. Paris l'a définitivement grandi.

11 juin. – A vingt-deux ans, Didier Van Cauwelaert est devenu le vingt-deuxième lauréat du prix Roger Nimier. Ce chiffre est un signe du destin! Il faut retenir le nom de ce jeune homme qui fait au théâtre et en littérature une entrée chevaleresque, à la hussard. Son roman, *Poisson d'amour*, est une petite merveille de drôlerie. Le bougre sait cultiver l'admiration. J'aime qu'il ait eu le goût d'écrire ceci : « Antoine Blondin, à qui un jour quelqu'un demandait respectueusement la provenance d'une blessure au front, a répondu sur le même ton : " On est frappé où l'on excelle. Il y a des écrivains qui boitent. " Roger Nimier est l'un de ceux qui m'ont appris à marcher : je lui dois et je lui dédie mes espérances de bosses ». C'est tout de même mieux qu'un croc-en-jambe...

12 juin. – Des ballons par centaines, quelques jeunes en débandade, un lâcher de colombes au Parc des princes, cent musiciens de la Légion étrangère, sans doute plus exotiques qu'une fanfare de la garde, un serment inaudible, cela ne fait pas un spectacle grandiose pour une ouverture des Championnats d'Europe de football relayée par toutes les télévisions du monde! Médiocre mise en scène, absence de panache, pauvreté d'imagination. Ce cher pays n'a plus que des problèmes, que du gris dans son rose terne. Il s'est tellement habitué, depuis deux décennies, à traîner ses haines de Bastille à Nation, qu'il renâcle à la fête. Il est de bon ton aujourd'hui d'afficher une infinie tristesse, de plaider coupable, de parier sur le malheur. Les moins doués font la une de l'actualité et désespèrent tous les Billancourt de l'Hexagone. Cela s'appelle mépris. Heureusement quinze mille Danois sont venus supporter leur équipe qui affronte la France. Merveilleux Vikings, enthousiastes, délirants, éclatants du rouge et du blanc de leurs couleurs et d'une correction si parfaite qu'elle peut être donnée en exemple à tous les publics des stades. Ils se savent en vacances, ils en ont pris le rythme, ils se sont fait des têtes de carnaval, ils n'ont rien perdu de leur élégance naturelle. Nous n'avons à leur opposer qu'un petit monde ridicule en maillot de corps et clairons de bastringue! La compétition commence... Quelque chose me dit que nous serons sauvés par la bande à Platini...

13 juin. – Il n'est rien de plus difficile à installer dans la presse d'aujourd'hui qu'une *chronique* littéraire hebdomadaire. Il faut combattre tous azimuts pour ne point craindre de s'y perdre, il importe de s'y montrer d'une parfaite mauvaise foi, il n'est pas interdit d'y pourfendre ses amis et de tresser quelques lauriers aux adversaires. Ça fait chic, c'est choc! Il s'agit d'éloigner le risque que comporterait à coup sûr la galanterie des propos, le piquant ne tient qu'à la griffe. Pour toutes ces bonnes raisons impures j'apprécie la page que pour son plaisir (et le mien) Bernard Franck livre laborieusement chaque semaine au *Matin*. Il a l'impertinence glorieuse, le trait acéré, la plume batailleuse, il salive avec belle humeur et va jusqu'à s'étriller lui-même pour donner plus d'importance à sa quête. Il s'invente des ennemis intimes – Jean d'Ormesson et Jean-Edern Hallier sont de ceux-là –, il est baroque à souhait et injuste comme il convient. De Mauriac, il écrit : « Son *Bloc-notes*, qui semblait éblouissant et l'était souvent d'ailleurs, chancelle à la relecture. L'esprit se grippe. » Pas d'accord, M. Franck, vous deviez être vous-même grippé à la veille de l'été. Votre concert de commentaires, de vacheries, de coups de cœur se déguste tout de même. Et puisque nous en sommes aux retrouvailles, faites un saut chez Maurice Clavel du temps où il parlait télévision. Rien ici non plus n'a vieilli.

15 juin. – Mes voyages en Amérique du Sud me sont une occasion de fouiner dans l'arsenal littéraire de ce continent. La tentation m'est d'autant plus grande que les livres y sont l'affaire de ce XXe siècle. Nous sommes les contemporains d'une révolution culturelle que l'avenir pourrait considérer comme l'une des plus étonnantes de notre temps. Aventure considérable, parce qu'elle est née d'un désert. Il n'y a pas eu de Balzac, de Maupassant, de Flaubert, de Stendhal, de Hugo pour y tracer des voies. Tout était à inventer, du nord au sud, et des hommes s'y sont mis. Défrichage extraordinaire, où la moisson a levé, et je dois à Roger Caillois de ne pas avoir découvert trop tard les semeurs de ces nouveaux champs de blé. C'était au début de « Radioscopie », en première semaine. Pour me faire la voix – il y aura bientôt vingt ans –, j'avais invité Roger Vadim, Romain Gary, Jean Rostand, Fernandel... et Caillois. Celui-ci m'avait parlé avec une telle chaleur de sa collection « Croix du Sud », qui publiait les auteurs latino-américains, à ce point persuadé de la vertu romanesque des gens de ce pays que je n'avais plus qu'une idée : les connaître d'abord, y partir ensuite. Il avait rédigé pour moi une petite fiche que j'ai conservée, avec un titre souligné deux fois : *Flèches pour un âge d'or*. Les ouvrages qu'il m'engageait à lire constituent la meilleure approche de ce territoire immense. Étaient mentionnés, sans un mot d'explication : *le Royaume de ce monde*, du Cubain Alejo Carpentier, *les Lance-flammes*, de l'Argentin Roberto Arlt, *Alejandra*, de l'Argentin Ernesto Sabato, *Cent Ans de solitude*, du Colombien Gabriel Garcia Marquez, *l'Obscène Oiseau de la nuit*, du Chilien José Donovo, *la Maison verte*, du Péruvien Mario Vargas Llosa, *Suor*, du Brésilien Jorge Amado, *la Mort d'Artemio Cruz*, du Mexicain Carlos Fuentes, *Marelle*, de l'Argentin Julio Cortazar, *Fictions*, d'un Argentin (encore), sans doute le plus célèbre, Jorge Luis Borgès. Tous ces livres m'ont fait entrer dans un cercle magique, dont je ne soupçonnais même pas l'existence, dans des délires, un univers fabuleux. Cette liste reste valable. J'y ajouterai toutefois *les Souterrains de la liberté*, *le Vieux Marin* et *Cacao*, d'Amado, *Monsieur le Président*, de Miguel Angel Asturias, *l'Aleph*, de Borges, *Concerto baroque*, de Carpentier, *Terra nostra*, l'énorme pavé de Fuentes. Ma chance aura été de bien connaître la plupart de ces écrivains, avec lesquels j'ai fait de nombreux bouts de chemin. Je regrette d'avoir inscrit au plus mauvais moment mes rendez-vous avec Alejo Carpentier. Nous nous étions promis une suite de conversations à la radio et à la télévision. Malheureusement, il fut pris par la maladie. Deux mois avant sa mort, sa voix n'était déjà plus qu'une apparence, âpre, rauque, puis lointaine, un souffle! Il insistait pourtant, au téléphone, pour que nous parlions au moins deux ou trois minutes. Il avait fait le plan de l'émission. « Nous évoquerons mes ancêtres bretons, je dirai franchement ce que je pense de Fidel Castro, de Cuba, de mon engagement politique, du surréalisme, du romanesque hispano-américain. J'aimerais aussi traiter de l'imaginaire qui est la seule réalité. » De lui, pour me souvenir, je n'ai que cette cascade de phrases haletantes, qu'à la fin il n'arrivait plus à s'arracher.

Depuis une dizaine d'années, j'ai déjà beaucoup cité Borges, qui aura été sur l'antenne mon interlocuteur le plus fidèle. Honnête homme de tous les siècles, nouvelliste, essayiste et poète, bondissant chaque jour de sa nuit, il aura posé sur la littérature universelle le regard le plus aigu, allumé par la culture la plus vaste. Ce prince est une bibliothèque. Je me demande par quelle aberration les académiciens suédois du Nobel ne lui ont pas donné leur prix! Cette année, peut-être, en octobre? N'y comptons pas trop, je me méfie de leurs bonnes manières.

16 juin. – Je ne suis pas allé aux fêtes de Sète qui honorent et illustrent Brassens. J'y étais convié de la façon la plus amicale mais j'ai pensé – peut-être à tort – que Georges n'aurait pas aimé ce remue-ménage. Bien sûr, il ne l'aurait pas refusé, il aurait laissé faire au nom de la liberté qu'il faut accorder à l'*autre* – « La connerie même est de droit divin » –, il aurait sans doute rosi de gêne et... d'un peu de plaisir car il était coquet de cœur. Mais je me suis tenu, bêtement, à la promesse que je lui avais faite un soir de saucissonnade dans sa cuisine. « Au lendemain du grand départ, pas de nostalgie, point de couronne ni de sermon. L'oubli, un point c'est tout! » Je ne croyais pas tout à fait à sa sincérité mais quelques jours plus tard je reçus un mot que j'ai conservé. L'écriture est celle d'un enfant, appliquée, hésitante : « Tu m'as bien compris. Non aux délires de piété même s'ils sont beaux et surtout s'ils sont gais. Que l'on ne me fasse pas le coup de la statue érigée au pays d'où je viens. Je l'aime, mon Midi, mais je n'y ai jamais été prophète, j'y avais plutôt mauvaise réputation. Alors toi avec ta télé ne va pas déclencher les grandes orgues. Si, brûlé par le feu du souvenir, tu tiens malgré tout à me montrer, emprunte simplement quelques images à notre veillée des Buttes. Ça fera plaisir à Lino [1] et à Raymond [2]. Mais tu n'en auras pas l'occasion : je vous enterrerai tous. » J'ai été en partie fidèle à cette prière. A la mort de Georges, j'ai présenté

1. Ventura.
2. Devos.

sur Antenne 2 quelques-uns de nos grands moments de vie... puis, un an après, oubliant sa lettre, poussé par le « souvenir », une émission réservée à ses chansons inédites. Jean Bertola, qui les interprétait, m'est témoin que nous avons un peu hésité. Mais le plaisir de la découverte fut le plus fort et les amis réunis, les moins connus de sa bande, les plus proches, eurent vite raison de nos scrupules.

A Sète, il en va différemment. De braves gens ont appelé les copains et les foules, la ville s'est subitement mise à l'heure du gorille, mobilisant les vitrines et les salles. Un ancien flic et un ecclésiastique ont organisé les agapes. Il doit rigoler, le Georges : ses victimes lui font une auréole, les trompettes de la renommée sonnent la charge, on piétine sa tombe et, dessous, le mécréant compte ses fidèles. Le voilà dieu, c'est la pirouette inattendue. Il y aura désormais un prix à son nom, une bourse pour de jeunes chanteurs doués, peut-être une fleur! Le mythe s'installe et Sète y gagne un brin de publicité. Pourquoi pas, d'ailleurs? On a vu pire. Ici, du moins, les thuriféraires les plus enthousiastes sont de vrais complices : André Asséo, Pierre Onteniente (Gibraltar), Pierre Nicolas, Joël Favreau appartiennent à la communauté Brassens; ils ont été de toutes ses routes, de toutes ses farces. Il n'empêche que de là-bas *il* doit les enguirlander ferme... Il n'avait à la vérité que des copains et une misanthropie exemplaire. Je retiens ses éclats à propos du péché originel – « cette galéjade » –, de Dieu, de la mort. Il aura vécu sa maladie sans ennuyer le monde, en la cachant, seul jusqu'au bout.

17 juin. – Platini, Giresse et Tigana têtes de liste aux européennes. L'euphorie de la victoire. Toutes nos voix pour cinq buts de rêve. Football de gala, superbe concert des Nations!

23 juin. – Ses anges descendent de tous les ciels, accrochés à des ailes fragiles, la tour Eiffel joue avec les nuages, les violoneux font la fête avec les clowns et les jongleurs, il y a partout des jardins extraordinaires, une magie, des pépites de rêves : le monde de Marc Chagall n'a jamais les pieds sur terre, son enfance d'aujourd'hui porte encore les jaunes et les rouges de sa terre natale, cette Russie qui n'est plus la sienne, et l'âge n'a même pas d'importance. Pourtant il aura cent ans en 1987. Il est de ces peintres qui s'obstinent, comme Goya, Matisse, Cézanne, Miró ou Picasso, en dépit du temps. Ces vieillards du calendrier d'ailleurs se ressemblent : ils ont toujours adouci leurs couleurs en s'inventant des ombres. Chagall se refait une jeunesse. Deux rétrospectives lui sont en ce moment consacrées, l'une au Centre Pompidou, l'autre à la Fondation Maeght. Triomphe d'un monstre sacré qui aura tout reçu de son vivant, même une exposition au Louvre, ce que Picasso n'avait pas obtenu. Passionné par le fauvisme, le cubisme, le surréalisme, Marc-le-malicieux aura su montrer que nous sommes tous « des piétons du grand cirque ».

Je nous revois, tous les deux, dans sa maison aux murs blancs, presque nus, sur les hauteurs de Saint-Paul-de-Vence; j'imagine qu'il a toujours son pantalon de velours beige, son polo en cachemire, ses mocassins vernis, cette attitude coquette de gravure de mode qu'attendrissent encore son regard doux, ironique et ses cheveux blancs soyeux. Les heures que nous avons passées près de la grande table où il peint, assis, ses esquisses de visages, ses amoureux, ses joueurs de luth, loin des écoles, des politiques, des religions, libre, indifférent à tout comptent parmi les riches de ma vie, même si elles n'ont pas l'intensité amicale, affectueuse de celles que j'ai pu partager avec Delteil, Amado, Genevoix, Rubinstein ou Cohen. C'est que Chagall, s'il se force à la convivialité, n'inspire pas la tendresse et je ne lui en demande pas tant. Il y a paradoxalement chez cet artiste délicat, apparemment naïf, une évidente absence d'abandon, une gentillesse fabriquée qui ressemble à de la froideur. Son œuvre immense lui a ôté le goût de vivre une autre vie. Personnage complexe, avant tout malin. On connaît l'histoire du collectionneur qui, le visitant, s'extasie devant l'une de ses toiles : « Combien ? » demande-t-il, accoudé de dos à la cheminée que surmonte une glace. Attendrissant désarroi du maître : « Vous savez, les chiffres je n'y connais rien. C'est ma femme qui peut répondre »... Celle-ci avance une somme et le silence s'installe. Tournant alors la tête vers le miroir, le collectionneur voit Chagall qui agite les mains pour lui faire augmenter le prix. L'anecdote, peut-être inventée, a le mérite de retenir que le peintre n'est pas insensible aux bonnes affaires. Je l'ai vérifié lorsqu'il m'a dit : « Je me moque de l'argent depuis que j'en ai et pour ne pas en être prisonnier je m'en occupe, je le dompte : ce n'est pas inintéressant. Pourquoi les créateurs ne seraient-ils pas séduits par ce trésor tant convoité qui leur donne l'indépendance ? Je préfère vraiment être riche et célèbre que pauvre et maudit. »

« Et l'avenir ? » « Il me semblerait juste que les autres siècles se souviennent de moi. » Ce n'est pas la vanité qui le fait parler ainsi, plutôt une prémonition : « Les anges seraient cruels s'ils me lâchaient. Je suis tout de même inquiet... Ma mère m'a raconté qu'à ma naissance il y a eu un grand incendie. On nous a transportés, elle et moi, dans le lit, jusqu'à la place voisine. C'est peut-être pour ça que l'angoisse me tiraille. Et pourtant je suis toujours souriant, je ne me plains jamais. Ah ! si, d'une chose : je suis jaloux des jeunes, je ne comprends pas que l'on puisse être moins vieux que moi. » En fouillant dans mes anciens papiers, j'ai retrouvé hier les textes de nos entretiens à « Radioscopie ». Le mot à mot, parfois hésitant, de ses confidences me rappelle chacune de ses attitudes, sa complaisance étudiée, ses petites colères : « Ils m'amusent, les jeunes, avec leurs révoltes. Moi aussi j'ai été contestataire, avant 1914. Avec Cendrars et Delaunay, on a porté des chaussettes et des chaussures de différentes couleurs : un pied rouge, l'autre bleu... J'avais un veston vert, je faisais des tableaux impossibles, je coupais les têtes, je zébrais mes toiles, j'avais 125 francs par mois, je n'étais pas malheureux, je ne demandais pas plus. Je fonctionnais jour et nuit pour le pire et le meilleur. La paresse crapuleuse de la génération d'aujourd'hui est pour moi un étonnement. Comment peut-on perdre son temps? On n'obtiendra rien si on ne travaille pas. Il importe de donner cent pour cent de son existence à une œuvre d'art... Quatre-vingt-dix, ce n'est pas assez. C'est pareil pour tous les métiers. Être content de soi, de sa journée, voilà la consécration suprême. Ce n'est pas une question d'argent, simplement une nécessité de qualité de vie... Ce monde est fou; je ne lis pas les journaux, je n'écoute pas la radio. On ne me raconte que des horreurs... On tue, on massacre, on abîme... jamais on ne dit " Quelqu'un a écrit un génial poème "... »

« Hélas, mon cher Chagall, la guerre, ça existe... » « Oui, mon jeune ami, parce qu'elle rapporte. Je la refuse et je vous interdis de prononcer même le mot. Pourquoi ne pas lire Shakespeare et la Bible, pourquoi ne pas regarder Rembrandt tout le temps et écouter Mozart à longueur d'année! Je ne sors plus parce que j'en ai assez d'entendre toujours les mêmes bêtises. Comment voulez-vous qu'après ça les gens ne se haïssent pas! Vous verrez d'ailleurs avec l'âge que ce sont les plus médiocres qui déclenchent les batailles, qui sortent les couteaux et les plumes. Les autres font de la beauté pour calmer les dieux. »

« Vous ne voudriez pas revenir à la gare du Nord? » « Ah vous savez les mots qui caressent. La gare du Nord? Mon arrivée, ma chance, le bout du voyage. Je venais de la Russie, de Vitebsk. J'étais passé par Berlin, quatre jours de train. Paris m'a ébloui de toutes ses lumières. Je cherchais le bleu et le blanc, je les ai trouvés. J'ai compris ce matin-là que je devais vivre et mourir en France, que je devais y être glorieux pour payer ainsi

148

mon droit d'entrée, pour régler quelques comptes avec la misère.

« Vous pouvez être méchant... »

« Je sais être indifférent, ce qui n'est pas la même chose. Je ne reçois pas tout le monde, je me préserve, on ne peut pas faire à la fois des mondanités et de la peinture. Je dis non à la méchanceté parce qu'elle occupe trop de vilains, il faut avoir des loisirs pour la pratiquer et peut-être un peu plus de générosité que je n'en ai. Moi je m'étourdis dans la solitude de mes rêves, du fantastique. La Nasa aurait dû m'engager puisque je suis le premier cosmonaute de ce temps. Voyez mes tableaux, mes personnages sont toujours en l'air, ils volaient avec tous leurs vaisseaux bien avant les navettes spatiales. Je ne suis pas un savant, seulement un pauvre homme qui a reçu un don. L'injustice, elle est là et personne n'y peut rien. Je ne crois qu'à l'amour mais on ne me croit pas. »

24 juin. – Spécialement réservé aux gourmets des dîners fraternels : combien de coups de baguette le percussionniste d'un orchestre symphonique donne-t-il durant les seize minutes du *Boléro* de Ravel ? Daniel Barenboïm a déjà répondu : *4 064.*

25 juin. – Le Messager ne nous fera plus de cadeau : Joseph Losey est mort. J'ai le souvenir d'un midi à Saint-Paul-de-Vence. Il m'avait parlé de *Don Juan* : « Je voudrais refaire ce film mais sans passer par la musique cette fois » ; de Ruggero Raimondi : « Avec sa petite mèche blanche, il me semble parfois inquiétant. Il a une gueule terrible, un physique, du poids et une extrême fragilité. Voilà un personnage doué pour le fantastique et qui ne le sait pas. » Brisé d'abord par le maccarthysme, Losey aura été à la fin abandonné de tous, comme Abel Gance, comme Jean Renoir. Il voulait réaliser *A la recherche du temps perdu.* Il s'est tué à le rêver. On peut croire Rolf

149

Lieberman lorsqu'il dit : « Joseph est mort de chagrin, il a gaspillé sa vie dans une lutte permanente. » On se méfie toujours de ceux qui ont trop donné.

26 juin. – Le syndicat français des artistes-interprètes reproche aux chanteurs du groupe chilien Quilapayun d'abuser de leur statut de réfugiés politiques. S'il ne s'agissait que d'une insulte je serais le premier à en rire, tant la vulgarité du procédé est énorme. Mais j'y vois autre chose, du racisme, une attaque sordide ; c'est de la *délation* et je ne me trompe pas de mot. Aux époques noires, une pareille attitude ouvre les portes des cachots. Heureusement que nous sommes dans un pays de liberté, où les horreurs de l'Occupation appartiennent à l'histoire, où les purges staliniennes ne nous concernent pas. Il n'en reste pas moins que l'effronterie de quelques paumés de la chansonnette, qui s'autorisent perfidement à parler au nom de tous, l'effronterie jalouse de ces faux prophètes du refrain à quatre sous est éclatante. Voilà débusqués les traîtres. Et surtout, ne parlons pas de malentendus.

Le SFA écrit : « Vous avez refusé de faire grève à l'Olympia le 13 juin 1984... Ne persistez pas à vous faire passer pour des militants. Cessez de brandir votre statut de réfugiés politiques pour solliciter l'aide de comités d'entreprise, de syndicats, de partis et d'associations de gauche. Un peu de pudeur... » L'accusation est grave, qui prétend remettre en cause l'image parfaite de cette compagnie, la pureté de ses engagements, sa liberté durement gagnée. Que penser de ce quarteron d'aigris qui ose crier : « Il faut cesser de considérer les Quilapayun comme de grands penseurs politiques. Tous leurs discours sont faux, constamment ils trichent. Il arrive un moment où il devient nécessaire de dénoncer la supercherie. » Pénible affaire, désolant procès imposé à des exilés qui, depuis dix ans, souffrent l'éloignement, qui étaient totalement désarmés à leur arrivée en France, que j'ai aussitôt reçus – leurs amis marxistes étaient absents –, qui ont eu le tort de réussir, péché mortel. En les accueillant à la radio et à la télévision, je ne m'inspirais d'aucune idéologie : j'avais deviné leur détresse et reconnu leur talent. Je peux témoigner que le succès n'a pas perverti leur idéal, qu'ils n'ont rien abandonné de ce qui fut leur combat, qu'ils sont fidèles à leur éthique politique – qui n'est pas la mienne. Aujourd'hui encore, Fidel Castro nous divise si l'amitié nous rassemble. Je sais leur fierté et ne puis admettre la lâcheté des diables à leurs trousses. Cet acharnement lamentable m'aura permis d'apprendre enfin la vérité : abasourdis d'abord, puis attristés, les Quilapayun se sont décidés à tout dire. Eduardo Carasco, leur porte-parole, s'est exprimé ainsi devant la presse : « C'est une vieille histoire qui prend sa source il y a trois ans, lorsque nous avons fait un " Grand Échiquier " complet. Nous ne pouvions évidemment pas inviter tout le monde, et nous avons dû écarter certains artistes qui, c'est vrai, avaient participé à des actions en faveur du Chili et qui pouvaient penser que leur place était à nos côtés ce soir-là. Comme Francesca Solleville, qui s'est mise alors à raconter partout qu'elle avait été censurée par Jacques Chancel, ce qui était faux. Et moi j'ai commencé à recevoir des coups de téléphone indignés du SFA nous poussant à dénoncer Chancel qui a toujours été magnifique avec nous. Nous avons bien sûr refusé, puis, devant leur insistance, refusé même de les entendre. Alors, aujourd'hui, il y a dans tout ça des relents de vengeance un peu sales et une méchanceté assez horrible... Ces gens-là sont un peu minables et pleins de mensonges. Pour la grève en question du 13 juin dernier, j'ai effectivement reçu un appel de Claude Vinci et je lui ai juste dit avant de raccrocher : Après l'histoire du " Grand Échiquier ", vous êtes bien mal placés pour nous demander quoi que ce soit... » Je n'ai pas changé un mot de ce communiqué que j'emprunte au *Matin*. Il m'éclaire, car je ne savais rien de tout cela, les Quilapayun ayant été avec moi d'une discrétion absolue. Ainsi donc, ces messieurs-dames souhaitaient s'en prendre à moi et exi-

151

geaient que l'on me *dénonçât*. Décidément, le mot leur plaît. Je perçois mal l'attitude de Francesca Solleville que j'avais invitée petitement une fois, il y a longtemps, qui après la fameuse soirée Quilapayun m'a fait, devant témoins, l'offre de ses services : « De grâce, accordez-moi un vrai passage dans votre programme. » Comment peut-on aller ainsi jusqu'au bout de la duplicité?

27 juin. – Une affaire d'hommes, une question d'honneur et une façon de faire taire les muezzins de toutes les tours du malheur : les Français sont champions d'Europe de football, les fantômes noirs de Mar del Plata, Buenos Aires et Séville ont disparu. Il y a enfin du soleil dans cette nuit de juin à Paris. Nous revenons de loin, le cœur en a pris un coup, le temps à Marseille ce dernier samedi n'en pouvait plus de durer, les minutes comptaient double, Shelama, Jordao menaient l'assaut, le Portugal aussi aurait mérité de gagner. Les anciens de ce soir-là – Jean-Luc Lagardère, Étienne Mougeotte, François-Henri de Virieu, Yves Sabouret, Stéphane Collaro, Bernard Pivot – se raconteront bientôt à la veillée les prouesses de Domergue, le sang-froid de Platini, le grand chaud de l'incendie des ultimes secondes. Je suis heureux d'avoir été le partenaire de ces moments rares, qui ont d'abord le charme de l'amitié. Les initiés me comprendront. Maintenant, nous en avons terminé avec les Espagnols, à la chance insolente, qui ont ridiculisé Malte, désespéré les Allemands et mis K.O. le Danemark. C'est la fin d'un magnifique, d'un difficile combat conduit par des virtuoses qui écrivent leur texte comme des arabesques.

Les guerriers boiteux des innombrables confrontations électorales, les grands penseurs des petites causes, les fabricants d'ennui traitent avec mépris les évolutions de nos trotteurs du ballon rond. Ils y voient une absurde dépense d'énergie, ils ne croient qu'à leurs joutes stupides, qu'à leurs virages mal négociés à droite comme à gauche. Ils ne savent pas ce qu'est le vrai jeu d'une équipe, eux qui n'ont jamais réussi la moindre chorégraphie. Un soir au Parc des princes vaut bien mille jours à l'Assemblée nationale. Et que l'on ne me dise pas qu'il est idiot de comparer ce qui n'est pas comparable. Faux puisque tous veulent notre bonheur et qu'ils ne sont pas plus de onze à y réussir.

28 juin. – En regardant la France, il m'arrive de me demander pourquoi tant de gens vont jusqu'au bout du monde, souvent pour ne rien voir, seulement occupés de leurs cartes postales. Je les connais, ces Vikings du farniente, qui traînent la semelle sur des carrés d'Histoire, derrière un guide fourbu et pressé d'en finir. Je les ai vus sur toutes mes routes, en paquets, défaits par la chaleur ou le froid, stoïques sous l'avalanche des commentaires du cicerone, ou parfois abandonnés. A Bahia, au Brésil, où Jorge Amado m'accueillait, je les ai rencontrés dans le hall de l'hôtel Méridien, un soir vers 23 heures. Surpris de me trouver là, ils m'ont entouré et bombardé de questions. On sentait qu'ils avaient enfin quelque chose à faire. Je les ai interrogés à mon tour :
« Où avez-vous dîné?
– Ici, à l'hôtel.
– Où allez-vous maintenant?
– Chez Régine. Elle a une boîte au sous-sol.
– Quand êtes-vous arrivés?
– Ce matin, enfin vers midi.
– Quand repartez-vous?
– Demain à 8 heures. »
Jorge Amado n'en croyait pas ses oreilles. Sa bonne vieille ville méritait mieux. Je suggérai alors que l'on me présentât au grand organisateur, un jeune homme de trente ans plus armé pour les roucoulades que pour les croquis de voyage : « Votre programme vous paraît-il satisfaisant? » L'éphèbe au bronzage rutilant ne sembla même pas surpris :

153

« Tout à fait. Nous étions à Rio avant-hier – plage et Corcovado –, nous avons passé une moitié de journée à Brasilia, ça ne vaut pas plus – trois heures de car sur les avenues de la capitale, le long des ministères –, nous avons vu ce soir le coucher de soleil sur les eaux de Bahia, nous partons demain pour Saint-Paul qui est la cité de l'avenir.

– Vous ne pensez pas qu'il y avait autre chose à faire?

– Sans doute, mais c'est déjà bien comme ça. Nous sommes quatre-vingt-dix et je suis seul. Ma responsabilité n'est pas mince. Je suis plus le gardien du charter que le chantre du parcours. De crainte que mes clients s'égarent, je les parque dans des lieux faciles à surveiller. Ici, c'est l'idéal : le bien-manger en haut, le bien-danser en bas.

– Ça vous suffit?

– Ça leur va. Les plus menteurs de mes confrères vous diront qu'ils font mieux que moi; ma franchise peut les faire hurler, les plus honnêtes me comprendront. Personne n'ose avouer que les touristes souhaitent d'abord le vent du large, le dépaysement, la distance. Le fait qu'ils soient partis constitue le voyage. Vous ne voudriez pas qu'en plus on joue les explorateurs! Pour cela il faudrait prendre des risques et ils n'en sont pas capables. Nous ne sommes dupes de rien, surtout pas de notre impuissance. Donner l'illusion de l'évasion est notre exploit quotidien. Nous y avons, croyez-moi, quelque mérite. »

Le gentil organisateur fait déjà à mes yeux moins éphèbe, son bronzage me paraît être subitement la marque de son travail; serait-il donc le chef d'une bande de « galériens »? Je n'irai pas jusque-là, mais je constate tout de même que les voyages organisés ne sont pas les paradis que l'on annonce. Pour en finir avec cette rencontre, j'en note le dernier acte : ce soir-là, après l'explication du G.O., quatre jeunes femmes nous avaient timidement priés de les emmener, sachant que notre nuit à Bahia commençait. Jorge, aussitôt, dit oui; l'une d'entre elles était ravissante, j'aurais eu mauvaise grâce à ne pas être d'accord. Le temps de déposer nos bagages, de passer sous la douche... Mais nous attendîmes en vain. Nos « accompagnatrices », désolées, nous avouèrent plus tard que « sortir du groupe cela signifiait trahir, qu'elles ne pouvaient s'autoriser semblable liberté à moins d'en souffrir pour le reste du séjour ». Nous partîmes sans elles. La bordée fut tout de même fantastique...

Je le reconnais, j'ai la chance de pouvoir courir le monde dans les meilleures conditions, partout accueilli par des amis ou des complices d'aventure. Je suis toujours prêt à boucler ma valise, je vis mes voyages intensément, sans imiter ceux qui ne veulent pas manquer la moindre excursion, qui sont de chaque visite, qui poussent le comique jusqu'à porter un chapeau de cow-boy au Texas, un boubou à Garoua, un paréo à Tahiti, une gandoura à Marrakech, des étriers de peone en Uruguay. Je me méfie même un peu de ces Français baladeurs, qui frissonnent devant les merveilles de l'Ermitage, à Leningrad, et qui n'ont pas encore eu la curiosité d'aller au Louvre, qui parcourent les immensités canadiennes et qui ne sont jamais entrés dans la forêt de Fontainebleau, qui vont applaudir les ballets du Bolchoï mais pas ceux de l'Opéra. Le goût des ailleurs leur est une mode et l'absence de comparaison une difficulté. Nous accordons en général trop peu d'intérêt à nos propres itinéraires, persuadés qu'ils font intimement partie de notre environnement, sûrs que nous sommes de n'avoir pas à les mieux connaître.

De tous mes voyages, celui qui me permet deux ou trois fois par an de traverser la France en voiture est sans doute le meilleur, du moins le plus exotique, car j'y découvre ce que je n'imaginais pas pouvoir y trouver. J'emprunte les routes secondaires, fléchées de vert, j'évite les nationales encombrées, les villes aux architectures dites modernes qui prétendent témoigner d'une réussite et enlaidissent le paysage, je plonge dans le vrai de ce pays, au profond de sa campagne. Je vais de Cannes à la Bigorre en passant par Carcassonne – étape de rêve dans la Cité –, je fais des diagonales pour relier Paris à Argelès-Gazost, allant jusqu'à me perdre du côté de Lyon avant d'aborder les hauts chemins du Massif central et de l'Auvergne. J'aime à jouer avec les cartes et l'humeur du moment. C'est à coup sûr l'occasion d'étonnements, de découvertes, la chance de réviser son Histoire, le seul moyen de retrouver un patrimoine artistique presque intact, un passé moyenâgeux qui vit merveilleusement son présent, loin des pollutions du progrès. Hier, en passant par Saint-Flour et Murat, j'ai filé vers Le Puy, attiré par la cathédrale qu'au XIIIe siècle déjà saint Louis avait honorée d'une visite et à laquelle il fit don de la fameuse Vierge noire, rapportée d'Égypte après une croisade désastreuse. Je préfère néanmoins la petite ville de Salers, qui offre au premier regard l'harmonie de ses courbes, de ses tours plantées sur chaque place, de ses toitures grises, de ses portes anciennes qui dissimulent de grandes ombres. Certaines maisons y sont de vrais bijoux : les girouettes élancées, les linteaux ouvragés, les fleurs de lys et les salamandres nous parlent d'un temps qui fut peut-être plus glorieux que le nôtre. Il faudrait une longue journée pour savourer le vrai et le beau de ces murailles de pierre sèche, élevées il y a près d'un millénaire. J'éprouve autant d'émotion devant elles qu'à découvrir les remparts de Dubrovnik, en Yougoslavie, les églises d'Ouro Preto, au Brésil, ou les pyramides d'Égypte. Question de circonstances. Je suis persuadé qu'une expédition par les souterrains, hélas fermés, nous conduirait à des révélations étonnantes : la France conserve sous les fondations de ses citadelles des secrets que nos descendants perceront peut-être.

Miramont n'est plus qu'à trois cents kilomètres. Nous avons visité Anjony, qui appartient à la même famille depuis sept siècles et dresse encore sur son piton d'énormes tours de garde. Romegouse nous retient un instant. Il faut aller maintenant par les petites routes qui serpentent dans les collines, au plus serré des bois, entre des tapis de genêts à l'odeur entêtante, le long des champs couverts de myosotis, de marguerites, de digitales, de coquelicots, de jaunes renoncules. Je sais des Japonais qui viennent chaque année chercher ici des idées de bouquets...

Puisqu'il a été question plus haut de saint Louis et de voyages, je fais ici un aparté. Alain Decaux, qui avait lancé en 1981 une enquête sur les jeunes et l'Histoire, a obtenu ce curieux résultat : 75 % des élèves interrogés en classe de quatrième pensaient que les *croisades étaient* des sortes de *croisières*. A la vérité, pourquoi pas?

3 juillet. – L'hôtel de Saussure, demeure patricienne du vieux Genève, a été construit en 1707 pour un banquier. L'architecture en est remarquable, le corps central et les deux ailes sur cour sont un modèle d'ordonnance et d'équilibre. Bonaparte y a logé avec Berthier, Marmont, Murat, Lannes, tous se sont appuyés à la rampe en fer forgé de l'escalier d'honneur. Cette maison n'est pas seulement glorieuse, elle a une âme, aujourd'hui encore perpétuée par la continuité familiale et les grâces assez mystérieuses d'un personnage hors du siècle, Pierre Sciclounoff. Avocat de quelques-uns des plus grands noms de l'Europe ancienne, gardien des fortunes les plus sûres, maître de cérémonie et mainteneur des arts, ce bon vivant, gourmand et gourmet, est une énigme, qui détient tous les secrets hérités de ses origines multiples : la Bulgarie, où il est né, Malte, qui fut la terre de son grand-père et dont il est chevalier. Rescapé d'une race disparue, il cultive son goût du faste avec bonheur et indifférence, comme si cela allait de soi, prince sans couronne, esthète et frondeur. Que le monde redevienne un espace de haute création, il serait alors, sans la folie, un autre Louis II de Bavière. La médiocrité du temps le hisse au-dessus de la mêlée. Je l'ai connu, un soir d'agapes somptueuses, chez Michèle et Philippe Reichenbach, où nous avions déjà pour nous reconnaître le même amour de la musique et des peintres. Car il est aussi violoniste, mieux qu'amateur, et collectionneur : ses bustes de Voltaire et de Jean-Jacques Rousseau par Houdon sont magnifiques. Il m'a fait découvrir son palais, une grotte d'Ali Baba où les salons d'époque en enfilade sont souvent le théâtre de concerts donnés par les plus grands solistes. Le New York City Ballet a même dansé dans sa cour. Les pièces d'apparat, dont les boiseries et les parquets ont été restaurés, sont dignes d'un musée mais n'en ont pas la froideur. Meubles, livres, tableaux y sont habités et l'on devine que Mme de Staël et Benjamin Constant pourraient y reprendre leur conversation. Sciclounoff a poussé la passion jusqu'à construire à l'intérieur de ses propres murs une salle de musique dont l'acoustique a été étudiée par Herbert von Karajan. Petite merveille de raffinement, pour une centaine de privilégiés, riche de quatre pianos à queue et de plusieurs violons, stradivarius ou guarnerius.

Je ne pense pas qu'il y ait en Europe une autre maison comme celle-ci ni une pareille table. D'autant plus admirable que la simplicité du beau, la perfection du vrai, curieusement accouplées à des faux superbes, l'emporte sur le luxe-nouveau-riche, que sa générosité y est gratuite, puisque l'hôtel ne lui appartient pas – et qu'il le sauve. A ce stade l'anachronisme devient une institution. « Siclou » a compris depuis longtemps qu'il ne faut s'épuiser qu'à ce qui vous amuse. Il en a pris les risques, et d'abord cette solitude de l'homme courtisé, qui, si elle ne l'accable pas, lui impose de garder la distance.

4 juillet. – La mauvaise humeur parisienne est telle que l'on entonnera sans doute l'habituelle cantate : avec Mozart, Daniel Barenboïm ne prend guère de risques. La gloire d'Amadeus, liée à la qualité de l'Orchestre de Paris et de son chef, assure dès le départ, on ne peut le nier, le succès d'un festival. Mais tout reste à accomplir, où le plus difficile tient justement à la richesse du plateau. Après le merveilleux *Cosi fan tutte* de l'an dernier – soirée d'extase –, *les Noces de Figaro*, leurs grâces baroques n'ont rien d'inattendu. D'une œuvre comme celle-là j'espère toujours l'étincelle, le bouleversement sans trahison qui me donneront un Mozart que je ne soupçonnais pas. Mais cette quête nous rend injustes. Nous demandons trop à ceux qui nous ont déjà tant offert, alors que nous applaudissons souvent au banal que les moins doués nous proposent. Barenboïm, vous êtes coupable d'avoir réussi en tout, d'avoir toujours su nous enthousiasmer, vous êtes donc condamné à nous éblouir...

Les Noces, traitées de cette manière mais signées par un autre, eussent été géniales; par vous, elles ne sont que parfaites. Ne faisons pas trop la fine bouche; le spectacle du Théâtre des Champs-Élysées a de remarquable qu'il équilibre les talents de la fosse et de la scène, qu'il révèle une exceptionnelle qualité musicale et nous fait retrouver trois voix à forte personnalité : Julia Varady (la comtesse), Kathleen Battle (Suzanne), Suzanne Mentzer (Chérubin). J'ai moins aimé les hommes, peut-être n'ai-je pas voulu les entendre, une certaine vulgarité de ton m'éloignait de leur monde. Je n'ai vu que Daniel Barenboïm, qui pourtant disparaissait dans son trou. Il y attend sans doute que cessent les querelles!

5 juillet. – Aux portes de Marseille, près de la Sainte-Baume, Saint-Maximin maintient les privilèges culturels de son abbaye qui fut, dès le XIIIe siècle, l'un des pôles de la pensée chrétienne. J'y reviens aujourd'hui, ou plutôt j'y passe : nous y avions parlé voilà quelques mois des bienfaits et des malheurs de la communication. Dans la basilique Sainte-Madeleine, je retrouve le grand orgue aux quarante-deux jeux qui fut fabriqué de toutes pièces, en 1772, par un simple, le frère Isnard. Peu doué pour la flatterie et les mondanités de son temps, il n'avait jamais

159

pu accéder à la prêtrise, donc au rang de père. Contraint aux petits travaux d'intendance, éloigné du cénacle théologique, il poursuivait pourtant son idée : inventer une machine à musique. Il passait pour le brave idiot de la communauté, ses supérieurs le traitaient avec condescendance et un jour, las de tant d'opiniâtreté, ils finirent par lui dire oui. On lui délégua deux frères de son espèce, avec les moyens de fabriquer tuyaux, tables, tamis, soupapes, touches et vergettes. Et le miracle eut lieu : l'instrument achevé, de toute l'Europe les musiciens affluèrent pour l'entendre. Le son en était d'une grâce extrême et l'architecture magnifique. Toute l'abbaye se congratulait d'une telle gloire; conquis et confus, le prieur et les prélats de sa suite décidèrent d'honorer l'artisan d'un tel chef-d'œuvre. Devant le chapitre réuni, ils lui dirent leur estime et leur volonté de l'ordonner prêtre.

Le bon frère Isnard, simple parmi les simples, mais roublard comme il convient à un moine de condition supérieure, eut alors ce mot : « Couillon j'étais, couillon je reste. »

8 juillet. – François Mitterrand semble tenir à l'Opéra de la Bastille, que l'on considère au ministère de la Culture comme l'un des grands chantiers du Président. Pourquoi combattre un projet qui augmentera l'espace du domaine musical? Faudrait-il imiter cet humble qui, un jour, refusa un livre en s'excusant ainsi : « Non, merci, j'en ai déjà un. » La levée de boucliers des associations de riverains, si elle est naturelle – on se protège préventivement –, mérite tout de même une correction. Il ne me paraît pas très vertueux de défendre cette place, entrée avec fracas dans l'Histoire mais, reconnaissons-le, sans panache. Le symbole deux siècles après, n'en est pas toujours évident. S'il s'agissait de respecter un passé, une forteresse – même immonde –, un environnement remarquable, une galerie de chefs-d'œuvre, je soutiendrais la révolte. Mais nous n'avons rien à protéger en ce lieu. C'est si vrai que personne, jamais, ne s'y est arrêté pour en admirer le « génie ». On passe. Alors, pourquoi pas un théâtre, un autre temple pour *Aïda* et *Turandot*, pour Boulez et Xenakis!

9 juillet. – S'il n'y avait eu la chute de Pierre Bazzo au col de la Core, dans la Haute-Ariège, je n'aurais rien dit du Tour de France, qui est chaque année mon voyage le plus intime, ma traversée la plus attendue, une sorte de pèlerinage de grands enfants qui s'inventent des sacrifices rituels au hasard de leurs échappées. Mais voilà! Un homme est tombé au premier élan fou de la descente, à 1 375 mètres, déséquilibré par un tapis dansant de gravillons, à bâbord d'un virage démoniaque, devant nous, à deux ou trois mètres à peine, et il a fallu toute la science de Louis Flamand, son maître coup du volant, pour ne pas ajouter le poids des roues aux blessures visibles. J'ai vu l'accident d'en haut, du balcon de la voiture, mon œil dans l'exacte trajectoire du coureur. Comme tout cela va vite! Une roue qui attaque la chaussée à tordre boyau, une glissade, une pirouette, un corps-fusée qui se lance à 100 kilomètres à l'heure – la vitesse sur notre compteur – juste sous l'arête d'un rocher, à quelques centimètres de cette guillotine de la nature. Bazzo est là, le bras ouvert, la tête en sang, assommé, et nous ne pouvons même pas nous arrêter : la meute hurlante est derrière nous. J'en sais qui ne comprennent pas, qui ne comprendront jamais l'insensé de nos parcours, cette fuite, l'apparente indifférence de nos envolées. Il faut avoir vécu la course pour l'aimer, il faut y être initié pour en accepter l'épreuve. A ceux qui doutent de la grandeur de ce sport, on ne peut répondre que par le silence. Nous réconforte l'adhésion enthousiaste de millions de spectateurs massés le long des routes.

Michel Hidalgo est notre invité sur cet itinéraire pyrénéen. A l'instant de ce qui aurait pu devenir un drame, il est devenu blême. Nous n'avons pas prononcé un mot, je l'ai laissé à sa peur, à ses larmes : Bazzo, son ami, son partenaire de randonnées cyclistes, est tombé et s'est déchiré à ses pieds. Signe évident des approches dangereuses. Heureusement, les médecins du Tour sont là. Nous sommes rassurés, le pire est évité, profitons de la journée qui est belle. Hidalgo fait un parcours triomphal, je ne pensais pas que son visage fût à ce point connu, jamais je n'avais rencontré pareil enthousiasme de la foule. Un plébiscite, une litanie de « Merci » sur deux cent vingt-six kilomètres, de Pau à Guzet-Neige, des mains qui s'offrent en une poignée chaleureuse. Monumental cadeau à l'homme qui a su conduire le football français à des sommets inespérés. Michel n'en revient pas, en ces lieux où les héros sont d'une autre discipline. Je le devine étonné, puis ému, plus que cela même. Ce n'est pas l'habituelle découverte d'une célébrité qui passe, mais le profond d'une estime que chacun veut lui manifester. Témoin de cette gloire, je ne puis m'empêcher de songer que, s'il avait perdu, il n'eût été aujourd'hui qu'un coupable.

Il pourra paraître déroutant à quelques-uns que le Tour de France cycliste soit mon voyage intime. Et pourtant, c'est la vérité. Je traverse mon pays à trente à l'heure, je le regarde dans sa diversité, j'oublie la fureur des affrontements quotidiens, je me retrouve seul avec la beauté, le pittoresque, le vent d'autan, les cascades, les sonnailles des vaches, les hautes forêts, les lacets de montagnes. On peut s'abîmer dans une sorte de ferveur à découvrir sa terre. Tous sentiments sont d'un coup étroitement liés. Les ruines ont plus d'âme que les murs neufs des villas, les maisons paysannes que les pavillons des cités, la discrétion des simples y contraste avec la roublardise des nantis. Je me laisse aller aux constructions les plus naïves : d'une vieille tour, ébranlée par le temps, je fais une gentilhommière somptueuse, d'une grange au toit troué, une ferme riche, et je me désespère, à longueur de parcours, de voir d'anciennes demeures villageoises

162

transformées en prétentieuses et vulgaires bâtisses. Pourquoi ne pas conserver aux choses leur aspect d'autrefois, le charme des origines! Il suffirait de les restaurer, avec respect, amour, au lieu d'assassiner le passé. Si nous voulons être d'aujourd'hui, il nous faut imaginer environnements et villes comme nos ancêtres à l'époque médiévale. Nous aurons le droit de ne pas les apprécier, mais nous ne devons en aucun cas les combattre. On peut s'en tenir raisonnablement à l'opinion de l'historien Georges Duby, qui estime que l'homme du XIIIᵉ siècle, fier de ses dons, considérait de son devoir d'ennoblir la pierre, le bois, le métal qu'il façonnait; il avait le sentiment d'y coopérer avec le Créateur, pour que la nature fût conduite à plus de perfection. Parce que le pouvoir, en ce temps-là, avait le sens de la générosité gratuite. Les démagogues n'accepteront pas ce commentaire, mais il leur sera difficile de démentir cette autre affirmation de Duby : jusque dans ses profondeurs les plus humbles, la société d'autrefois tenait le luxe pour nécessaire, persuadée qu'il était pour elle manifestation de liberté; les habitants d'un lieu acceptaient alors de se priver pour qu'il fût paré. Parcourir la France à vitesse humaine, c'est l'occasion de reconnaître le génie de tous nos bâtisseurs, l'intelligence et la patience de nos Compagnons. Ne serait-ce que pour cette noble raison, le Tour mérite le détour.

En une semaine, j'ai parcouru la Sarthe, la Mayenne, le Maine-et-Loire, la Loire-Atlantique, la Vendée, la Charente-Maritime, la Gironde, les Pyrénées-Atlantiques, l'Ariège, les Hautes-Pyrénées, la Haute-Garonne. J'ai pu vérifier sur place que l'Alpe-d'Huez est le point culminant de la Hollande, tant il y a sur sa route de fanatiques de ce pays. A Langon, j'ai pris conscience du dérisoire d'une célébrité. En me promenant avec Dustin Hoffman, j'ai entendu répéter mon nom et pas une fois celui du grand acteur américain.

Nombreux pourtant étaient ceux qui avaient vu *le Lauréat*, *Kramer contre Kramer*, *Tootsie*. Serait-ce la télévision qui voile le regard? Dustin s'en amusait. Venu reconnaître le terrain pour son prochain film, *le Maillot jaune*, il n'avait d'autre ambition que de s'intégrer à notre monde, d'en pénétrer les mystères... « L'an prochain, je serai l'un des vôtres, il me faut étudier la mentalité du coureur, m'adapter à cette vie communautaire dans la peau de chaque personnage. Je procède de la même manière pour tous mes rôles. Je crois à l'exigence, je méprise l'amateurisme. Le Tour de France est un monument, la plus grande fête du monde : elle émerveille les vieillards et les enfants. Je sais maintenant qu'un champion doit mourir dans une descente si c'est nécessaire. Honte aux précautionneux. Ce qui me frappe? La vitesse des hommes sur la route, la foule, la discipline et le désordre, la beauté de vos régions... » Dustin Hoffman a la curiosité insatiable, il se mêle de tout, avec discrétion; ayant conscience « d'allumer en ce moment les derniers feux de la jeunesse », il attise les braises d'un adolescent de quarante-sept ans. A Pau, il me demande de fixer l'image de son passage et pendant une heure, devant les caméras d'Antenne 2, nous aurons une conversation d'amitié. Il déteste la politique, se méfie de ceux qui s'en servent, apprécie Godard et Truffaut, Fernandel et Michel Serrault, voudrait revoir *les Enfants du paradis*, *Jeux interdits*, *la Cage aux folles*. Extraordinaire petit bonhomme, au cheveu ras, peu soucieux d'élégance vestimentaire, plus occupé de jogging que de bavardages mondains, il a la sérénité de ceux qui connaissent leur valeur marchande. Quatre milliards d'anciens francs, me dit-on, pour chaque film. Le prix d'un Vélasquez. On peut être modeste à ce stade, et il l'est le plus naturellement du monde. Avec ce rien d'indifférence qui sied aux gens de race, et cette volonté de solitude qui écarte les mauvaises rencontres.

La route du Tour est propice aux escales, à ces délicats détournements d'itinéraire qui vous font voir le pays sous des éclairages différents. Passant par Grenoble, j'ai plongé dans les terres froides du Dauphiné, entraîné par

164

François-Henri de Virieu, notre pensionnaire des petits matins chantants du bistrot de l'avenue Montaigne, mon ami de chaîne, qui a su imposer le meilleur débat politique d'aujourd'hui à la télévision : « l'Heure de vérité ». Je ne crains pas de me répéter en disant ma passion pour ces vagabondages du cœur et de la mémoire. Car ici, à Virieu, l'Histoire aussi habite le présent. Ce n'est pas le Louvre, non plus que Versailles, mais mieux : l'un des bastions du patrimoine français où, loin de la cour, se forgeait un peuple. Je suis toujours frappé par la force de ces vieilles demeures, l'air d'indépendance qu'elles se donnent. J'ai le sentiment qu'elles toisent le Parisien qui s'aventure sous leurs tours, ou plutôt l'homme de la capitale qui croit détenir un pouvoir. Elles se suffisent à elles-mêmes, et semblent appartenir à qui les regarde, sans personne d'important à séduire. Les rumeurs partisanes n'arrivent pas jusqu'à elles.

François, sa mère, sa femme, ses enfants me font visiter leur domaine. Édifiée au XIe siècle par Wilfrid de Virieu, la maison forte de Virieu a été agrandie tout au long de son histoire et a subi le choc des alliances. En 1220, le château sort de la famille par le mariage de Béatrix de Virieu avec Siboud de Clermont. Il appartiendra dès lors et pour trois siècles aux Clermont, qui le vendront aux Prunier de Saint-André, qui le garderont trois siècles... Et ce n'est qu'en 1874 qu'il reviendra aux descendants de son fondateur. Les Virieu le conserveront-ils jusqu'au XXIIIe siècle, pour respecter la règle des trois? Leur chance tient à un code strictement familial, aujourd'hui encore, chez eux et chez d'autres, reconnu : le droit d'aînesse, accepté par tous. François est propriétaire du château (avec ce que cela représente d'ennuis) : ses cadets, frères et sœurs, n'ont pas protesté. Il a déjà désigné le premier de ses fils, Guillaume, pour prendre la suite. La forteresse tiendra-t-elle? Le désert des Tartares n'est jamais loin.

L'escapade est terminée, elle aura duré le temps d'une nuit douce et tranquille. Nous rejoignons le Tour. Bernard Hinault a toujours son visage figé de grand Breton blessé, sa tête fière des mauvais jours, cet orgueil carnassier qui le fait s'épuiser, solitaire, sur chaque chemin d'étape. Laurent Fignon, rigolo, binoclard, jaune naturellement, regarde bizarrement, sous ses lunettes cerclées, un monde étrange qui l'encense, l'étouffe de couronnes tressées trop tôt. Ambitieux, mais plus encore épanoui, équilibré, lucide, il sait déjà, à presque vingt-quatre ans, que ses lendemains seront difficiles... « Ce que vit Hinault, je le subirai bientôt. Mais j'ai de l'humour pour deux. » Il paraît étranger au succès, mais la gloire de ses victoires lui semble déjà acceptable. La coquetterie aiguisant l'ironie, il ne dédaignera plus sa notoriété, exigera peut-être qu'on la célèbre. J'apprécie ces deux coureurs, qui confèrent au cyclisme français une dimension internationale. Hinault et Fignon sont des vaniteux de la meilleure espèce, de celle qui mijote nos émotions de spectateurs, des champions purs et durs, capables de toutes les outrances, libres de leurs gestes et de leurs mots, à ce point éloignés des quotidiennes lâchetés du nombre qu'ils paraissent être des dinosaures. Peu m'importe le vainqueur. J'aime la manière qu'ils ont de se battre ; ce sont des maîtres... Avec eux, du moins, pas d'imposture.

L'Alpe-d'Huez-La Plagne : 185 kilomètres. L'Isère en point de mire et les Hautes-Alpes et la Savoie. Nous sommes à deux pas de la Grande-Chartreuse, dont je voudrais connaître les mystères et vivre un temps la vie. Sur la route, au-dessous de l'ermitage, marchent des moines en robe de bure, montagnards aguerris, cela se voit à l'habileté du coup de jambe. Qui sont-ils ? Les serviteurs de ceux d'en haut ? Déjà le Galibier nous appelle : 2 640 mètres. Jacques Augendre, du *Monde*, est monté dans notre voiture. Il me confie « l'acte d'adoration » que ce col terrible inspira à Henri Desgrange en 1911. Qui oserait écrire ainsi maintenant ?

« Grenoble, 10 juillet. Aujourd'hui, mes frères, nous nous réunirons dans une commune et pieuse pensée à l'adresse de la divine bicyclette. Nous lui dirons toute

166

notre piété et toute notre reconnaissance, pour les ineffables et précieuses joies qu'elle veut bien nous dispenser... Pour moi, je l'aime de m'avoir fait l'âme capable de la comprendre; je l'aime de m'avoir pris le cœur avec ses rayons, d'avoir encerclé une partie de ma vie dans son cadre harmonieux, et de m'illuminer encore, sans cesse, de l'éclat victorieux de ses nickels. Ne constitue-t-elle pas, dans l'histoire de l'humanité, le premier effort réussi de l'être intelligent, en vue de s'affranchir des lois de la pesanteur?

« N'ont-ils pas des ailes nos hommes qui ont pu s'élever aujourd'hui à des hauteurs où ne vont point les aigles?... La montagne les acclame de l'adorable chanson de ses sources nacrées, du fracas de ses cascades irrisées, du tonnerre de ses avalanches et de la stupeur figée de ses neiges éternelles...

« Oh! Sappey! Oh! Laffrey! Oh! col Bayard! Oh! Tourmalet! Je ne faillirai pas à mon devoir en proclamant qu'à côté du Galibier vous êtes de la pâle et vulgaire " bibine " : devant ce géant, il n'y a plus qu'à tirer son bonnet et à saluer bien bas... »

Battez, tambours! Voilà de la littérature héroïque dispersée, façon cosaque, au son du clairon. Je soupçonne d'ailleurs le père Desgrange, artificier du Tour de France, d'avoir poussé sciemment son lyrisme au-delà des limites permises, pour interdire à tout jamais à ses successeurs de le battre sur son propre terrain. On ne lui en voudra pas d'avoir osé le ridicule, on se souviendra seulement qu'il fut le génial inventeur d'une épreuve qui donne chaque jour son spectacle unique à une moitié du pays. Qui dit mieux? Que ceux qui veulent le bonheur du peuple réalisent le millième de son ambition et nous aurons demain peut-être d'autres matins heureux.

Nous n'avions jamais vu tant de spectateurs sur les routes. De véritables grappes accrochées aux roches, aux pitons, amarrées à la chaussée, permettant à peine le passage. Un enthousiasme fou, parfois jusqu'à l'hystérie, une démesure. Deux ou trois mauvais coucheurs essayaient bien chaque jour d'impressionner leurs voisins sur le ton assez grossier d'une autorité de circonstance : « On est venu pour voir des coureurs et pas des bagnoles. » Ils étaient vite remis à leur place.

La caravane d'accompagnement, aussi bruyante fût-elle, est nécessaire à cette épreuve, faite qu'elle est de gens de presse, de radio, de télévision, qui en célèbrent les prouesses et les malheurs, et de directeurs sportifs qui maternent leurs équipiers. Le cirque des suiveurs n'est pas le moindre charme du Tour : « On a bien envisagé, dit Jean Amadou, de mettre les journalistes sur des vélos, mais on a dû renoncer à cette idée pour une raison simple. Nous devons être au départ avec les coureurs, pour connaître leur état d'esprit avant la randonnée, et à l'arrivée avant eux pour les interviewer. Imaginons que nous réussissions la chose, plantés sur nos selles, le prestige des cyclistes en prendrait un coup. C'est pour ne pas les humilier que nous suivons les étapes en voiture. » On ne saurait le dire avec plus d'humour. Si la grande boucle cachait une tricherie, il y a belle lurette que nous serions au courant. Les Français connaissent la phrase de Lincoln : « On peut tromper une partie du peuple tout le temps et tout le peuple une partie du temps mais on ne peut tromper tout le peuple tout le temps. »

Cette année, Antoine Blondin ne nous a rejoints que le dernier jour. A Pantin, pour l'ultime ligne courbe qui, sur 196 kilomètres, conduit aux Champs-Élysées. Un Tour sans Antoine manque un peu de chaleur. Heureusement, j'avais emporté son dernier bouquin, illustré par Blachon, *le Tour de France en quatre et vingt jours*. Un recueil de ses meilleures chroniques, parues dans *l'Équipe* de 1951 à 1982. J'en ai retenu quelques titres : « Un dandy de grand chemin » (Eddy Merckx), « Dimanche... et la belle », « l'Art d'être grimpeur », « Le col tue lentement », « les Plumitifs flamands ». Blondin ne s'installe à sa table de travail, pour rédiger un article, que s'il en a trouvé le titre. Dans la vie, il n'est pas différent. Amoureux du mot, il n'en finit pas de jouer avec. Je me souviens de cette

168

réflexion à un organisateur de courses cyclistes qui, dans une note banale, avait emprunté quelque chose à deux ou trois poètes pour faire littéraire : « Monsieur, c'est de la prétention routière. » La fantaisie est une jolie façon de dire la vérité.

20 juillet. – En passant près de la Grande-Chartreuse, j'ai regretté de ne pas aller jusqu'aux moines; je n'aurais pas eu le mauvais goût de les déranger : je souhaitais simplement entendre le silence de leurs prières. Mais ce silence, comment le partager sans le troubler, et cette solitude, sans la peupler!

22 juillet. – A mon arrivée en Indochine, bien avant que de vivre les folies et les tragédies de l'Asie, à quelques kilomètres de Saigon, à Khanh-Hoi, où l'aventure et les mauvais génies m'avaient porté, je m'étais fait un ami : Vuong-Thanh. Nous avions dix-huit ans, j'étais son envahisseur préféré, il était ma caution vietnamienne. Nos batailles faisaient autant de vagues que notre complicité. Je savais si bien ses états d'âme, ses préoccupations essentielles, son engagement, qu'il me fut vite reproché de l'avoir à ce point connu et estimé. Fils de famille, apparenté à l'empereur Bao Dai par sa mère, descendant d'une longue lignée de mandarins, il ne cachait pas son nationalisme ardent qui le déchirait : « Je suis des tiens par la culture, disait-il, je suis d'ici par la naissance. Ma vertu est de te combattre. » L'âge aurait dû nous vouloir insouciants, et nous l'étions parfois, mais il y avait les quotidiennes blessures de la guerre qui nous opposaient. Nos après-disputes comptent parmi mes meilleurs souvenirs de ce temps. Ainsi quinze mois passèrent et mon honneur est de ne l'avoir jamais trahi. Un matin de décembre, torride, il me fit ses adieux, simplement, sans un mot d'explication, souriant, serein, comme enfin délivré. Nous prîmes un verre de lait chez Givral, rue

Catinat; « Sobriété oblige », me dit-il. Je n'ignorais rien de la décision qu'il venait de prendre, ou plutôt je la devinais, car la moindre question nous eût abîmé trop de journées et de nuits. Je lui souhaitai bonne chance. Il fit un crochet par le Continental puis alla se perdre dans la foule qui montait vers la cathédrale. Seul. Une autre vie commençait pour moi... Il y a plus de trente ans et ce moment m'est rendu aujourd'hui avec toute la force de l'inattendu. Un journaliste a insisté pour me rencontrer; le voici : tiens, un Vietnamien! Nous parlons des grandes batailles qui se livrèrent là-bas, de la colonisation, des abandons, de la reconquête, du totalitarisme nouveau. Il me demande à brûle-pourpoint : « Avez-vous connu Vuong-Thanh? » J'en suis stupéfait, n'ayant jamais confié ce nom à qui que ce fût. Il paraît très informé de nos relations, des petits faits qui tissent une amitié, du plus exact de nos querelles. Je n'ose y croire. « C'est toi? » C'est bien lui, et sur l'instant tout devient idiot. Le bonheur de telles retrouvailles n'est pas celui que j'aurais pu espérer. Nous étions si jeunes et les années ont été trop longues. Peu à peu, toutefois, le passé se reconstruit à grandes bouffées de réminiscences. Et la complicité revient, celle, plus vraie sans doute, de deux adultes. Vuong-Thanh se raconte avec l'économie de paroles qui fut toujours la sienne. Il cognait dur, mais en quelques mots. Je réapprends toutes ses routes. Le jour où nous avons « dégusté » cet étonnant verre de lait, il partait pour la pointe de Camau rejoindre son groupe de partisans, nos plus cruels adversaires. Il lançait sa guerre, qui fut difficile au départ dans les marais et les rizières, officielle lorsqu'il fut appelé au Nord, enfin glorieuse lorsqu'à la tête de ses régiments il engagea des actions décisives. Que sont nos adolescences devenues! Vuong-Thanh est général, bardé de rides, presque absent, comme revenu de tout : « Mais tu n'es pas journaliste, pourquoi cette mise en scène? » Il me regarde tristement : « Si je m'étais annoncé, tu te serais préparé à me recevoir, nous aurions joué les vieux amis réunis, la fête aurait sonné faux. J'ai préféré m'en

tenir au mystère qui a toujours été notre garantie. »
Vuong- Thanh est à Paris depuis la semaine dernière, il a
fui le pays auquel il a donné toute sa vie, il a profité d'un
commandement au Cambodge pour gagner la Thaïlande
et ne pas succomber à la honte : « Je ne me suis pas battu
tout ce temps contre les Français et les Américains pour
subir à la fin le joug soviétique. Nous avons été trompés ;
je voulais un État totalement vietnamien, unifié, et non
pas un territoire sous nouvelle dépendance. »

« Que viens-tu faire ?

– Je dois ressembler à ces généraux tsaristes qui après
la Révolution n'avaient plus qu'un espoir : reprendre le
combat. Mais contre qui ? Comme eux je n'arrive pas à
vider ma vieille malle. Sans doute ai-je compris plus vite
l'insensé de mon rêve. Je voulais des soldats, je n'ai trouvé
ici que des restaurateurs, des chauffeurs de taxi, des
affairistes, des traîtres de toujours. C'est fichu... Si on
parlait de nous ? »

23 juillet. – Ma maison des Pyrénées est paisible sous
le soleil brûlant, fraîche, l'épaisseur des murs lui fait un
rempart, le temps paraît l'avoir armée pour contenir les
assauts des saisons. Dehors, on se croirait aux Afriques !
J'y viens souvent et pourtant je la retrouve à chaque fois
avec un plaisir nouveau, des yeux plus bleus. Il m'aura
suffi d'une petite minute, passé le portail toujours ouvert,
pour savoir la pousse des jeunes arbres, la force des
châtaigniers, le profond de l'étang, la bonne santé des
bêtes, pour reconnaître le sinueux de l'allée. Juillet est le
mois des embrassades parce que les paysans sont en fête.
Tout à l'heure, je me suis arrêté au bout du grand pré.
Belle et Pascal, mes drôles de poneys – ils ont remplacé
les pottoks devenus trop enthousiastes –, m'attendaient à
la barrière. Je les ai salués mais j'ai vite compris qu'ils
m'appelaient, je devais les rejoindre. Ils ont alors entre-
pris de m'offrir une véritable fantasia, tournant au grand
galop comme au manège. Ce n'était pas habituel. Enfin

calmés, ils se sont approchés. Frottant le museau contre ma poitrine, croquant dans l'étoffe de ma veste, ils m'ont engagé à les suivre jusqu'à leur abri, sous les chênes, qui est fait de vieilles planches : un petit, né du matin, encore tout humide, piétinait déjà sa paille, burlesque, court sur pattes, un jouet. Ses poils hérissés lui faisaient une robe de bure. On eût dit un clown sorti du bain tout habillé. Grisette...

J'aime cette maison qui est de pierre, de bois, de marbre, de fleurs, d'années si lointaines. J'y respire le parfum des tilleuls, j'entends les sonnailles des moutons, je m'amuse de l'espièglerie des cinq chiots, bâtards adorables, fruits du vagabondage d'une chienne ordinaire, Dolly, avec un berger de passage, je redécouvre Tara, le grand pyrénéen blanc, héritier de mes compagnons d'enfance. Et plus encore, je me remets au pays, dont les véritables beautés sont d'abord perçues par ceux qui, l'ayant quitté, ont la chance de pouvoir le comparer à d'autres. On n'apprécie une terre à son prix que si l'enchaînement de vos fuites vous en a fait l'exilé. Je le fus beaucoup, ayant accordé à l'Asie le plus fort de mon adolescence. Aujourd'hui, je me crois de retour.

J'ai dit ailleurs qu'au plein de l'été, au plus rigoureux de l'hiver, au renouveau du printemps, à l'automne des feuilles rougies, je regarde à m'y brûler les yeux mes montagnes, qui sont éternelles. Je suis de cette Bigorre qui a donné tant de preuves de son indépendance, qui a la vanité de sa noblesse : il n'y eut chez nous jamais de serfs. Nos ancêtres auront payé de pauvreté et d'abandon ce luxe de leur liberté. Sans m'épuiser à y refaire mes routes, je me plais à revoir Saint-Savin la voisine et son abbaye, Cauterets, qui se souvient d'Aurelien de Sèze, le jeune magistrat follement amoureux de George Sand, Saint-Sauveur, où Chateaubriand rencontra son Occitanienne, Léontine de Villeneuve. J'ai mes étapes et n'ignore pas qu'elles furent douces à Vigny, Lamartine, Baudelaire, Hugo, Taine et Flaubert.

172

Poussant la nostalgie au-delà des limites du berceau familial, il m'arrive, dans un même élan, d'associer les 3 B : Bigorre, Béarn et Pays basque, espaces de cœur et d'âme à l'intérieur desquels je me sens bien. Revenant de Biarritz, j'ai vérifié et déploré l'absence de curiosité des gens. Mon ami Jean Salet peut en porter témoignage. Ayant emprunté, selon de saines habitudes, les vieilles routes qui conduisent à Pau, nous n'y avons rencontré personne : l'immense flotte des automobilistes ramait au ralenti sur la nationale d'à côté, et pas un de ces prisonniers d'un itinéraire prétendu droit n'avait l'idée de prendre un chemin de traverse. Le bouchon doit avoir des plaisirs cachés. Pourtant, après avoir effleuré Peyrehorade atteint par la voie des berges, toutes les découvertes sont permises à ceux qui ont le don du regard. Les abbayes de Sorde et de Bellocq ouvrent l'accès sur Orthez, que l'on abandonne ensuite pour Salies-de-Béarn et Sauveterre, bourgs de bonne souche qui mènent jusqu'à Navarrenx, Oloron, Monein, Lacommande et Pau. La campagne est magnifique, apaisante, l'air léger, les villages n'ont pas encore été massacrés par le siècle.

Trente vicomtes rattachés à cinq maisons ont fait l'histoire du Béarn et l'ont illustrée jusqu'au dernier galop d'Henri IV. La tour Moncade surveille toujours les lointains de ce royaume. A ce lieu privilégié il fallait autrefois des seigneurs de race, et pour choisir le meilleur souvent le hasard s'en mêlait. Ainsi, un jour, les Orthéziens « trouvant deux jumeaux endormis, l'un les mains fermées, l'autre les mains ouvertes, s'en revinrent avec celui qui avait les mains ouvertes ». Gaston Phoebus devait être semblable à celui-là : prince fastueux, maître dans tous les arts, celui de la guerre, de la vénerie, du chant, prophète d'une cour d'amour en son château, il fut hélas atrocement cruel, ce qui tend à prouver que les mains ouvertes sont aussi faites pour frapper. Si l'on s'en tient aux documents, Phoebus aurait inspiré notre « hymne », ce choral que j'ai parfois entendu au bout du monde : « *Aqueres mountines – qui tâ utes soun m'empêchen de bède mas amous oun soun »* (ces montagnes qui sont si hautes m'empêchent de voir où sont mes amours).

Pudique, secrète, fière d'un passé qui pourtant ne l'a point épargnée, plate-forme préférée de ce même Phoebus, la petite ville d'Orthez dissimule ses vénérables maisons, aux tuiles fanées, derrière de grands portails. Discrétion qui s'accompagne d'un peu de vanité. L'indifférence lui va bien, elle en use, et s'il lui arrive de sacrifier à la rumeur c'est seulement pour affirmer une certaine supériorité lorsque son équipe de basket se mesure aux meilleures formations du monde. Me promenant par ses rues, j'ai revu la maison de Jeanne d'Albret, dont les ruines m'avaient un jour chagriné mais que l'on restaure avec succès et qui sera demain l'un des passages obligatoires en Béarn. Malheureusement, des voyous y ont déjà tracé des graffiti monstrueux sur les murs. Une insulte aux ouvriers, qui se sont donné tant de mal pour en obtenir le crépi beige-rose. Comment canaliser la bêtise? Mission impossible! J'aimerais avoir bientôt assez de temps pour enquêter dans toutes mes régions et terminer le livre de tendresse que je porte en moi. Je voudrais parler de ces villages d'autrefois, de Salies, aux vieilles demeures sur pilotis, qui plongent dans le Saleys, rivière délicate et paresseuse, de cette oasis modeste et belle, où Paul-Jean Toulet rencontra sa *Jeune fille verte*, de Pau, cité bourgeoise qui rêve de royauté et fut l'inspiratrice de Marguerite de Navarre, première femme de lettres de France; c'est sur les bords du Gave qu'elle composa son *Heptaméron*, recueil de contes écrits au son des luths et des cloches. Évidemment, on ne saurait oublier en ce pays la gloire d'Henri IV : il monte la garde, sur son socle, sans monture, le bras tendu comme pour nous appeler, et les mots inscrits au-dessous par les plus humbles de son peuple disent bien l'amour qu'on lui portait : *« Lou nouste Henri »* (notre Henri). La traduction française ne donne pas le vrai sens de l'expression béarnaise. Il y manque la chaleur, la profondeur du *Nouste*.

174

D'autres personnages sont nés de cette ville, des généraux, des maréchaux, à la vérité plus de guerriers que de poètes. Pau avait le goût de sa liberté et il lui fallait des soldats. Bernadotte, qui y naquit en 1763, fut de ceux-là et, de ce fait, le royaume de Suède doit beaucoup au Béarn. D'ailleurs, le souverain actuel s'honorerait en allant jusqu'en Bigorre où naquirent ses ancêtres, simples paysans du village de Sireix, juste au-dessus de chez moi. Si d'aventure vous allez dans notre Sud, passez par Accous, en vallée d'Aspe ; c'est la terre d'enfance de Cyprien d'Espourrin, conteur, rimeur, troubadour, compositeur de chansons tendres, qui sut, au XVIII\ :superscript[e] siècle, charmer la Pompadour et faire entrer notre dialecte à Versailles. Ce doux rêveur, qui avait plus de grâce que de talent, est l'un de mes fantômes les plus proches. Il a longtemps vécu sur la colline de Miramont : la chambre où il est mort est devenue la mienne. Je garde précieusement sa *Pastorale philharmonique*, en trois actes et un tableau. Un jour, sans doute, irai-je plus loin avec lui...

Il nous faudra parler aussi d'architecture régionale, de l'aspect avenant et gai des maisons basques, du charme des habitations bigourdanes et béarnaises. Ces dernières sont les plus réussies : elles ont l'équilibre des volumes et l'élégance des formes. Toutes sont belles, coiffées d'un toit à fortes pentes, à brisis, dont le rebord repose souvent en façade sur une corniche joliment composée. Une grande porte en anse de panier, au claveau de pierre apparente, trace son arc coloré sur la façade aux murs crépis à la chaux teintée de couleurs douces, blanc, gris, rose ou ocre, sur lesquels percent des galets du gave... Des balcons y apportent la fantaisie et la légèreté de leurs balustrades. Un numéro remarquable de *la Vie à la campagne*, publié en 1927, donne bien d'autres précisions, et la Librairie Guénégaud a fait œuvre utile en le réimprimant en 1977. Les fermes de ce pays méritent une mention particulière : elles nous font oublier les villas affreuses que des concepteurs de peu d'imagination posent grossièrement – et à prix d'or – en des lieux qu'il

175

ne fallait pas ainsi condamner. Elles ont pour la plupart la délicatesse d'une gentilhommière, avec leur porche qui s'ouvre sur une cour en profondeur et une façade à balcons ouvragés, à encorbellements multiples. Le patrimoine français, qui compte 38 000 monuments historiques, devrait veiller, avec le même souci de conservation, sur ces modestes trésors, sur ces villages point encore abîmés, qui n'ont peut-être pas de grands noms à honorer ni un passé prestigieux à revendiquer, mais qui témoignent de la vraie qualité d'un art rural. Si l'architecture moderne nous donnait à rêver dans ses outrances, nous aurions moins à regretter la simplicité géniale des bâtisseurs d'autrefois. Je crains, sur ce plan, le jugement de l'avenir.

Cette promenade sur les crêtes du Pays basque, du Béarn et de la Bigorre me permet de prendre mes distances, de contempler l'Océan, d'admirer les montagnes, de tourner le dos à un paysage politique qui décidément ne changera jamais, de couper les ponts avec des hommes qui, à longueur de vie, nous servent les mêmes propos lénifiants.

24 juillet. – Ce soir je retrouve Robert Lassalle, mon ami d'enfance, au Royal d'Évian. Il m'a fait une surprise : Madeleine Renaud et Jean-Louis Barrault m'y attendent. On sait mon penchant pour ces comédiens de grande race, ces monstres superbes d'un monde en voie de disparition, capables de tout jouer, du gai au tragique, impatients de servir avec le même feu le vieux répertoire et les auteurs d'avant-garde, assez fous pour prendre aujourd'hui tous les risques d'une aventure théâtrale nouvelle où peut s'engloutir ce qu'il leur reste d'avenir. Nous avons fait tant de choses ensemble qu'il me semble nécessaire de leur imaginer des suites. Jean-Louis revenait de Suisse, où il était allé reconnaître la terre de son prochain grand cru. Les anarchistes de Lausanne lui ont offert la plus petite vigne du monde, un carré de pieds, deux mètres sur deux, « en hommage particulier à sa contribution d'artiste, pour le remercier d'avoir inscrit Charles-Ferdinand Ramuz à son programme ». Joie dans le ciel!

29 juillet. – Pour rien au monde je n'aurais voulu manquer ce rendez-vous avec la plus illustre des nations : les Jeux Olympiques. Toute la journée d'avant cette nuit, avec Claude Nougaro, Marcel Jullian, Robert Manuel, Jacques Martin, Jean Bobet, André Darrigade – mes invités à France-Inter –, nous avons fait des calculs de probabilités. Qui regardera? Qui s'endormira? Biarritz avait du bleu, de la mer au ciel; les médias parlaient de violences basques et je ne voyais que des soleils, des vagues à dos rond, des rochers comme des Magritte. C'est vrai que j'aime ce pays : il m'arrive de pousser le vice jusqu'à venir y travailler.

J'étais donc à mon poste à la première heure de ce dimanche, fenêtres ouvertes sur l'Océan, impatient comme un gosse, fidèle comme il y a quatre, huit, douze, seize, vingt ans... J'écoutais Robert Chapatte et Pierre Salviac; je me souvenais de ce que nous nous étions promis à l'étape du Tour, à l'Alpe-d'Huez : « On se retrouve à Los Angeles. » J'ai préféré le parfum du foin, les montagnes, ma province. J'ai voulu aussi profiter de chaque seconde, ne point perdre une seule image, et la télévision en ces cas-là est irremplaçable, j'ai souhaité peut-être ne pas être piétiné dans la foule, à l'entrée du stade. Je revendiquais à la vérité un plaisir solitaire. Et j'ai tout accueilli : le grandiose du spectacle, la bonne humeur des acteurs, leur décontraction, la participation du public, la vertu des athlètes, leur longue attente et surtout la générosité du *don :* évidemment quelques grincheux diront qu'il n'est pas gratuit, on dénoncera le mercantilisme, les dépenses énormes; les pays totalitaires crieront au scandale. Peu importe! Ce gouffre à milliards, je le couronne de toutes les fleurs de la terre. Plutôt des stades que des champs de manœuvre, plutôt des chariots de la conquête de l'Ouest que des tanks. Et pour l'argent attribué prétendument aux champions, silence, de grâce, un peu de pudeur. Nous sommes dans un monde où l'on paye les moins habiles jusqu'au quart d'heure supplémentaire, même et surtout s'ils n'ont rien fait avant.

On peut s'éblouir de la cérémonie d'ouverture de ces jeux, faire le compte des musiciens et des danseurs – 12 000, paraît-il – reconnaître les fastes des superproductions hollywoodiennes, mais il me semble que le miracle, la beauté sont ailleurs et deux milliards de téléspectateurs l'ont compris. C'est la santé d'une nation, la liberté qu'elle donne à ses enthousiasmes, la spontanéité de toute une jeunesse épanouie qui auront su les séduire. Quel peuple peut offrir de lui-même une expression aussi exacte, une image qui ne soit pas figée, trop droite par discipline ou inspirée par la politique? Les Américains s'amusent de leur histoire et ne nous ennuient pas du sérieux de leurs réalisations : ils font caracoler leurs pionniers, danser le jazz, chanter les Noirs, ils accordent plus d'importance à Cole Porter, Armstrong, Luis Prima et Gershwin qu'aux cosmonautes qui ont ouvert pourtant les routes de la Lune. Leur divertissement était remarquable parce qu'il n'obéissait à aucun discours, qu'il ne souffrait d'aucune fièvre idéologique. Bienheureux pays qui pousse le luxe jusqu'à n'accorder à son Président qu'un rôle de figurant. Il était pâlot, Reagan, et peu à son aise, si protégé, si lointain dans les cintres! C'est de très haut qu'il aura vu ce défilé de couture unique au monde, cette présentation de milliers de mannequins plutôt forts en muscles. Nous avons été gâtés par les fastes vestimentaires qui témoignaient du caractère vrai de chaque groupe; nous avons remarqué la classe évidente des Anglais – un rien les habille –, la sobriété des Finlandais, la coquetterie des Chinois, le luxe des Saoudiens – plus seigneurs du désert que jamais – et le mauvais goût des Français, assez stupides pour laisser croire que la laideur est aussi une grâce parisienne. Mais cela a peu d'importance au regard de la compétition qui s'annonce et qui met surtout en évidence la regrettable absence des pays de l'Est. Pauvres champions d'au-delà du rideau de fer qui auraient mérité de participer à ce rassemblement de paix, danger de la politique qui n'est elle-même que dans des humeurs de guerre! C'est hélas la réponse du berger à la bergère, l'inévitable enchaînement des erreurs, la réplique grossière à l'absurde décision de Carter qui avait boycotté Moscou. Quand donc cesseront ces joutes vulgaires? Il n'en reste pas moins vrai que l'Amérique avait reçu les images de l'URSS. Les Russes, eux, ne sauront jamais que la parade de Los Angeles fut triomphale. Demain, entre deux communiqués, la *Pravda* parlera de fête capitaliste et dénoncera la cupidité des envahisseurs, des faiseurs d'embrouilles. Ensuite, ce sera le silence, la coupable indifférence de l'information soviétique, l'absolu mépris pour des citoyens pourtant passionnés de sport. Obscurantisme de l'appareil d'État. Les inventions, les progrès de la science ne sont rien si l'homme est à ce point abandonné à l'archaïsme totalitaire, au pouvoir démoniaque de quelques-uns qui ont la prétention criminelle de décider au nom du peuple. Et que l'on ne nous raconte plus les éternelles fadaises, la félicité de l'ordre égalitaire, la grandeur du socialisme rouge. Il y a des prisons à ciel ouvert et à grande circulation. Et vive la Roumanie qui a rompu le pacte de Varsovie en n'acceptant pas de bouder les jeux! Nous devons retenir d'ailleurs la déclaration de son représentant : « Quoi de plus précieux que la liberté pour les peuples de se déplacer librement... Ici nous sommes une seule nation. »

Retenus par leurs geôliers, les gymnastes, les nageurs, les coureurs de l'Est n'auront même pas la possibilité de suivre sur le petit écran les performances, ou du moins la simple participation de leurs « adversaires ». Mais ils savent combien ces derniers regrettent leur absence et à quel point nous nous désespérons de les imaginer malheureux. Voilà, M. Carter, ce que vous avez gagné un jour

179

de colère à vous montrer intransigeant : l'arrogance est une maladie contagieuse.

Pour oublier tout à fait cette nouvelle verrue de la politique, je ne retiendrai de cette longue parade de cinq heures qu'un visage ébloui de femme, marchant avec les autres, roulant plutôt sur son fauteuil, à la tête de la délégation de Nouvelle-Zélande. Nous avons été deux milliards à l'apercevoir, mais personne n'a dit son nom : elle s'appelle Nerobi Fairhall, elle a trente-neuf ans. Sa spécialité? Le tir à l'arc. Son visage souriant m'avait déjà frappé aux derniers championnats du monde, cette nuit je l'ai trouvée plus belle encore. Nerobi est un exemple pour tous, elle fournit la preuve éclatante de ce que peut la volonté, du dépassement de soi-même par le sport. Paralysée à la suite d'un accident de moto en 1969, elle devient dans l'histoire des Jeux le premier handicapé à oser affronter les meilleurs valides dans une confrontation au plus haut niveau. Son exploit eût enthousiasmé Pierre de Coubertin. Car elle se veut participante au même titre que les autres. Je suis persuadé que sa magnifique détermination lui permet de ne plus penser qu'elle fut, à vingt ans, l'un des grands espoirs de l'équitation de son pays. Sur la cendrée de Los Angeles, au milieu de ses camarades, je n'ai vu que sa joie immense, sa blondeur comme illuminée.

30 juillet. – Il y a du Julien Sorel en lui et c'est aussi par le rouge et le noir qu'il fait son chemin. A la vérité, il use de toutes les couleurs. Sa timidité des débuts s'est effacée, il a pris le parti de la séduction sans abandonner la rigueur nécessaire. La naissance d'un visage à la télévision est chose si rare que je ne résiste pas au plaisir de lui donner un nom : Roger Zabel.

31 juillet. – Daniel Barenboïm sera donc reconduit pour un an à la tête de l'Orchestre de Paris. L'annonce de la décision prise par les autorités de tutelle n'échappe pas à la banalité, à une forme de mépris propre aux gens de cour. En le prolongeant, c'est une grâce qu'on semble lui faire. Le ministère de la Culture et la ville de Paris devraient plutôt s'honorer, se réjouir du moins, de pouvoir disposer d'un tel musicien pour nos divertissements. Il est tout de même invraisemblable que la politique, la magouille, le copinage aient également des effets sur la vie musicale... « Gardons-le encore quelque temps, ont dit les édiles. Il peut nous servir. » N'est pas prince qui veut. Louis II s'y prenait autrement avec Wagner. Il est vrai qu'il était fou et sublime! Nous n'avons plus que des pages raisonnables.

1er août. – J'ai revu Cézanne en son jardin, enfin retrouvé, recueilli, rattaché à ses origines, récupéré par un pays qui lui fait tardivement hommage, par une ville qui ne s'est pas illustrée en l'ignorant. Aix-en-Provence au XIXe siècle devait avoir le regard voilé. Écarté par ses concitoyens – le talent est parfois une peste –, détesté par les notables que du reste il n'épargnait point – « Les Aixois? Des ignares et des crétins » –, le grand peintre provençal revient à la terre qu'il aimait et donne des frissons de bonheur aux descendants de ceux qu'il méprisait. Le voici accroché au musée Granet qui s'accorde le mérite d'accepter huit de ses toiles, héritage inattendu du collectionneur Pellerin. Ces tableaux ne comptent pas parmi les meilleurs – pour voir *les Baigneuses* il faut aller à Londres –, mais ils sont un signe de reconnaissance. Les premières couleurs d'un arc-en-ciel à venir.

Cézanne était trop grand pour sa bourgade, trop célébré ailleurs pour être estimé chez lui, et c'est la faiblesse du régionalisme mal appliqué. Au nom d'une démagogie primaire la province fait des triomphes faciles à ses enfants les plus médiocres et sans bien s'en rendre compte rapetisse à tout jamais des gens qui croyaient pouvoir grandir au pays. Il n'y eut jamais en France, dans les mairies, les syndicats d'initiative, les casinos, tant d'expositions de croûtes. Pour gagner quelques voix les élus ne craignent pas d'imposer des horreurs. A vous dégoûter de la peinture. On ne forme plus le goût, on le défait. Les moins doués se montrent les plus vaniteux, ils organisent même des vernissages, et les vrais amoureux s'amusent de ce grand déballage. Cézanne, en son temps, eut à souffrir de l'indifférence de ceux qui lui préféraient les barbouilleurs du coin. Mais il était révolté, passionné, farouche, il refusait toutes les compromissions, ne s'abaissant jamais aux étreintes locales. L'exigence née de son génie aura eu raison de tous ses détracteurs. Le voici, après un siècle d'errances, prince en sa demeure.

2 août. – Vuong-Thanh m'a rejoint dans notre « palais » de l'avenue Montaigne. Il n'était pas plus heureux qu'à notre première rencontre, pas moins amical non plus. Nous avons évité les grandes envolées nostalgiques, l'analyse des drames qui sont l'essentiel de cette deuxième moitié du siècle. Lourd des tristesses de tant de vies gâchées, il ne m'a rien dit de son désir de reconquête, je ne saurai pas s'il espère encore constituer ici des groupes armés prêts à partir pour les maquis du Vietnam où quelques irréductibles font la chasse au communisme. Il m'a seulement parlé de Marc B. qu'il a revu au début de l'année à Saigon, que je croyais mort, disparu dans la tourmente. Marc a été l'une des énigmes de notre adolescence curieuse. Nous ne savions que très peu de chose de son passé, sa culture nous éblouissait, il paraissait avoir tout lu, il avait pour toute fortune une énorme malle bourrée de disques, de vieilles cires qu'il nous demandait d'écouter dans le plus absolu silence et qu'il commentait ensuite avec un art consommé d'esthète. Il était grand, haut, d'une impressionnante sveltesse squelettique, hérissé au faîte de ses presque deux mètres d'un désordre épais de cheveux blancs. Il portait en permanence une longue chemise de soie blanche qui allait jusqu'aux

182

genoux et un pantalon de même tissu serré aux chevilles sur des sandales mystérieusement retenues par de vagues lanières de fixation. Il était arrivé juste avant nous en Indochine. Médecin-capitaine sorti de Santé navale il avait fait escale un matin de 1948 sur ce point chaud du Sud-Est asiatique et n'avait plus jamais repris la route du port. Le bateau était parti sans lui. L'opium, qui est une maîtresse folle, capricieuse, l'avait noyé dans de fortes fumées et à jamais retenu. Il avait tenté les deux premiers jours de s'en défaire, mais la prison tissait de trop tendres filets. Nous l'accompagnions souvent dans ses rondes nocturnes, il avait dressé à notre seul usage la liste complète de ces lieux d'abandon où, dans un touffu d'étoffes brodées d'or et d'argent, sur des coussins et des tapis de légende, des femmes superbes, métisses nées des amours ou plutôt du passage d'un Anglais dans la couche d'une Chinoise, préparaient avec minutie, délicatesse, une lenteur envoûtante des pipes enfiévrées dont le bois, je m'en souviens encore, portait la trace de leurs doigts mouillés par le froid des petites boules-poison. Ces créatures, pour la plupart venues de Hong Kong, avaient une étrange beauté qu'elles s'obligeaient à tenir lointaine, elles ne parlaient jamais et je ne crois pas les avoir vu marcher : elles glissaient. Leurs gestes correspondaient à un rituel, l'indifférence leur était naturelle, la compromission ne leur fut jamais imposée et je veux témoigner de cela. J'ai trop entendu d'imbéciles bavards qui se vantaient d'avoir eu avec ces filles-là des aventures... qu'ils avaient seulement rêvées! Comme les geishas, elles étaient inaccessibles et notre honneur fut toujours de les considérer comme telles, du moins dans leurs chapelles. Car il y eut, loin de la fumerie, de tendres amitiés, des coups de cœur; l'une d'entre elles fut enlevée par un jeune lieutenant qui est aujourd'hui général. Elle vit à Paris, je la rencontre parfois, nous nous amusons de tout. Elle se fait passer, sans y croire le moins du monde, pour l'une des dernières descendantes de l'empereur de Chine. Sa distinction est telle, sa classe à ce point écrasante qu'elle s'autorise toutes les audaces, non pas par une vanité excessive mais plutôt par un humour particulier. Elle domine les pires situations, elle a l'ironie cruelle, la phrase dévastatrice. Les petites bourgeoises nouvellement fortunées, empêtrées comme l'on sait dans des vertus d'apparence sont sa cible préférée. A l'un de ces dîners mondains que je déteste et auquel elle m'avait demandé instamment de participer, elle eut à mon adresse, devant seize convives du meilleur rang, ce mot étrange : « Il y a longtemps que je ne vous ai pas fait une pipe. » Le silence d'après fut d'une rare qualité. J'avais apprécié d'un œil baladeur; il fallut – ce que nous attendions – la bêtise d'une dame pour tout compromettre... « Et si nous parlions d'autre chose », crut-elle devoir dire. L'opium qu'elle ne connaissait pas poursuivait ses ravages.

Marc B., dont l'image toujours vivante réveille ces souvenirs, nous avait appris à ne pas considérer ses dévergondages de drogué impénitent comme une saison en enfer mais plutôt comme une cérémonie. Notre jeunesse, notre inexpérience, notre inconscience nous sauvaient. Nous ne prenions pas tout cela au sérieux, ces soirées étaient des fêtes dont le luxe ne nous était pas familier, nous en aimions les parfums, l'odeur insistante. J'avais la chance d'être grisé très vite, la petite boule me donnait la migraine, je m'en écartais immédiatement pour ne rien perdre de ce qui était à mes yeux le plus important : la respiration d'un monde que je savais à sa fin, la découverte d'un climat que jamais un livre – même pas celui de Cocteau – n'était arrivé à me faire ressentir. Les hommes ici devenaient extraordinairement brillants à la sixième « fumée » et les femmes les mieux armées contre la gaudriole étonnamment libertines. La musique et le décor avaient pour moi plus d'attraits que l'éclatement violent du suc brunâtre des graines de pavot. A l'aube, dans ce champ d'ombres couchées, perdues, Marc ne nous appartenait plus. Il était entré, corps lié, dans sa folie. Nous ne le retrouvions que plus tard dans l'après-midi, au studio de la radio, où il composait de remarquables émissions musicales, les plus belles sans doute qu'il m'ait été donné d'entendre. Dans ces moments nous ne disions rien de nos nuits, il nous fixait simplement d'un mot le rendez-vous du soir. Le tragique ne pouvait pas ne pas être au bout de sa route. Un matin, alors que plus hypnotisé que d'habitude il s'était effondré sur son bat-flanc d'un hôtel sordide de Cholon, il prit machinalement une cigarette, l'alluma et s'endormit aussitôt sous sa moustiquaire. Le feu prit vite à ce rideau de gaze et de mousseline, et c'est un grand brûlé que l'on nous rendit. Nous nous moquions gentiment de son apparence. Il ressemblait à une momie, entouré de la tête aux pieds, pressé de bandelettes. Il lui restait toutefois une ouverture à hauteur des yeux et des lèvres. Suffisante pour voir la vapeur et atteindre la pipe. Car il mit peu de temps à s'en désespérer.

C'est de cet homme-là que Vuong-Thanh me parle aujourd'hui. J'ai du mal à croire qu'il est toujours de ce monde. « Tu le reconnaîtrais facilement, il n'a pas changé. C'est plus que jamais un être de cauchemar. »

3 août. – Mes nuits étaient déjà longues, elles n'ont maintenant plus de fin. Il est 5 heures du matin et j'ai encore des réserves assez étonnantes pour me battre à ma manière sur les pistes, les rings, les gymnases, les piscines de Los Angeles. Aubes bienheureuses! Je participe à tout, aux victoires, aux échecs, aux joies, aux tristesses et plus encore au formidable élan de la télévision qui pousse à l'excitation sur Antenne 2, tout à fait préparée cette fois à ouvrir son écran vingt-quatre heures sur vingt-quatre. J'aurais été évidemment séduit par de grandes performances françaises mais l'essentiel de la compétition n'est pas dans le cocorico. C'est plutôt la volonté de vaincre de chaque participant, cette beauté d'âme qui m'émeuvent, cette grâce du geste. Honte aux vieilles barbes qui nous ennuient de leurs plaintes et s'engloutissent dans les

mêmes désolantes petites phrases... « De mon temps »...
« Les choses ne sont plus ce qu'elles étaient. » Foutaises!
Constatons l'admirable de cette jeunesse, sa force, sa
lucidité, son esprit d'alliance. Et comme ils nous manquent, les Russes, les Allemands de l'Est, les Bulgares!

Je sais que nos nuits devant le récepteur, ces messes
sportives, sont ici partagées par un ou deux millions de
fidèles. Triomphe inattendu. Que nous devons aussi à la
qualité des commentateurs. Robert Chapatte, Thierry
Roland, Pierre Salviac, Richard Diot, Pierre Fulla, Gérard
Holtz, Daniel Cazal, Jo Choupin, Jean-Michel Bellot,
soyez remerciés. Et une mention spéciale, un micro
d'argent à Michel Rousseau, ancien champion d'Europe
du 100 mètres nage libre, qui fait sur notre chaîne de
brillants débuts : technicien de haut vol, ses commentaires sont remarquables. Une critique toutefois : nos
envoyés spéciaux ont eu tort de trop parler, avec trop de
vibrato dans les voix, de la « médaille d'or » de Catherine
Poirot aux 100 mètres brasse. C'était jeter sur elle le
mauvais sort. Elle n'a obtenu que le bronze et nous
devons l'en féliciter. Pour la natation française, après
Delcourt, c'est comme un couronnement. Mais le plus
beau de cette journée nous aura été donné par la gym-
nastique féminine qui constitue aujourd'hui encore la
discipline idéale, le pur alliage du sport et du spectacle.
Je voudrais que les Roumaines et les Américaines soient
de toutes nos fêtes... Nous retiendrons les formidables
envolées de Mary Lou Retton – tempérament de feu,
gagneuse, plus décidée que raffinée – et de Ekaterina
Szabo – fine, fragile, un peu tristounette... Maintenant
j'attends Carl Lewis : le jour est au bout de son saut.

6 août. – J'apprends à l'instant que l'Orchestre philharmonique de Berlin accepte de mettre fin au différend
qui l'oppose à son chef Herbert von Karajan. La nouvelle
pourrait être rendue officielle dès la fin du mois. Pour
l'instant on en garde jalousement le secret afin sans doute

de magnifier la surprise au bon moment. Astucieux et grand seigneur, surtout épuisé par la bêtise, le maître a décidé de tirer un trait sur le passé, d'oublier – du moins pour la galerie – l'insupportable conflit qu'avait provoqué en janvier 1983 l'engagement de la jeune clarinettiste Sabine Meyer. Les musiciens allemands, derniers machos de l'empire des fosses, n'avaient pas accepté l'intrusion d'une femme dans leur cercle. Elle leur était imposée, c'était un crime de lèse-vanité. La bataille qui s'achève sur un compromis – Karajan ne pardonne jamais – n'aura pas été inutile puisqu'elle a convenablement amusé les petits valets de l'art lyrique toujours en quête d'un scandale [1]. Que n'a-t-on pas entendu qui était pourtant seulement susurré! Les ennemis, surtout ceux de New York, les jaloux – les mêmes plus une dizaine de chefs prêts à prendre la relève –, les aigris s'ébattaient en cadence sur une partition qu'ils jugeaient enfin à leur portée. Et Karajan, patient, appelé ailleurs par le mal qui le tient, par cette colonne vertébrale en dentelle qui le déséquilibre parfois, titillé finalement par le bruit de la guerre, les observait, amusé, à la barre de son bateau, aux commandes de son avion, toujours en haut, toujours pleine mer. Les vagues, ça le connaît. Et les tempêtes mauvaises n'ont pas prise sur lui. Seule la nature pourra le renverser. Il a l'avantage considérable de dominer le sujet par son propre génie. Il est habité, possédé par le plaisir de la musique. C'est un homme de désir qui pousse l'indifférence jusqu'à ne plus voir la perversion; on l'a tellement tiraillé de toutes parts depuis des lustres qu'il triomphe un peu plus à chacun de ses combats. Bach sera demain le plénipotentiaire qui signe la paix et nous verrons la première formation orchestrale du monde et le plus grand chef vivant une fois encore amoureux, réconciliés par la fatalité, unis pour le meilleur qui s'est adroitement

1. Depuis « l'affaire », Sabine Meyer a du mal à répondre à toutes les sollicitations. La cabale des dévots du pupitre lui a donné une publicité considérable. La voici propulsée sur le devant de la scène. Fini l'anonymat. Elle est devenue soliste.

défait du pire. J'attends ces retrouvailles, je les sais fixées.

10 août. – Sa gueule de boxeur est un véritable défi à la beauté et il est superbe. On l'imagine jouant de l'épée sur quelque terrain vague ou se lançant pieds nus dans le désert à la recherche d'une autre Toison d'or, on le sent tendu par des quêtes multiples, prêt à tous les combats pour arracher au monde les mythes des vieilles civilisations. Il est baroque, brûlant, marqué au rouge par des incendies qu'il ne peut s'empêcher de provoquer. Constamment aux aguets, Anthony Burgess se désespère de ne pas être dans la même seconde écrivain, poète, compositeur, pianiste de bar, metteur en scène, comédien, camelot et vice-roi des Indes. Et pourtant il est tout cela par épisodes : ce sont ses fragments de vie. Son dernier roman, *Dernières Nouvelles du monde*, me rappelle aujourd'hui qu'il poursuit une œuvre foisonnante, désordonnée et folle, accordée à tous les genres, à l'anticipation, à l'histoire, à la musique, à l'actualité immédiate qui le déchire, à la religion qu'il explore à la suite des apôtres et de saint Paul. Ce solitaire paillard se souhaite des amis et un peu de gloire pour l'éternité. « Ne croyez pas à de la vanité. Je revendique simplement une interminable vieillesse heureuse. Les livres peuvent aider à ne pas mourir. Dans un siècle je reviendrai sans doute avec mon ami Joyce m'attabler au Fouquet's. Nous serons célèbres ensemble et les étudiants abîmeront leurs yeux à décrypter nos mots. » On peut le laisser délirer ; il a le génie de la plaisanterie qu'il balance avec l'assurance d'un prédicateur juché sur sa chaire, il plaide pour toutes les extravagances mais il a aussi une blessure ancienne que la paupière lourde n'arrive pas à dissimuler. Il traîne son pays et son catholicisme d'origine, celui de Manchester, « comme une gueule de bois ». Pas étonnant qu'il devienne chaque matin un peu plus irlandais. Sans trop s'en rendre compte, Burgess est en train de se fabriquer une légende dont les données historiques pourraient être les voyages, la maladie, l'exil, l'absence d'amour. Il sait ce qu'il doit à Stanley Kubrick qui a fait exploser au cinéma son *Orange mécanique*, mais il en parle toutefois avec un certain détachement, une aristocratique indifférence... « Aimer ses proches c'est d'abord ne pas les épuiser de compliments. Les mieux armés n'y résistent pas. Nous finissons tous par croire ce que l'on nous dit... d'aimable. Pour ne pas gêner mes contemporains je ne raconte que mes grands morts, le monde de mes géants, Napoléon, le Christ, quelques papes et aujourd'hui Freud, Trotski. Leur biographie ne me concerne pas; ils n'ont d'intérêt que s'ils acceptent d'entrer dans mon univers. Je les fais personnages de mes romans, je leur donne l'illusion de renaître, je me prolonge en les réinventant. » La réalité de l'exil l'écartèle. Il vit durement l'agonie du siècle et fait collection d'images : celles de son père buveur de bière et pianiste de bastringue, de sa mère emportée par la grippe espagnole, de sa belle-mère qu'il a monstrueusement caricaturée dans *Monsieur Enderby*, de sa première femme battue, violée, dans le fog londonien au lendemain de la guerre, de James Joyce son gourou. Et l'avenir? Les dernières nouvelles ne sont pas bonnes. Il était temps d'en faire un livre. Alors, là, Anthony Burgess se déchaîne avec la remarquable complicité d'Hortense Chabrier et de Georges Belmont, ses traducteurs. L'occasion de dire à quel point ces derniers et leurs semblables sont impliqués dans la re-création d'une œuvre. On oublie trop souvent le travail de ces humbles qui mériteraient de signer sur la couverture à côté de l'auteur.

Burgess a toujours considéré le roman comme l'aventure la plus achevée de l'homme contemporain dont il note toutes les névroses. D'*Orange mécanique* aux *Puissances des ténèbres*, il est passé par mille ciels, mêlant avec sang-froid la rigueur et la désinvolture. Aujourd'hui ce quarantième livre, *Dernières Nouvelles du monde*, présente une suite de scènes qui forment trois récits distincts imbriqués d'une manière assez démoniaque. Il faut avoir le goût du désordre ou plutôt une lucide vision de l'univers pour réussir un tel pataquès. Le thème le plus intéressant et le plus drôle concerne Freud et sa découverte de l'inconscient, pour l'auteur l'un des événements les plus marquants de ce temps. Deuxième personnage de la galaxie Burgess, autre « grand » qui s'inscrit dans ce siècle, Trotski que l'on suit à New York à la veille d'octobre 1917 sur un air d'opérette ; l'humour n'épargne pas le capitalisme et le socialisme. La science-fiction est le dernier chapitre de ce livre, l'ultime convulsion. L'apocalypse n'est pas loin ! Que sauverait-on de cette terre si un astéroïde prenait un malin plaisir à la heurter ?

Dans ces *Dernières Nouvelles du monde* où il met en question la conscience même du siècle, Burgess entraîne sa troupe d'acteurs dans un embrouillamini et abuse de la seule fiction par désespoir de l'homme, pour ne pas voir s'engloutir la planète. C'est son opération survie. Les hommes qu'il nous raconte ont tracé un chemin. « Leur grand voyage est devenu le nôtre. Telle est, mes enfants, mesdames et messieurs, l'histoire. » Je le lis comme je le vois, pélican dressé sur ses bonheurs tristes. Et je me souviens de nos semaines radiophoniques qu'il ponctuait d'un impromptu au piano. Anthony Burgess, Anglais déchu qui se veut irlandais, peut arpenter aujourd'hui la chaussée des géants et y croiser sans effroi Yeats, Synge, Joyce, O'Casey, O'Brien, O'Flaherty, ces autres révoltés d'une île en détresse. De tous ceux-là il me parlait longuement avec une certaine démesure, mais c'est lui que j'entendais le mieux... « J'étais condamné par les médecins ; les médicaments et les soins n'avaient aucun effet sur moi. Je me suis shooté à l'écriture, saoulé de mots ; je voulais, avant de mourir, construire une œuvre. Mon ambition et ma vanité ont vaincu la mort. J'ai raté ma jeunesse, j'ai commencé tard ma vie, le dictionnaire m'a sauvé de l'ignorance, je serai jusqu'à la fin un exilé, un catholique du Lancashire qui n'acceptera jamais la grande réforme. Je ne suis plus de mon pays, Londres m'est une capitale étrangère, c'est en France et en Italie que je suis bien : j'y écoute les cloches à midi, je peux faire le signe de la croix, je ne suis pas affronté aux guerres de religion. » Burgess, qui a fait ses premières classes de littérature à l'âge de trente-sept ans, se considère encore comme un débutant : « J'espère pouvoir écrire un livre un jour qui ne sera pas médiocre. » Besogneux, acharné, attentif à son « boulot » – « Les miens qui parlent d'art sont des prétentieux » –, il s'installe chaque matin à sa machine avec une espèce de désespoir et « tape quelque chose, n'importe quoi, pourvu que les caractères s'inscrivent sur la feuille blanche ». Il lui arrive parfois de regretter le temps où l'on croyait qu'il pourrait devenir grand musicien : « Mon père, pianiste de bastringue, m'avait ouvert la voie. Il aura fait plus que moi pour la popularité de la famille : lui, au moins, au théâtre, il a accompagné Charlot, oui, le vrai Charlie Chaplin, et aussi Stan Laurel, de Laurel et Hardy. C'est tout de même plus important que ma pauvre littérature. » Burgess, qui n'en est pas à un paradoxe près, estime que les « Anglais sont trop stupides [1] » et les « Français trop intellectuels. » Il ajoute, perfide, « Seule la stupidité est créative ». Contrairement à la plupart de ses confrères « scribouillards », il affirme que la critique est nécessaire... « En général, l'écrivain ne comprend pas bien ce qu'il a dit... J'ai besoin que l'on m'explique mes propres livres, je suis une poule qui pond des œufs et ne sait pas les manger. Créateur de personnages, je suis vite dépassé par eux et il m'importe que les sicaires de la presse puissent faire le point. » Pour approcher son œuvre, nous avons dessiné ensemble un itinéraire fléché... « Décidons de quelques courtes étapes. D'abord *Orange mécanique* – à cause du film –, ensuite *l'Homme de Nazareth* – merci Zefirelli –, *les Puissances des ténèbres*, enfin *Monsieur Enderby* pour avoir une idée de ce qu'est la création, de ce qu'elle impose de solitude perverse. » Burgess se plaît aux batailles des phrases, au

1. Il va plus loin encore... « Les Anglais sont une race d'hypocrites, de renégats, de boutiquiers, de philistins qui pratiquent la pire cuisine du monde. »

bonheur des formules, nous discutons des heures puis vient le moment où il nous abandonne. Persuadé que tout a été dit, qu'il n'a plus rien à ajouter, il s'éloigne d'un pas lent jusqu'à sa table de travail qu'il observe d'abord avec un peu de malice au coin de l'œil, qu'il prend ensuite de ses deux mains pour la tenir à sa merci, ne pas lui laisser la moindre chance de rebellion. La croyant domptée, il se cale sur sa chaise et dès lors nous ne sommes même pas de trop. Il nous a complètement oubliés. Seule compte la machine à écrire, seul vaut le rythme régulier de son jeu pianistique sur les touches. Son « boulot » continue : mille mots par jour. Je le regarde de loin, attentivement ; j'ai toujours été passionné par l'incroyable diversité des manières de faire, de dire, par les méthodes et les tics des littérateurs. Je ne peux m'empêcher d'imaginer qu'à cette place, dans la quiétude monégasque, il a dénombré ses joies et ses haines. Voilà donc l'endroit où, avec délectation, il a jeté du venin sur la deuxième épouse de son père... « Ah ! La disgrâce et la vulgarité de cette femme... Un quintal de lard couvert de bagues et de broches... Et sa chambre ! Jonchée de culottes bouffantes sales, de combinaisons dégoûtantes, de corsets malodorants... Solide comme une truie, elle geignait et se plaignait de douleurs dans toutes les jointures... Elle avait les gaz bruyants, même en public. » Comment ose-t-on livrer tant d'horreurs ! je lui en ai fait le reproche, il s'est donné un instant l'élégance du repentir mais la sincérité a vite repris le dessus... « Un écrivain doit tout dire. Ma belle-mère était pis que cela, elle a enlaidi mes jeunes années, c'est la tragédie de ma vie. Elle a réussi à me faire douter des femmes en général et par conséquence directe de ma propre virilité. Je n'ai pas assez de grandeur d'âme pour lui pardonner. » Burgess est intimement convaincu qu'il existe une relation profonde entre la créativité et la puissance sexuelle. « Je n'ai jamais rencontré un écrivain impotent, seuls les politiciens le sont, ce qui explique le peu d'invention de ces gens-là. » Dans ma montagne de petits papiers griffonnés j'ai retrouvé des phrases d'An-

192

thony notées au vol... « Le pessimisme parle, mais la tragédie chante » – on pense au poète Yeats –, « La vie n'est pas tragique, c'est sa fin qui est honteuse », « On peut être perpétuellement gai et idiot », « Il y aura toujours de la solitude pour ceux qui en sont dignes et je suis vraiment trop entouré », « J'ai composé trois symphonies et malgré cela on ne me prend pas au sérieux sur le plan musical. Le syndicalisme sans doute ne permet pas à un écrivain de s'illustrer dans d'autres disciplines », « La musique et l'écriture m'auront appris la nécessité de choisir la note et le mot justes », « J'ai de la pudeur parce que je suis autodidacte », « Le musicien est bien supérieur à l'écrivain. Pourquoi lire Cervantès lorsqu'on tient à sa disposition le poème symphonique de Richard Strauss, le sublime *Don Quichotte*. Les âmes habitent la partition : le violoncelle est Don Quichotte, l'alto est Sancho Pança... »

On reprochera peut-être à Burgess ses paresses de style mais toute critique paraît anodine lorsqu'il y a foisonnement, folie, démesure, génie, provocation si fortes. Ses *Dernières Nouvelles du monde* annoncent le prochain voyage et il ne semble pas y avoir d'autre choix que son vaisseau spatial si l'on veut sauver les meubles et préserver l'esprit.

11 août. – Le fisc joue et perd, et subitement le procès qu'il avait intenté devient exemplaire tant les conclusions en sont ahurissantes. Le Trésor public a été condamné à verser 20 000 francs aux trois directeurs du Palm Beach de Cannes que l'on avait faussement accusés. L'affaire remonte à 1981. Le 16 septembre de cette année-là, la police des jeux interpelle Yves de Félix, François Moraglia et André Bernaudo, coupables selon elle d'avoir réglé onze paiements douteux. On peut s'étonner que des inspecteurs de cette qualité – j'ai pu vérifier leur efficacité dans d'autres affaires – se soient obstinés à ignorer l'existence d'une pratique courante dans les grands casinos : le paiement sur contestation. Tous ceux qui sont entrés dans une salle de roulette – ne serait-ce qu'une fois, par curiosité – ont pu entendre les cris d'orfraie de joueurs furieux de n'avoir pas touché les fruits d'un numéro gagnant sur lequel ils n'avaient d'ailleurs pas misé. Ces malades chroniques du vol à la tire sur tapis vert ne sont pas dangereux, il suffit d'avoir l'œil sur leur manie, de ne pas les laisser s'embarquer dans le cycle habituel de leur puérile malhonnêteté. Parfois pourtant, lorsque la colère porte au scandale, afin de ne pas déranger plus longtemps la nécessaire quiétude des gens de la table, on fait une fleur à l'astucieux perturbateur qui au bout de son combat a fini par croire à son bon droit. Au bénéfice du doute le responsable de l'établissement lui fait tenir la somme qu'il réclame. Qui a triché? Mais le désordre ne vient pas de cette péripétie. Le véritable ennui est ailleurs, il mijote dans le grand jeté-battu des *plaques* qui couvrent la superficie de cette carte des hasards, ne laissant plus apparaître le moindre chiffre. C'est ce que l'on appelle une partie chargée. Quand un client d'importance, prince arabe, milliardaire libanais, aristocrate italien, en fait un habitué, conteste un résultat (dans un langage toujours châtié), le casino – après réflexion – préfère payer le coup pour ne pas contrarier des chances futures. Il sait d'expérience les roublardises de la boule, la précision de ses revanches : un joueur revient toujours sur les lieux de son exploit. Il perdra demain ce qu'il a gagné aujourd'hui. Il ne faut donc pas le désespérer. C'est la raison d'État qui à chaque fois y trouve son compte. Il ne faut pas chercher plus loin ce qui s'est passé à Cannes et qui est la coutume, mieux, la juste appréciation d'un comportement humain. Les accusés sont définitivement blanchis, il est évident que les « clients concernés » ont tous reperdu les sommes qu'on leur avait attribuées « frauduleusement », on a enfin jugé que les « coupables » n'avaient pas diminué le montant des produits des jeux servant de base aux impositions. Tout est clair mais rien n'est réglé car la perfidie du procédé laisse des traces cruelles et on doit s'interroger sur la légèreté de certaines décisions. Ce ne sont pas les « dommages et intérêts » qui effaceront les longs mois d'épreuve et la honte. Car, ne l'oublions pas, Félix, Moraglia et Bernaudo ont été jetés en prison comme de vulgaires malfrats. L'honneur a du mal à faire des galipettes lorsqu'il est recouvré ; si j'écris à ce sujet c'est parce que j'ai rencontré à différentes reprises et ce matin encore un homme brisé par le terrible d'une accusation fausse et d'autant plus touché qu'il avait l'élégance, par souci de justice, de ne point la commenter. On est seul dans de semblables batailles, la bienveillance pèse sur la balance. Je me souviens de la dignité d'Yves de Félix, qui fut et qui est toujours un hôte remarquable. Les truands sont si nombreux et si libres qu'il faut à la vérité des innocents pour payer les notes énormes de la société.

13 août. – Il y a une quinzaine d'années, je ne le prenais pas très au sérieux. Il nous a, depuis, sérieusement étonnés. C'est vrai, son côté titi parisien, fort en gueule, son assurance, ses fragrances bluffeuses qu'il répandait alentour de la plus exquise manière avaient de quoi dérouter. Il n'avait pas d'autre ambition que de convaincre et il le faisait avec tant d'insistance qu'à la fin la lassitude nous prenait. Et il devait s'en amuser car je sais maintenant que tous ses coups étaient d'avance pesés, préparés, orientés. Je me souviens d'un match Kiev-Saint-Étienne que nous avions suivi à « Olivier Guichard ». Il souhaitait que nous rentrions ensemble à Paris dans sa Rolls. Le carrosse me semblait emprunté, dans tous les sens du terme, et pour la circonstance trop visible ; ce n'était plus l'aventure mais l'effet d'une publicité tapageuse. Je décidai de m'en tenir à l'avion qui a l'avantage d'aller plus vite. Je reconnais aujourd'hui que le bougre nous a rapidement rattrapés, que le charme, la rouerie, l'intelligence ont opéré. Bernard Tapie est le conquérant que je ne soupçonnais point. Je l'attendais sur

195

les tréteaux des bateleurs, je le retrouve sur le terrain de la libre entreprise menant ses grandes manœuvres. Et cela me réjouit fort : j'aurai donc fait une erreur d'observation. Il m'a demandé ce matin : « As-tu corrigé le tir ? » J'ai simplement changé de viseur. Je le retrouve tel que j'aurais voulu l'accueillir à notre première rencontre, toujours volubile mais plus serein, exact avec lui-même, moins frimeur, aussi persuadé toutefois de ses certitudes – « Notre amitié est en puissance, ne lui mettons pas des corsets. Dès le départ tu as deviné mes mensonges mais ils étaient de ceux qui appellent la vérité. Aujourd'hui je peux parler vrai. Je n'ai même plus de Rolls puisqu'on me sait riche, ce sont mes collaborateurs qui me prêtent la leur. » Tapie est devenu le Superman des sociétés en faillite, le faiseur de poules aux œufs d'or ; son groupe réalisera en 1984 cinq milliards de francs, son tableau de chasse est exceptionnel, son génie des affaires évident, son sens du spectacle prodigieux. Ce conquistador de l'industrie nouvelle, incroyable Don Quichotte qui a réussi sa quête, a de plus un physique, des mèches noires baladeuses, un air d'enfant comblé et un discours à la mesure des événements. Son portrait fait la une des journaux et ses mots le bonheur de ses fans – « Je revendique l'échec parce que j'attends la victoire », « On ne juge pas les gens sur leur travail mais sur leur enthousiasme », « On ne doit pas pénaliser l'erreur mais plutôt s'en servir », « Conjuguons l'expérience des vieux et les désirs des jeunes. » Comment résister à une voix si forte ! Je lui trouve des accents qui ont un goût de pouvoir : la politique, à ses sommets, n'est plus loin, cette autre fantaisie n'est pas démesurée. Bernard tu nous as bien eus... Si demain tu devais glisser sur une peau de chagrin, tu auras du moins motivé une bonne génération d'ambitieux.

14 août. – Jacques Goddet et Félix Lévitan devinent déjà ma colère : une fois encore les voilà qui poussent l'effronterie jusqu'à abîmer notre étape pyrénéenne. La carte du prochain Tour de France efface l'arabesque des grands cols de chez nous qui appartiennent pourtant à la légende. Heureusement on fait des grâces au Peyresourde, à l'Aspin, à l'Aubisque, au Tourmalet – en ordre dispersé – et, supplément au programme, Luz-Ardiden affine ses merveilleux lacets : treize kilomètres d'une grimpette laborieuse. Il y faudra du cœur! A dire vrai, si je regrette l'absence d'enchaînement glorieux des sommets, je reconnais à cet itinéraire de sérieuses difficultés et une approche touristique intelligente. En une seule journée, une station d'hiver va trouver son triomphe en été. Cinq cents journalistes, quinze télévisions, autant de radios vont jeter son nom à toute l'Europe et aussi à l'Amérique, à la Colombie. Une publicité qu'un budget de gare ou de métro manœuvré par des notables ignorants en la matière ne saurait atteindre. Les autres d'ailleurs ne s'y sont pas trompés. Demandez à l'Alpe-d'Huez, à Morzine, à Crans-Montana, à Guzet-Neige. La dernière née de ces étapes de montagne peut témoigner de sa réussite et Saint-Girons qui la gouverne avouer sa satisfaction. C'est que la plus célèbre épreuve cyliste du monde est maintenant devenue la meilleure rampe de lancement pour des produits et des hommes. Il n'est pas impossible que des malins la prennent totalement en compte pour leurs campagnes de presse futures. Elle a l'avantage rare de l'impact immédiat, de la mouvance et de la durée. « Faites-moi une équipe et ils sauront qui je suis », a claironné Bernard Tapie, l'archange Gabriel des affaires en péril. Le fier Hinault s'est exécuté et la Vie Claire a désormais de beaux jours. Luz-Ardiden profitera demain de cette renommée et deviendra en vingt-quatre heures aussi célèbre que ses sœurs alpines, aussi recherchée que le Plat d'Adet, au-dessus de Saint-Lary, également révélé par le Tour. L'exploit et la souffrance devraient être au rendez-vous : le décor est déjà magnifique.

16 août. – Les assistés se sont tous encordés ces dernières années. Malheureusement ils n'ont plus de pics à atteindre! D'immenses troupeaux s'en vont comme moutons de Panurge sur de maigres pâturages. La chaufferette sociale les a curieusement glacés, leur pensée n'est plus qu'idéologique, leur réflexion se veut à la mode. L'Etat qui est partout, « qui coûte de plus en plus cher, qui tient à tout faire et fait de plus en plus mal tout ce qu'il fait » – j'emprunte là aux rejets de Jean-François Revel –, les a malaxés, brisés, démobilisés en se portant généreusement à leur secours. Il est tellement efficace, ce pouvoir, qu'on lui demande de tout endosser en retour. Quoi qu'il arrive, désormais ce sera de sa faute. Le temps est gris! L'État aurait dû préparer des soleils. L'artiste du coin est en manque de notoriété. C'est à l'État de la lui fournir. La déprime guette les fatigués, vite l'État, un voyage aux Seychelles. Nous pataugeons dans une mare de reproches qui nous éclaboussent de l'éternelle question : « Pourquoi pas moi? » Un pianiste m'écrit : « Vous avez reçu François-René Duchable et je voudrais à mon tour me faire connaître. Je n'ai pas encore donné de concert et pourtant j'ai un joli talent de société. Vous avez le devoir de m'inviter »... Un peintre revendique : « Si la France aidait ses créateurs, je pourrais enfin exposer mes œuvres dont personne ne veut » – cruel aveu. Une mère pleure : « Ah si vous entendiez le son du violon de mon fils! Demandez à nos voisins »... « Pourquoi Rostropovitch et pourquoi pas moi? demande un certain Jean Seugnos de Bordeaux. Serait-ce parce que j'ai étudié tout seul mon violoncelle? Dites-moi si je peux obtenir une bourse. » Le siècle s'oblige à la charité, les paumés volontaires montent à l'assaut et il n'est pas interdit de croire que nous sommes injustes. Les vrais talents sont toujours à découvrir et c'est une rude tâche car ceux-là, vraiment modestes, ne se manifestent jamais. Dans nos métiers trop de vertueux démagogues promettent plus qu'ils ne donnent et engagent l'inacceptable par crainte de déplaire. C'est souvent une politesse de refuser ce qui n'est pas excellent.

Les génies ont assez d'ouvertures aujourd'hui pour ne plus rater leur entrée...

18 août. – Ivre d'adolescence, éperdu de fidélité, Jean Marais traverse le miroir du souvenir et s'y attarde sans la moindre nostalgie, simplement avec amour. Le passé, immense territoire, est son lieu de référence et point du tout son unique paysage. Toutes les minutes de la vie lui sont plaisir, il les déguste, il les partage et dans le même temps on devine qu'il pourrait passer sans encombre, en souriant, sur l'autre rive. Il n'est pas de plus parfait septuagénaire, de meilleur vieillard-enfant. Rares sont ceux qui comme lui ont su mêler à ce point de réussite l'égoïsme et la générosité. Il n'a que du mépris pour ses propres ennuis, belle manière de leur tordre le cou, il n'entend rien de la rumeur du monde et sourd il s'en protège, il ne se croit pas quelqu'un et refuse de ce fait la prétention des autres. Bizarrement, depuis cinquante ans, les esprits les plus éclairés, les plus critiques, se sont épuisés à ne pas le comprendre et le croyant bellâtre ont abusé de quelques laideurs d'appréciation. Il est étrange que le jugement en toute occasion ne soit jamais corrigé par la médiocrité de celui qui le porte. Aux yeux de certains la méchanceté passe pour de l'intelligence et la courtoisie pour de la bêtise. La gentillesse serait la marque d'une âme basse. Pauvres gens, triste galère.

Je retrouve Marais dans son hameau de Vallauris, tout là-haut dans les pins et les broussailles, dans sa luxueuse cellule de chartreux. Son regard est du même bleu que le ciel, son pas léger, son rire éclatant, sa voix n'a plus la mièvrerie d'autrefois. Je ne peux pas l'imaginer abîmé par l'âge et les déboires. C'est un chêne. Nul doute, s'il doit partir, il s'en ira debout. « Je recherche l'oubli pour me consoler d'une injuste célébrité. Les dieux m'ont trop donné. Je n'ai rien à laisser. J'ai vécu, j'ai aimé, je me vante – et c'est ma fierté – de n'avoir jamais été lâche. Il m'importe peu de savoir ce que l'on dira de moi.

Peut-être, si tout va bien, trois ou quatre amis oseront écrire que j'ai existé. Je n'ai pas oublié les propos haineux qui ont accompagné Cocteau tout au long de son existence, qui lui ont fait tant de mal. Nous sommes entourés de trop de tricheurs. Je me veux solitaire... » Il l'est sans doute et c'est sa force d'égoïsme, mais il ne refuse pas l'amitié loyale, simplement il ne fera aucune concession pour l'obtenir. Il me montre ses trésors qui appartiennent déjà à ses gardiens – « Je leur abandonne tout et ne demande rien » –, des tableaux de Cocteau par dizaines, d'Henry Bataille, de Max Jacob, de Marie Laurencin, des sculptures d'Arno Brecker, des manuscrits, des dessins, ses propres toiles, ses poteries, ses livres. « Je n'ai pas inventé de grandes choses, simplement modelé un peu d'argile, posé quelques couleurs, mais je m'y suis donné avec une passion si belle qu'il m'en sera tenu compte. » Il n'a pas la vanité de son travail mais peut-être un jour, comme Cocteau, fera-t-il l'unanimité. L'œuvre du poète a su attendre pour sortir enfin victorieuse, comme il l'avait prévu, débarrassée de lui. Marais s'amuse d'un rien, de la futilité, de son physique de cinéma, de sa « gueule sculptée par un génial maladroit », de ses conquêtes, de sa différence. « Quelques impertinents ont pu croire que les femmes étaient folles de moi. Grossière erreur. Les filles ne m'aimaient pas, je n'étais pour elles qu'une gravure de mode, un être inaccessible. On voulait bien prier à mes genoux mais se pendre à mon cou relevait de l'impossible. Et comme on le sait je m'y suis habitué. » J'apprécie la manière qu'il a de se dire, sans la moindre gêne, avec une discrétion, une honnêteté de gentilhomme. Je suis persuadé qu'il n'a jamais menti, ce serait un trop grand effort. En revanche il prend souvent le parti de se taire. Ce sont ses bonnes manières. « Quoi qu'ils fassent les hommes de ma trempe ne sont jamais crus. On s'est tellement accoutumé à travestir les sentiments que les vérités les plus simples sont difficilement perceptibles. Lorsque Jean Cocteau affirmait " Je suis un mensonge qui dit la vérité ", il ne faisait pas étalage d'un aveu. Il plaidait

200

naïvement pour sa sincérité mais personne n'en eut conscience. » Persuadé que l'homme est condamné à se battre seul – tout le reste, pense-t-il, est lyrisme –, Marais joue à fond la carte de l'individualisme. Il n'entend plus la « fausse complainte » de ceux qui pleurent sur les crimes, les tueries, les atrocités de ce temps; il se déclare indifférent à la rumeur, il échappe au monde. « Les marcheurs de la paix sont des faiseurs de guerre. » Il n'ignore rien de la vilenie, se souvient de ce qu'il a souffert au théâtre – l'une de ses tranchées – et qui l'a définitivement armé. Le spectacle d'*Œdipe-roi* fut un combat parmi tant d'autres, il y aura bientôt un demi-siècle. « Dans la salle les spectateurs ricanaient, quelques-uns étaient scandalisés. C'était si singulier, si beau que nous n'en étions même pas malheureux. Je livrais bataille, je finissais par aimer la lutte; plus jamais je ne flamberai d'une si intense colère contre la sottise inculte. Je laisse désormais les imbéciles à leurs cris. » Cette violence lui va bien et ceux qui lui font une réputation de « personne infiniment aimable » se trompent lourdement. L'homme, dans les cas d'urgence, a le coup de poing facile. Il eût été, à une autre époque, un bretteur redoutable. La traîtrise et la mesquinerie le dressent dangereusement. Il n'est pas de ces mauviettes qui tuent loin du champ de bataille et se plaignent ensuite d'un retour de fusil. Pour la centième fois je lui ai fait raconter ce matin sa bagarre la plus célèbre qu'il a pris plaisir à inscrire dans les *Histoires de ma vie*. « Nous répétions *la Machine à écrire*. Quelques jours avant la première, un journaliste du *Petit Parisien* m'informe qu'Alain Laubreaux, critique de ce journal et de *Je suis partout*, véritable Führer de la littérature dramatique, se préparait à éreinter Jean Cocteau.

« " Il n'a ni vu, ni lu la pièce, dis-je.

« – C'est vrai, mais peu importe il est décidé.

« – Alors vous pouvez lui dire que s'il le fait, je lui casserai la figure. "

« La représentation fut enfin donnée mais Laubreaux ne

vint pas. Nous pensions qu'il n'avait pas osé nous provoquer. C'était mal le connaître. De sa chambre, qui était sa scène préférée, il fit une critique virulente. Il s'y livrait à d'ignobles attaques contre Cocteau, l'écrivain et l'homme privé. J'étais pris au mot; quoi qu'il dût en coûter, il fallait frapper. »

« Tu es donc allé chez lui?

« Pas du tout. J'attendais de le rencontrer. Et ce beau moment me fut accordé un soir de printemps chaud, orageux. Je soupais avec Cocteau et Michèle Alfa. Nous en étions au dessert lorsque Hébertot me fit appeler. Il occupait un salon du premier étage. Je montai. Ils étaient trois à table. Je les saluai. L'un d'eux ne se nomma point, il paraissait bizarre. Hébertot me dit, " C'est Alain Laubreaux. " J'hésitai, " Si c'est lui, je lui crache à la figure. " Je regardai fixement l'homme.

« " Monsieur, êtes-vous Alain Laubreaux? "

« Pas de réponse, un silence pesant. Je répétai ma question. Il prononça un oui timide. Et ma main fit un extraordinaire moulinet.

« " Laubreaux est de la Gestapo. Nous serons fusillés ", me dit Jean qui nous avait rejoints.

« Je ne pouvais plus me contrôler, je m'étais engagé à lui caresser le portrait, je me devais à cette promesse. Je l'ai porté jusque dans la rue et là, proprement, je lui ai ouvert l'arcade sourcilière. »

Marais parle aujourd'hui de cette péripétie sans colère, sans outrance, sans plaisir extrême. Il n'est pas fier de son geste, il est heureux d'avoir tenu parole. C'est que l'amitié pour lui est une profession où l'on trouve, hélas, de plus en plus de chômeurs.

Le couple Cocteau-Marais a maintenant sa belle place dans l'aventure artistique du siècle. Je l'ai vérifié en lisant tout ce qui était écrit à la veille et au lendemain de l' « Échiquier » que je *lui* ai consacré. Il n'est pas d'accord plus délicat, plus vrai, plus profond que celui-là. A Vallauris, tout à l'heure, j'ai retrouvé les poèmes qui célèbrent cette étonnante complicité et composent une suite inédite. Cocteau les posait chaque soir sur le lit de son ami ou les glissait sous la porte de sa chambre.

« Je dis : tu n'auras qu'un poème
Et voilà que j'en glisse deux
L'un pour te répéter : " je t'aime "
L'autre : " Je suis ton amoureux "

« Mon cœur trouve réponse
à l'éternel problème
Toi c'est moi – moi c'est toi –
nous c'est nous –
Eux c'est eux. »

Marais me confie ces vers – « Tu auras bien, toi, une belle à qui les offrir » –, et nous lisons ensemble, micro ouvert, ce que Cocteau disait dans *le Testament d'Orphée* : « Faites semblant de pleurer, mes amis, puisque le poète ne fait que semblant d'être mort. »

21 août. – Pierre Daninos semble regretter qu'au pays de Mme de Sévigné, une vraie, une bonne lettre soit deve- nue rare. Le téléphone a tellement banalisé les relations humaines en les améliorant que l'on s'écrit de moins en moins. Il faudra inventer demain des cercles de corres- pondance pour ne pas perdre tout à fait la trace d'un art qui a fait ses preuves et donné à la littérature ses meilleures confessions. Les cartes postales, sans doute plus nombreuses qu'autrefois, ne sauraient remplacer ces papiers fins aux parfums divers, aux encres éclatantes que l'on attendait avec une impatience dévote.... « Il pleut », « Il fait beau »... « Nous allons bien et vous? » n'arrivent pas à nous faire oublier les déclarations d'amour, les festins de reproches, les descriptions détail- lées d'une promenade en montagne ou d'un coucher de soleil. Tant de pages qui entrent déjà dans la préhistoire!

« Quand on pense, ajoute Daninos, que la *Correspondance* de Voltaire emplit soixante-neuf volumes, on reste médusé. Quant à vouloir correspondre par rébus, comme aimait le faire le roi de Prusse avec le sage de Ferney, cela paraît d'une autre planète. Existe-t-il encore sur la terre un prince qui libelle ainsi son invitation en son château :

" Ve (suivi du dessin d'un nez) 10 (second nez) à $\frac{6}{100}$ "

(Venez dîner à Sans-Souci)? »
Exact, mon cher Pierre, cela paraît 1.100 C!

22 août. – Un mot très élyséen divertit fort aujourd'hui le personnel politique : « Ce Fabius, il est vraiment très bien... Mais pourquoi garde-t-il Mitterrand ? » Plaisanterie d'arrière-boutique complétée par l'autre rumeur : « Il fallait à Fabius un ami sûr capable de l'empêcher d'être Premier ministre. » Et voilà comment la réalité, l'ironie et les bruits gâchent les chances d'un avenir meilleur!

24 août. – Sur Antenne 2, dans « Aujourd'hui la vie », carte blanche est donnée à une téléspectatrice, Marie-Rose Debize, qui souhaite ressusciter les bonheurs de la correspondance. Une mode, mieux une nécessité, entraîne de nombreux Français à écrire maintenant en tous sens pour constituer un florilège de réponses. C'est l'une des facettes ambiguës de la « collectionnite » nouvelle voulue par des anonymes que hante la prétendue célébrité. L'entreprise manque pour le moins d'innocence, les malins y trouvent leur compte et se font ainsi à peu de frais des livres de souvenirs. Albert Cohen m'avait prévenu : « *Belle du Seigneur* m'a épuisé d'un déluge de lettres. Ce roman aiguise la curiosité des femmes qui commentent à profusion mes états d'âme et jugent la vie de mes personnages. Longtemps je me suis laissé aller à rédiger de beaux textes qui complétaient d'admirables questions et puis un jour je me suis aperçu qu'on les classait comme

204

éléments susceptibles d'aider à la connaissance de l'écrivain, qu'on les montrait, qu'on les bradait. Ce n'était plus une correspondance privée mais un commerce épistolier. » Et c'est de ce commerce que l'on devrait se méfier. Je n'ai jamais accepté de me séparer des *mots* qui m'étaient adressés à longueur d'année par Delteil, Montherlant ou Caillois. Ils étaient de trop d'amitié. Il eût été médiocre de les corrompre en les publiant dans leur totalité. C'est affaire de délicatesse. J'ignore si Mme Debize compose un livre à partir de ses quotidiennes missives et des retours obtenus, je crois qu'elle pourrait avoir d'autres Cohen pour faire écho à sa plume, je sais notre insignifiance par rapport à de tels personnages mais je lui dois de me montrer élégant. Elle regrette de n'avoir pas eu de moi la moindre ligne alors qu'en m'écrivant elle l'exigeait! Je n'ai pas le souvenir de cette lettre et je m'en veux d'un tel manquement à la courtoisie mais voilà l'occasion de dire une forme d'impossibilité. Malgré une volonté évidente de parler à tous, comment s'adresser à chacun? A moins de s'en tenir aux formules sacro-saintes et stéréotypées qui ressemblent à de tristes notes de service, il est dans la nature de notre métier de communication de toujours passer à côté d'un échange vrai. Dans ce cas, mieux vaut paraître goujat qu'agir malhonnêtement. Il m'arrive de classer dans une chemise spéciale les lettres auxquelles je voudrais répondre personnellement, celles qui m'ont touché ou irrité. Au bout d'une semaine je les devine au toucher si nombreuses qu'elles deviennent dans l'instant un bloc difficile à manier et j'hésite devant la performance; je me donne l'illusion d'avoir essayé et, peu convaincu tout de même, je me répète inlassablement « Plus tard ». Ai-je ainsi trouvé l'esquive à ma tricherie? Je ne le saurai jamais. Pour nous persuader des vertus essentielles d'une correspondance, nous avons fait – Marcel Jullian et moi – assaut de petits papiers fringants régulièrement véhiculés par la poste. Le partage a duré une année entière mais nous avions décidé de les publier et c'était, dès le départ, en dénaturer l'objet. Nous avons prolongé du moins une complicité et affirmé publiquement des sentiments qui allaient aussi au plus grand nombre. Une manière déguisée de faire feu de toutes les questions. Il n'empêche qu'on nous en voudra de quelques-uns de nos silences. Heureusement, le temps qui rattrape tout nous laissera demain cruellement abandonnés. Nous n'aurons plus à nous justifier, il n'y aura plus de lettres...

26 août. – Je ne le connaissais pas, je l'avais juste rencontré dans un restaurant de New York, je devrais dire entr'aperçu. Il m'avait alors paru inquiétant, bizarre, tout à fait imbibé – il hoquetait –, mais singulièrement intelligent. J'étais intrigué. Le maître d'hôtel (français) auprès de qui je m'informais immédiatement ouvrit son bloc, inscrivit comme s'il prenait commande, et me donna à voir. Je lus ceci... « Drogué, alcoolique, homosexuel, génial : c'est Truman Capote. » Je devais apprendre par la suite que cette fiche signalétique avait été rédigée par l'écrivain lui-même un soir de bouffonneries. C'est assez dire le pathétique du personnage ! J'avoue ne pas avoir été un familier de son œuvre, j'aimais pourtant les remarquables portraits d'acteurs qu'il avait brossés dans *Musique pour caméléons*. Celui de Marilyn Monroe qui laisse à rêver sur « l'infini d'un décolleté ». J'appréciais son humour que je recevais en pièces détachées dans ces revues littéraires américaines dont il était le prince cabotin. Une anecdote m'avait enthousiasmé. Capote la rapporte dans *Les chiens aboient* : la scène se passe à Taormina, en 1950. Cocteau, fébrile, bavard, s'agite devant un vieillard au visage de Mongol. Excédé, énervé par le manège du poète, André Gide – c'est lui le Mongol – se fâche : « De grâce, restez donc tranquille, vous dérangez le paysage. » Beau mot d'une absolue sérénité. Peut-être, si j'avais eu la chance d'être de ses proches, aurais-je pu dire à Capote en paraphrasant Gide : « S'il vous plaît, continuez de déranger le paysage, il en a bien besoin. » Truman Capote est mort tout à l'heure en enfer.

29 août. – L'Assemblée nationale a définitivement adopté le projet de loi abaissant de soixante-huit à soixante-cinq ans l'âge de la retraite pour les hauts fonctionnaires et les PDG du secteur public. « Place aux jeunes », disait Anicet Le Pors, qui a rejoint, depuis, ses quartiers d'hiver. Pierre Desgraupes est donc condamné et ce n'est pas une décision innocente! On pourrait croire que la rigueur d'une telle application n'a été voulue que pour lui déplaire. La Haute Autorité, qui souhaitait le maintenir à la présidence d'Antenne 2 jusqu'à la fin de son mandat, en 1985, n'a pas été entendue. Pour le pouvoir, l'indépendance d'esprit est une lèpre. On affirme que maintenant la télévision est le domaine réservé de l'Élysée, l'une de ses priorités, et on oublie d'ajouter que ce n'est pas un phénomène nouveau. Nous ne discutons pas cette évidence, mais il est paradoxal qu'un homme bientôt septuagénaire estime urgent que des responsables plus jeunes soient ainsi mis hors circuit. Ou alors il faut songer aussi à la *retraite* des chefs d'État et des ministres, et à la loi qui l'imposera. Il ne devrait pas y avoir de retraite obligatoire!

1er septembre. – Septembre lourd. Voici la grande marée d'équinoxe, la rentrée des classes, le boom littéraire. Il n'y eut jamais semblable livraison, pareille profusion de titres. Trop d'élèves, trop sagement alignés, trop de fièvres : feuilles d'automne qui seront vite jaunies. Ils sont *181* qui écrivent par nécessité, pour plaire, ou pour la gloire, qui espèrent ces fameux lauriers de novembre que l'on appelle Goncourt, Renaudot, Femina, Interallié, Médicis. Leurs ouvrages sont sur mon bureau, pyramide énorme. Certains n'avaient pas attendu mon retour et m'avaient déjà rejoint aux Pyrénées. Pourquoi vouloir ainsi, à trop bien faire, à faire trop, banaliser l'événement? Pourquoi cette précipitation, cet engorgement? Nous sommes gavés. C'est absurde! Les travaux commencent. D'abord trier (malhonnêtement), puis choisir (arbitrairement), enfin lire (rapidement), prendre le risque de se tromper, passer à côté de l'œuvre rare perdue dans l'anonymat de noms nouveaux. Les éditeurs se trompent, qui croient devoir nous imposer une pareille tâche.

Il y a tout de même du raisonnable dans cette folie. On ne nous annonce pas de futurs Stendhal, Flaubert, Hugo, Proust ou Chateaubriand, à la quatrième page de couverture. La publicité autrefois hurlante des « prière d'insérer » est aujourd'hui moins tapageuse. Presque fini le temps où l'on écrivait : « Cet auteur de tempérament est de la race des très grands qui ont illustré notre littérature. » Le dithyrambe n'est plus ce qu'il était. Tant mieux. Les deux Marguerite sont au rendez-vous. La première (Yourcenar) fait paraître deux recueils, *les Charités d'Alcippe* et *Blues et gospels*. La célébrité lui étant acquise, elle semble de passage, comme en vacances après un voyage chez Mishima et une étape à Mont Désert. L'autre (Duras) nous fait le cadeau de l'un des plus beaux livres de ces dix dernières années : *l'Amant* devrait faire des ravages. Il a pour lui la modestie du format et la profondeur autobiographique du récit. André Dhôtel a trois livres en vitrine : *Histoire d'un fonctionnaire*, *la Nouvelle Chronique fabuleuse* et *l'École buissonnière*, suite d'entretiens avec Jérôme Garcin, qui pourrait être un autre Pivot si FR 3 lui assurait une continuité plutôt que cette cavalcade d'émissions trop tôt interrompues, si mal inscrites au programme.

Qu'ai-je donc retenu dans cette liste de presque deux cents ouvrages? *L'Été 36*, de Bertrand Poirot-Delpech, remarquable chronique romanesque de l'avant-guerre; *la Fin du monde*, de Pierre Bourgeade, une apocalypse; *Bocanegra*, de Tony Cartano, géographie planétaire du siècle; *le Diable en tête*, de Bernard-Henri Lévy, histoire d'un Benjamin qui ressemble à l'auteur et que je donne gagnant; *Paradis-Paradis*, de Jean-Marie Dallet, toujours accroché à ses îles; *le Veilleur*, de Jacques Drillon; *Deux Amants*, de Patrick Poivre d'Arvor, qui a tort de laisser dire que « son premier roman a été vendu à 1 500 000 exemplaires »; *la Gloire de Dina*, de Michel Del Castillo, que l'on pousse trop tôt vers le prix de l'Académie française; *la Ceinture de feu*, de Conrad Detrez, témoignage vibrant sur le Nicaragua; *Une mémoire d'éléphant*, d'Alain Gerber, qui mérite vraiment l'une des couronnes de novembre; *l'Amour dérangé*, de Martin Didier, chauffeur de taxi à ses heures; *Léo ou l'opéra sauvage*, de Raoul Mille; *Néropolis*, d'Hubert Monteilhet, Néron en 800 pages; *la Vertu des simples*, de Patrick Thévenon, tout en malices, et *Alizés*, de Michel Rio, balade romantique échevelée pour laquelle je saurai me battre.

Épaulant tous ces livres, cinquante « premiers romans » prennent le risque d'une navigation difficile dans ce torrent. Pour les amateurs, qui composent un cercle assez fermé, c'est une aubaine, pour les autres, un magma. Et pourtant la littérature ne se perpétue que par la curiosité. Encore faut-il débroussailler pour se donner le plaisir de découvrir. J'ai fait une liste d'écrivains prometteurs : Claire Thibaut, André Grall, Gilles Carpentier, Simone Benmussa, Jean-Philippe Arrou-Vignod. Mais l'avenir me donnera-t-il raison?

3 septembre. – Le cirque n'est plus sur la corde raide. L'équilibre n'y est pas encore totalement réussi, mais il ne fait pas de doute que son rétablissement est pour demain. Gruss, Zavatta, Jean Richard, Gilbert Edelstein, Pierre Etaix, Annie Fratellini sont enfin revenus à une tradition qui n'a rien à voir avec le music-hall. Les jeux de la piste y retrouvent tout leur éclat; sous ce chapiteau, la magie n'est pas morte : c'est, comme on le dit dans les caravanes, le sursaut périlleux. J'ai toujours eu pour les gens du voyage une attention particulière. Il me suffit de voir

passer quelques roulottes pour croire au miracle...
Enfant, j'accompagnais déjà les saltimbanques jusqu'à
leurs tréteaux; un vieux lion famélique, deux singes
tapageurs et trois « chevaux zébrés » me donnaient l'illusion du spectacle. Cet enthousiasme n'a pas pris de rides,
je suis par le cœur de ce monde éclaté, il m'arrive de faire
de longues étapes pour en surprendre les troupes les
moins glorieuses. Ce matin, des bruits ont frappé presque
à ma porte : on plantait la tente dans les jardins de la
Muette. Je suis vite descendu. Une dizaine de voitures
dessinaient déjà un cercle et des lettres majuscules appelaient à visiter le zoo : un tigre, cinq poneys, deux
gibbons, quatre lamas, des oies dressées! J'aime que Paris
sache accueillir les petits cirques qui obtiennent maintenant le fameux « droit de place » qui leur était autrefois si
bêtement refusé. Mais rien n'est jamais acquis, des problèmes délicats subsistent en province où des tracasseries
stupides bloquent encore les meilleures intentions. Il n'est
pas rare que des maires expédient ce monde de bateleurs
sur les pires terrains vagues. Sans doute préfèrent-ils sur
leurs espaces les jeux moins frais mais plus rentables de
la politique.
  Attiré par les affiches, j'ai fait une pointe le mois
dernier jusqu'à Arcachon, où un mastodonte venait d'installer son arche de Noé. On m'avait souvent parlé de
l'American Circus, ce mille-pattes gigantesque qui perpétue les féeries du passé. Je l'ai visité à l'heure où le grand
public n'y est pas admis. Prodigieux, fascinant, une ville
dans la ville, une tour de Babel, une savane, un parc
automobile − quatre-vingts camions flambant neufs,
pareils à ceux que l'on rencontre sur les routes de
Californie, qu'on a pu voir à la télévision dans la très belle
émission de François Gall −, un chapiteau à quatre mâts
et trois pistes qui peut recevoir six mille spectateurs, une
population ambulante de cinq cents personnes, qui chaque soir réinvente le rêve, un univers incroyable dont je
n'imaginais pas l'existence en cette période de crise. On
pourrait en douter à son nom, mais l'American Circus est

210

une entreprise européenne, dirigée, maintenue par la grande famille italienne des Togni, que j'avais eu la chance de rencontrer à Monaco. Ces fous méritent notre reconnaissance, et je dis bien *fous*, car il faut l'être pour s'aventurer dans de tels périls. Je n'arrive pas à comprendre comment on peut aujourd'hui mener un tel monstre, au prix de quels sacrifices! Il semble impossible d'équilibrer les comptes d'une semblable machinerie. Qui en est le mécène? Le mystère ajoute au sortilège.

Il n'aura fallu que quelques heures pour faire surgir de l'herbe cette cité étrange où les enfants sont rois. Les animaux y ont trouvé leurs quartiers de repos après un voyage difficile. Prisonniers remarquablement traités : vingt éléphants, quatre-vingts chevaux – les lippizans sont magnifiques –, quinze tigres, dix panthères, des léopards, des ours, des rhinocéros, des hippopotames, des girafes, des autruches – toute la jungle. Près des trois roulottes, où dorment pour l'instant une quinzaine de lions énormes, un homme assis sur une chaise, torse nu, semble se désintéresser du reste du monde. Il regarde ses bêtes et je l'observe. Rien ne le distrait de sa contemplation. J'ai scrupule à le déranger, je m'approche... Il me reconnaît, se lève, vient vers moi. Sa poitrine, ses épaules, ses bras sont labourés. Vieilles blessures. Je mesure, à leurs sillons profonds sur tout son corps, le dangereux de son métier. Il sourit : « Ce sont mes rides. » Et se présente : « Paul Noël. » Je l'avais rencontré il y a quelques années à Monte-Carlo. Je faisais alors partie du jury du Festival du cirque, aux côtés du prince Rainier : « Je ne peux pas me séparer de mes amis, m'explique-t-il. Je veille ainsi plusieurs heures chaque jour. Ils ont besoin de moi, j'ai besoin d'eux. Ce sont mes seuls compagnons ; les hommes sont incapables de me donner autant de joies. Voilà ma vraie famille. » Il leur parle, passe la main entre les barreaux, les caresse. Amoureusement, ils lui répondent. Leurs relations sont parfois difficiles, un coup de griffe par-ci, une morsure par-là, et pourtant il y a entre le dompteur et les fauves un accord évident. Rançon de la gloire de part et d'autre... « Mes lions sont de rudes cabots; ils se savent célèbres. Au cours du spectacle ils viennent après les chevaux et ils n'ignorent pas qu'ils sont plus attendus. Alors, de temps en temps, il importe qu'ils se fassent remarquer, et le supplément au programme, hélas, passe par moi. Regardez celui-ci : il m'a ouvert le ventre, cinquante points de suture. Il m'en aime davantage. Ce soir, je passerai ma tête dans sa gueule et il me léchera... A moins que! Tarzan est parfois bizarre. » Paul Noël ne pourrait pas vivre sans ce risque, qui est sa nécessité. Il prend soudain un visage grave : « Dites à Jacqueline Cartier que mes lions ne sont pas drogués, qu'ils n'ont jamais été dégriffés. Elle l'a écrit, elle m'a fait la plus grande peine de mon existence. » Jacqueline est une grande spécialiste, passionnée de l'art du cirque. Je ne peux pas lui cacher ce chagrin.

4 septembre. – Tout journal est une ruse pour différer la seule confrontation qui vaille avec la page blanche : le roman. S'en persuader, le dire, c'est déjà comme l'écrire et ne plus se désespérer. Les œuvres émouvantes, qui me tiennent en haleine, sont celles où l'auteur a risqué sa vie, poussé loin son imagination, dépoussiéré son cœur. Le reste est apprentissage, qu'inlassablement je poursuis, l'essentiel du moment est curiosité. « Il vous naît un ami et voilà qu'il vous cherche. » C'est de Jules Supervielle : ce vers illustre bien la qualité d'une rencontre et l'espoir que j'en attends. Le poète, dont j'ai souvent suivi les traces à Montevideo, me rejoint aujourd'hui à la page 2 d'un petit journal : *le Réveil basco-béarnais.* Il y est question de rapports épistolaires avec le chroniqueur de service, un certain Zuzèp. Celui-ci raconte qu'il reçut de lui, quelques années avant sa mort, en 1960, un court billet de remerciement se terminant par ces mots : « Je ne suis pas digne de porter le béret. » Zuzèp lui répondit immédiatement qu'il en était doublement digne puisque sa mère était une Basquaise de Saint-Jean-Pied-de-Port et son père un

212

Béarnais d'Oloron-Sainte-Marie. J'apprends aussi, par cette gazette, que son grand-père avait la charge de remonter, d'entretenir les horloges de la ville et vendait des pendules portant le nom de Supervielle. Il en existe encore dans les maisons de chez nous. Je les ai entendues sonner. J'ignorais leur glorieuse alliance! Le même Zuzèp me rappelle que dans un roman autobiographique, *Boire à la source*, au titre symbolique, Jules Supervielle révèle comment ses parents moururent empoisonnés. Après un repas familial à Oloron ils allèrent se promener en calèche jusqu'à Saint-Christau. Assoiffés par la chaleur, ils burent, à un robinet de cuivre, une eau chargée de vert-de-gris. Sa mère s'en alla la première, suivie de peu par son mari. Les médecins d'Oloron diagnostiquèrent une congestion, ceux d'Orthez le choléra. J'avais oublié ce drame d'enfance de l'auteur de *la Belle au bois*. Les feuilles régionales ont du bon!

5 septembre. – Avec Bertrand Poirot-Delpech, je suis très loin de l'indifférence. Si le critique m'agace par ses choix quelquefois académiques, l'écrivain toujours m'enthousiasme. Nos relations contrariées obéissent à des sentiments qui doivent ressembler à une forte estime, de part et d'autre singulièrement retenue. Ayant sauvé du flot son nouveau roman, *l'Été 36*, je l'ai dévoré; j'en ai aimé le style, la satire, l'intrigue policière, la drôlerie, le réalisme et le grain de folie. C'est tout un monde qui vit dans ces 284 pages, où plane la menace de la guerre. Et tout y paraît authentique, des personnages aux décors. On peut juger d'un ouvrage littéraire à sa première phrase. Je crois connaître celle de BPD presque par cœur : « Le monde n'en a rien su, mais une centaine de témoins ont vu, ce matin de l'été 36, ce signe des temps : le droit de propriété et le Dieu de l'Occident bafoués par des campeurs sur un air de tango. » Ces mots m'encourageaient à continuer. Ils ont des couleurs de Goncourt. Mais la partie sera dure : Angelo Rinaldi et Bernard-Henri Lévy ont

213

aussi leur ticket pour la place Gaillon. Je suis attentivement ces joutes que certains trouvent dérisoires. Et je soutiens les prix parce qu'ils sont un tremplin pour le livre. Ils lui font trois mois durant une extraordinaire publicité gratuite. Il serait malhonnête de ne parler que de malhonnêtetés.

7 septembre. – 12 h 45. Sur l'écran, dans mon bureau, apparaît le visage buriné de Jorge Amado. Rouge-rose sous crête de cheveux blancs. J'avais oublié qu'il est aujourd'hui l'invité du journal d'Antenne 2. Vite un saut à Cognacq-Jay pour embrasser mon cher compagnon de Bahia. Il est calé dans son fauteuil, plus allongé qu'assis. Il parle des *Souterrains de la liberté.* Je l'écoute, caché derrière une caméra à deux mètres à peine. Soudain, il me voit. Sa surprise est telle – nous ne nous sommes pas rencontrés depuis deux ans – qu'il fait un mouvement pour venir vers moi, avec une mimique expressive que son questionneur, Noël Mamère, ne peut pas comprendre. L'amusant est qu'il se trouve à ce moment en gros plan. Aux téléspectateurs, son attitude doit paraître pour le moins bizarre. Noël lui-même, qui ne m'a pas dans son champ, me dira après l'émission : « J'ai pensé qu'Amado avait un problème, en le voyant s'agiter ainsi. »

Enfin, nous voilà ensemble. Jorge me serre dans ses bras, à la brésilienne. C'est fraternel, viril. Le passage des soixante-dix ans ne l'a pas brisé, ni aigri. Il a toujours son air malicieux, la belle sérénité de qui ne s'est jamais trahi : « Tu me trouves changé ? » Il espère que je vais dire non et je le dis. Il pèse chaque année davantage, mais c'est du poids de tous ses livres. Zelia Gattai, sa femme, l'accompagne ; elle ne l'a jamais quitté depuis 1945 : « Maintenant qu'elle écrit, dit-il, je ne m'inquiète plus pour mon avenir. J'espère devenir demain son gigolo. Il est temps qu'elle m'entretienne. » Zelia publie chez Stock des souvenirs qui nous font entrer dans l'intimité, le quotidien de leur vie

214

commune. Palette nécessaire à la compréhension d'un écrivain. Elle a cédé aux affectueuses pressions de ses enfants, Paloma et Joào Jorge : ils insistaient pour qu'elle raconte les histoires de son enfance, les combats politiques de leur père. Elle hésitait, mais deux dates eurent vite raison de ses craintes. 1981 marquait le cinquantenaire du premier roman publié par Amado, et 1982 le faisait septuagénaire. « L'idée me vint, dit Zelia, de lui offrir en hommage le récit d'une partie de son existence, surtout de sa jeunesse telle qu'elle me fut apprise par ses parents, personnages extraordinaires. J'ai pensé qu'il n'y aurait pas de cadeau plus beau. Il me fallait un titre : j'ai choisi *Un chapeau pour voyager*, puisque le livre s'ouvre sur un voyage et s'achève sur un autre et qu'ils furent décisifs, pour nous deux. J'avais reçu pour chacun un chapeau : on avait peur de me voir " prendre chaud à la tête ". Et puis un chapeau ça faisait chic, c'était le comble de l'élégance, le signe d'une dame arrivée. » Ce récit est une déclaration d'amour rédigée avec humour et tendresse. Une mine d'anecdotes sur les années 1945, 1946, 1947. Les futurs biographes sauront où puiser; quelques révélations leur permettront de mieux cerner le caractère de cet être d'exception : « La nuit où il est né, son père est entré dans la maison et l'a emporté. Sa mère était comme une folle : " Où est mon fils? " criait-elle. Le père a dit : " La lune est pleine et je lui donne un bain de lune pour qu'il soit intelligent. " » Il l'aura été dans une zone de soleil et d'ombre. Emprisonné onze fois, cet autodidacte militant aura chèrement payé des engagements qu'il regrette peut-être mais qu'il ne reniera jamais. Aujourd'hui, il ne revendique que la chance d'aimer. « Nous n'avons pas de droit plus grand et plus inaliénable que le droit au rêve. Le sectarisme est le fait des gens médiocres, l'intolérance est une faute, l'idéologie un crime. Tout homme sincère se condamne à l'erreur, mais l'important est qu'il la reconnaisse. Dans une belle envolée j'ai écrit un jour que je ne croyais pas à l'existence de Dieu, mais que je pensais que Staline était Dieu. C'est

idiot, mais ce serait une traîtrise de vouloir l'oublier. »
Jorge Amado, qui n'a pas d'autre ambition que de fixer
dans son œuvre le visage d'un peuple, y témoigne un rare
jaillissement verbal pour combattre l'oppression, la misère, la faim, l'obscurantisme, la dictature, les préjugés,
avec de la couleur, de la drôlcrie et un burlesque à peine
excessif. Il est riche d'expériences multiples. Après *le Pays
du carnaval*, écrit à dix-huit ans, il ne s'est plus arrêté. Ses
livres sont traduits en trente-cinq langues : je les possède
tous. Dans sa magnifique maison du vieux Bahia, entière-
ment décorée par ses amis peintres, aquarellistes, sculpteurs, Jorge m'avait demandé, en 1978, de dresser une
liste de ses ouvrages pouvant servir de référence. J'avais
alors retenu : *Terre violente, les Pâtres de la nuit, Doña
Flor et ses deux maris, la Boutique aux miracles, le Vieux
Marin* et *Bahia de tous les saints.* Je devrais y ajouter des
rééditions que l'on peut trouver aujourd'hui dans toutes
les librairies françaises : les deux volumes des *Souterrains
de la liberté, Cacao, Capitaines des sables, Suor* et *les
Chemins de la faim.* Ces romans doivent être lus comme
des documents sur sa façon de voir, de penser et d'agir à
l'instant où il les a écrits, dans les années de lutte,
jusqu'en 1953. Car il n'y a pas changé le moindre mot. Il
aurait pu se délivrer de ce qui l'accable, de quelques
fautes grossières, de ses « engagements ingénus ». Il s'y
est refusé. « J'assume tout ce que j'ai dit dans cette
période guerrière, je ne gomme rien de mes utopies
d'alors. » Je respecte cette honnêteté de l'écrivain. Aucune
édition n'a été actualisée ou corrigée. Il a tenu à conserver
ses livres dans leur forme originale, par fidélité au peuple
brésilien. « De nouveau, il n'y a que les coquilles, qui vont
croissant. » Jorge Amado se fait une haute idée de la
littérature. Il peut admirer sans aimer : « J'aime Gorki et
Tolstoï, dit-il, j'admire Dostoïevski ; j'aime Asturias et
Sabato, j'admire Borges. » Quand donc les messieurs du
Nobel lui donneront-ils leur prix ? « L'an prochain, je
viendrai chez toi, dans les Pyrénées. » Je l'attends.

A la page 43 de son livre, *Un chapeau pour voyager*, Zelia Gattai raconte de quelle manière Amado lui fit sa déclaration : « Jorge écrivait tous les jours une chronique dans *Folha da Manhà*, intitulée " Conversation matinale ". Un jour, il me demanda si je la lisais souvent et je lui répondis que oui. " Alors, ne ratez pas celle de demain. " La chronique que mes yeux dévorèrent à la première heure du matin suivant était romantique et passionnée. Elle ne livrait pas de nom, mais c'était inutile ; un passage disait : " Je te donnerai un peigne pour te peigner, aux épaules un collier pour te parer, un hamac pour te bercer, le ciel et la mer je te les donnerai... " Le soir, avant un meeting, il me demanda si j'avais lu ce qu'il avait écrit en pensant à moi. Troublée, je lui dis que je ne l'avais pas encore fait, mais que j'allais le lire avant de m'endormir. »

Y a-t-il, de part et d'autre, plus jolie déclaration d'amour ?

10 septembre. – A sa mort, en 1976, Paul Getty a fait à Malibu ce cadeau royal : un legs de sept cents millions de dollars. Il fallut attendre 1982 pour que le musée pût jouir de ce trésor, les contestations familiales et fiscales enfin réglées. En dix ans, la valeur des avoirs de la Fondation avait grimpé, par le jeu des intérêts, jusqu'à près d'un milliard et demi de dollars! En francs : mille quatre cents milliards de centimes! Aujourd'hui, les administrateurs de cette caverne d'Ali Baba se trouvent dans l'obligation de dépenser un milliard de nouveaux francs par an. Ils peuvent donc acheter les plus belles œuvres du monde et piller à profusion les patrimoines nationaux. Le Louvre et l'Ermitage n'ont pas cette chance. Qui, chez nous, saura embellir sa fin d'un tel geste?

12 septembre. – Loin de l'institution musicale, vénérable dame que l'on pommade, à l'écart des chapelles où brûle l'encens des intégristes, où l'on répand le fiel sur les impurs, les sœurs Labèque, sourdes aux rumeurs mauvaises, s'offrent le luxe d'une incroyable popularité. Elles étonnent, agacent, dans ce monde d'habitudes, et restent classiques sans se soucier du classicisme. L'Amérique les applaudit, Berlin leur offre des triomphes, Tokyo des ponts d'or. A Paris, un quarteron de petits valets emplumés leur reproche d'aimer autant Gershwin que Mozart. Pour Katia et Marielle, c'est l'échappée belle, l'ailleurs désiré, la différence nécessaire qu'il faut écouter. Leur image, qui n'appartient qu'à elles, n'a pas été composée ni réfléchie. Il leur a suffi de se laisser aller, de ne point se trahir, d'éviter les pièges de la mode, de travailler d'arrache-pied et de ne jamais boire à la fontaine de la critique. Celle-ci pourtant leur a été favorable, au commencement, lorsque le succès n'était pas évident, que le talent était seul en cause. Mais on ne pardonne pas les ascensions trop rapides. La réussite en France est mal notée, cruellement reçue, surtout si, pour ceux qui en sont atteints, elle s'accompagne d'indifférence, de désinvolture, de rupture avec les systèmes conventionnels qui tendent à réduire la personnalité des meilleurs. Parlons clair : les musiciens d'aujourd'hui doivent collaborer avec leurs juges, faire des grâces, participer à leurs agapes, animer leurs festivals, dire très haut ce qu'ils leur doivent, ne pas abandonner le troupeau, ne pas vendre la mèche. Honte à qui préfère l'amitié aux convenances mondaines, aux grandes manœuvres du copinage. Les Labèque ont raison de s'en tenir à l'honnêteté, de refuser les concessions, de ne pas céder à la complaisance. Elles n'obéissent qu'à l'art, à l'ivresse de découvrir.

Nous mettons ce matin la dernière main à l' « Échiquier » qui leur est consacré et pour lequel nous avons invité le violoniste Gidon Kremer, le violoncelliste Yo Yo Ma, le guitariste Paco de Lucia. Une vingtaine de jeunes solistes se sont librement réunis pour faire la fête. Marielle est toute guillerette, frémissante. Je la connais assez pour savoir qu'elle nous prépare une blague : « J'ai un cadeau pour vous. » Ce disant, elle tire de son sac un petit papier plié en quatre, un articulet : « Il ne nous a pas oubliées. Permettez que je vous le lise : " On prend les mêmes et on recommence. Revoilà les sœurs Labèque. " Une question à cent francs : de qui est-ce ? » Réponse groupée et hilare : « De Xavier Lacavalerie. » Je n'ai jamais vu cet homme-catastrophe, j'ignore comment il est fait, mais je lui dois quelques-uns de mes meilleurs moments de lecture. A défaut d'originalité et de goût, il a un lot bien à lui de phrases désordonnées qui ne font même pas illusion. Des années d'impitoyable exercice à détruire ne lui ayant donné aucune consolation, nous nous devons de rendre hommage à sa constance. Pour nous épingler, il aurait pu changer de registre et s'emporter davantage. Cette mesquinerie est une offense. Qu'il nous accorde donc ce qui lui va le mieux : l'indifférence.

13 septembre. – Roger Gouze me conte la création de son *Impromptu* sur Lamartine : l'œil vif, amusé de me perdre dans l'imbroglio amoureux du poète et de son entourage, il me laisse un peu égaré sur son apparition à la scène. Car il s'est donné aussi un rôle ! Ce diable d'homme est infatigable : écrivain, diplomate, haut fonctionnaire, il est depuis trente ans l'animateur de l'Alliance française, l'un de ses piétons les moins pressés, grand voyageur et curieux. J'aime le ton brillant qu'il donne à chaque souvenir. Son récit de la remise de la Légion d'honneur à Louis Martin-Chauffier, dans les salons du *Figaro*, est une petite merveille... « Pierre Brisson commence ainsi son hommage : " Vous avez été le secrétaire d'André Gide, qui est passé ensuite à la postérité... " Georges Duhamel se penche aussitôt vers François Mauriac : François, je viens de faire un distique.

– Pardon ? Que dis-tu ? – Je viens de faire un distique. –

Mais dis-le-moi. – Cet André Gide a su par sa dextérité passer du postérieur à la postérité. »

17 septembre. – Malheur à qui cherche et dit la vérité. Bouc émissaire, parce que voyeur professionnel et fouineur impénitent des scandales du monde, le journaliste a toujours été, sous tous les régimes, l'homme à abattre. Dans quelques pays démocratiques, le pouvoir craint de se perdre en l'étouffant. Ailleurs, c'est-à-dire sur les trois quarts de la planète, il est sacrifié au totalitarisme. Il n'est pas insensé de croire que, dans ces eaux troubles, ses confrères eux-mêmes puissent se transformer en miliciens zélés. Contagion funeste. Jacques Abouchar est aujourd'hui, en Afghanistan, la nouvelle victime des empêcheurs de liberté. L'Union soviétique lui reproche d'avoir violé les frontières, elle qui nous a si bien appris à les respecter. Ce serait comique si la tragédie ne s'en mêlait.

18 septembre. – « Botticelli a été oublié cent ans après sa mort, il a fallu attendre la fin du XIXe siècle pour que Vermeer fût redécouvert et mis à sa vraie place, il en a été de même pour Piero della Francesca il y a seulement une cinquantaine d'années, un peu moins pour Georges de La Tour, pour Friedrich, pour Füssli, pour Monsu Desiderio et j'en oublie; c'est Mérimée qui a découvert sur la charrette d'un paysan *la Dame à la Licorne*, Rembrandt est mort dans la gêne, Van Gogh et Gauguin dans la misère alors que leurs toiles devaient pour d'autres constituer des fortunes quelques décennies après leur disparition... et nous voudrions, nous les peintres d'aujourd'hui, qu'il n'y ait dans notre époque obtuse ni erreurs ni omissions. » Cette réflexion est de Chapelain-Midy. Angoisse de l'artiste qui, se croyant incompris, s'imagine une gloire posthume. Certains y verront de la vanité, j'y devine une souffrance, qu'exprime sa dernière interrogation : « Ces objets que j'ai tant aimés et tant peints, qui, si longtemps, m'ont regardé vivre et travailler, qui les aimera quand mon destin me séparera du leur ? » C'est au fond toute la question : ai-je bien fait mon tour de piste ? Au bout d'une vie déjà longue, exclusivement réservée au merveilleux, ouverte sur les paysages du rêve, Chapelain-Midy laisse maintenant glisser son témoignage « comme le sable entre les doigts ». Il le fait avec une passion amoureuse pour les êtres et pour les choses mais sans la moindre illusion... « Douter, ce n'est pas nier c'est encore croire. » Cet homme qui regarde lucidement notre époque écartelée goûte peu le langage et la réalité de son siècle. A nos yeux, il n'a pas d'âge, tant son élégance, sa vigueur restent intactes. Sans doute se sentirait-il plus jeune si le monde ne lui renvoyait pas, à chaque instant, sa date de naissance...

19 septembre. – A l'entrée du Théâtre des Champs-Élysées, je retiens un instant la porte vitrée pour laisser passer un homme incroyablement pressé... « Merci, me dit-il, c'est d'autant plus aimable que je n'ai pas été tendre avec vous et les sœurs Labèque. Ma plume est allée trop vite, je regrette cet emportement. » Il se présente. Je ne l'avais jamais vu, il m'arrivait de lire ses critiques qu'il a le culot d'appeler musicales. Son nom a peu d'importance. Je lui rends vite sa politesse : « Ma courtoisie n'épargne jamais les imbéciles. » Et il est assez lâche pour murmurer « pardon ». Il appartient vraiment à son monde ! Ce qui me frappe, dans l'exercice périlleux de son métier, c'est la suffisance peureuse qu'il a de sa malhonnêteté : il commente ce qu'il n'a pas vu. Ah ! si seulement il y mettait du talent !

22 septembre. – Le *Guide 85 des parents* donne de précieuses indications sur les rapports télévision-enfants. Ces informations ne sont pas nouvelles mais elles ont le mérite d'être présentées simplement, *lisiblement*, ce qui n'est pas le cas de la plupart des traités sur le même sujet. Si l'on en croit les études, les sondages, les triturations diverses, les collégiens sont les plus enthousiastes : 80 % d'entre eux déclarent aimer la télé passionnément. Les douze à quatorze ans regardent la petite boîte, qui n'est plus magique, deux heures un quart en moyenne chaque jour. Dès lors, on comprend la méfiance, pour ne pas dire l'hostilité des enseignants : « Si au moins la télévision leur apprenait quelque chose. » Vieux débat. Les baladins ont pris la place des profs et c'est un crime de lèse-université. Ces incorrigibles bambins raffolent des dessins animés, des grands films qui font vivre des aventures palpitantes, ils ont le goût du rire et sont sensibles à l'humour de Collaro et de Bouvard. Je m'aperçois que j'ai peu de chance de les séduire : ils n'aiment pas du tout les concerts classiques, les chanteurs d'opéra, le théâtre, l'art en général. Les émissions sérieuses ne les rebutent pas si elles sont présentées sous forme de fiction, de découverte ou d'aventure. Le fond des océans, l'histoire de la navigation ou la vie des volcans les passionnent quand les commentateurs s'appellent Cousteau, Bombard ou Tazieff. Ces scientifiques sont pour eux d'authentiques aventuriers, de fabuleux conteurs : « Nos professeurs, disent-ils, bégayent sur leurs livres; eux nous parlent de la vie et des risques qu'ils ont su prendre. » Cette passion des plus jeunes s'estompe vite. Après quinze ans, les adolescents désertent le petit écran... C'est bien la preuve, nous dit-on, que la télévision ne les a pas rendus abrutis et passifs, comme on le prétend trop souvent. En première et terminale, elle n'intéresse plus que 35 % d'entre eux. C'est l'âge du lycée, des boums et des bandes de copains. Le petit homme découvre la vie extérieure et devient très critique.

Face à ce phénomène audiovisuel, les censeurs et les pédagogues estiment qu'il est difficile d'adopter une conduite raisonnable. On se surprend à apprécier des futilités et à bâiller devant un sujet sérieux. D'après eux,

rien ne prouve qu'« Apostrophes » rende les téléspectateurs plus intelligents, ni « Cocoboy », plus stupides. Je
m'amuse beaucoup à ce florilège burlesque et rends grâce
à l'exténuante opiniâtreté des coupeurs de cheveux en
quatre. On pourrait, affirme le guide, dresser un catalo-
gue des idées fausses sur la télévision. Quoi qu'il arrive, et
cela arrange tout le monde : « C'est la faute aux images. »
Notre chère mécanique déforme les consciences, abêtit les
adultes, appauvrit les imaginations. Avec elle, plus personne ne parle à personne. Il n'y a plus d'échange entre
les membres d'une même famille comme autrefois! Ceux
qui regrettent le passé oublient-ils que les enfants d'alors
avaient rarement le droit à la parole? Les vieux clichés
ont la vie dure, mais l'enquête de *l'Étudiant* prend
soudain un tour inattendu. J'y lis, en effet, ceci : « On
constate aujourd'hui que la télévision rassemble la famille
plutôt qu'elle ne la disperse. Les émissions offrent de
nombreux sujets de conversation et des préoccupations
communes entre parents et enfants. Ils s'émeuvent, s'enthousiasment ou se passionnent ensemble... Ainsi apparaît
une nouvelle forme de communication qui ne s'exprime
pas obligatoirement par le dialogue mais qui néanmoins a
son prix. » Véritable « école parallèle », la télévision apparaît donc comme une redoutable concurrente pour les
enseignants, qui ont bien du mal à l'apprivoiser et à
l'utiliser. Le mal n'est pas ailleurs!

23 septembre. – Kelly, Roche, Fignon dans les vagues
de la grande bleue. Ballottés, submergés, repoussés par le
tyran Hinault, dont j'avais prévu le succès ce matin sur la
Croisette, à Cannes : « Depuis mon titre de champion du
monde à Sallanches, dit-il, jamais je n'ai connu une
émotion aussi intense. » Le pédaleur des boucles difficiles
est sincère, comme revenu d'une angoisse, enfin délivré,
il sait qu'une défaite l'aurait cette fois anéanti. Le caractère, le panache, le talent, l'expérience ont affiné des ailes
qu'il avait un peu trop repliées. Il a pulvérisé le record du

Grand Prix des nations, y laissant loin derrière lui ses jeunes adversaires. J'imagine les titres de la presse, demain : « Bernard Hinault superstar », « Le blaireau reprend le pouvoir ». S'il avait perdu, on aurait écrit : « C'est fini », « Qu'il range son vélo ». La notoriété n'est pas forcément une bonne affaire.

26 septembre. – « Je te souhaite d'avoir autant de chance et d'être aussi heureux que moi. » Bras et mains tendus, geste large, l'œil azur, tête droite, le corps qui s'ouvre comme une parenthèse, Francisco Rivera, dit Paquirri, rend fraternellement hommage à un jeune matador, Manolo, fils naturel d'El Cordobès. Il lui dédie son taureau, il ne sait pas qu'il lui offre sa mort. C'est la fin d'un bel après-midi dans les arènes de Pozoblanco en Andalousie, le dernier combat d'un grand d'Espagne. Au plus serré d'une faena, figure prestigieuse, l'ex-gendre d'Ordonez a mis subitement le cap sur le paradis de ceux qui ont payé la gloire au prix le plus fort : Joselito et Manolete lui font là-haut une place. Paquirri meurt d'avoir voulu ruser avec la vie, de s'être cru invincible, de s'être montré trop audacieux à la seconde où il souhaitait égaler les meilleurs, ses rivaux Paco Ojeda et Emilio Muñoz. Ainsi je l'aurai vu pour la dernière fois à Séville dans son habit de lumière et je garde intacte, brûlante, cette image d'un guerrier ; je regrette de l'avoir raté à Dax où Pierre Albaladejo, son ami, m'avait affectueusement convié. Ce jour-là six taureaux lui avaient été donnés. Restent les souvenirs, les minutes précieuses où nous l'admirions, les belles envolées de Bayonne, les passes dangereuses de Madrid, quelques brèves rencontres. Il n'avait pas la parole facile mais le geste était prompt. Il adorait ses bêtes, respectait chaque adversaire et prenait tous les risques. Étrangement le public qui le pleure l'engageait quotidiennement à mourir. Toute la fascination de l'art tauromachique est dans cette ambiguïté.

224

Un monstre de cinq cents kilos au nom prédestiné « Avispado » (éveillé, dégourdi) ne lui a pas laissé le temps, après une série d'agaceries à la cape, de saluer l'assistance. Un coup de corne a interrompu la fête. Il avait trente-sept ans. Mais l'âge pour ces hommes ne compte pas. Seule importe la féerie des dangers à courir, la turbulence de l'affrontement, la griserie sous le soleil, les vivats ou les sifflets. J'admets que certains puissent se désespérer à ces jeux et trouver pitoyable ce monde de gladiateurs. C'est qu'ils ne savent pas les beautés de la passion portée au paroxysme de l'éclat. Je ne tenterai jamais de persuader les incroyants. Paquirri s'est fait prendre aux cordes de son art. Mourir – même lorsqu'on rêve d'éternité – était pour lui et les siens une probabilité, le pari qui mérite d'être engagé. Quelques-uns l'avaient jugé figé ces dernières années. Il l'est définitivement. L'éclipse est dans le ciel. Cousu d'or, il n'a pas résisté à l'effritement d'une ligature, et plus que la blessure c'est l'à-peu-près du sauvetage qui nous accable. Il n'a pas imaginé un seul instant qu'il en resterait là. A tous ceux qui s'affolaient, il répétait inlassablement, « De grâce, du calme, j'en ai vu d'autres ». Hélas le sous-équipement chirurgical de la plazza a brisé la sérénité du torero. Il devenait urgent de le conduire à Cordoue. Les cahots de l'ambulance sur la route mal pavée l'ont perdu à jamais. Le voilà donc tué pour une corrida mineure, par une négligence coupable, au cours d'un voyage hasardeux. Mais l'heure était venue!

Demain, il y aura des milliers d'œillets blancs dans les rues de Séville, tout un peuple dressé, des foules en larmes devant la porte du Prince aux Arènes, ouverture royale par où passent les vainqueurs. Je suis sûr qu'il fera grand beau. On mènera en terre un seigneur, on le portera jusqu'au Sacré-Cœur, toute la solennité de la liturgie taurine l'accompagnera, on se disputera l'honneur de toucher la dépouille mortelle. Paquirri est déjà entré dans la légende. On le célèbre comme on l'a conspué, le public est ainsi. Bravo torero. Un ami m'a dit : « Tu vas délirer sur cette mort. » Il ne peut pas comprendre...

28 septembre. – Elle jure qu'elle n'est pas de droite, plus de gauche, mais simplement « mitterrandienne ». Elle est en tout cas superbe, Marguerite Duras, dans son numéro spécial d'« Apostrophes ». Elle explique tranquillement que le Président a « une attitude seigneuriale qui contourne l'idéologie ». Elle n'est pas loin de penser que les autres hommes politiques de sa cour n'ont pas la moindre importance. Le socialisme l'ayant déçue un seul être la passionne : le prince en son château, « personne à part entière », point du tout les accompagnateurs. J'en connais, à ce tournant d'abandon, qui vont apprendre par cœur la petite phrase de Jules Renard : « Si les oiseaux se posent sur les rosiers, ce n'est pas parce qu'il y a des roses, c'est parce qu'il y a des pucerons. »

29 septembre. – Les plumitifs qui se renvoient syndicalement l'ascenseur finissent par devenir les Otis-Pifre d'un Parnasse dont ils ne sont pas même les nourrissons. Ils ont des clefs là où il n'y a plus de serrures. On les retrouve dans des combats d'arrière-garde, panurges des crépuscules, empressés à défendre les moins doués de leurs amis, à vouloir sauver des noyés de longue date, à se plaindre de la publication de certaines œuvres littéraires, de la suppression d'émissions qu'ils ne se donnaient pas la peine de regarder. Ils ont le style lâche et des espaces d'écriture sur lesquels on n'aime pas atterrir. Leur talent jamais ne s'affaisse, qui refuse l'altitude, la jalousie gomme toujours chez eux ce qu'il pourrait y avoir de spontané! Loin de ces guignols, qui s'engagent dans des travaux d'Hercule – une méchanceté militante – dans le seul but d'être nommément cités – ils le sont rarement –, heureusement il y a la presse.

226

1er octobre. – Par jeu, par hasard ou nécessité, peut-être malgré lui, Bernard-Henri Lévy provoque la jalousie, et même dans quelques cercles la haine. Il a tous les défauts : un profil d'aigle, le visage aigu, sombre quand il le faut, ou lumineux, mais d'épais cheveux noirs, un décolleté savant qui sied d'ordinaire aux belles, l'œil-mystère, la parole fleuve, la plume du coq. Crime d'avoir tant d'atouts et de les abattre avec une désinvolture naturelle. Pour les Français de l'illustrissime intelligentsia qui vont par bandes, s'organisent en clans, s'affichent sectaires, chipotent et condamnent, il est la brebis galeuse, le scandaleux surdoué à l'évidence trop entouré. Si je ne le connaissais pas, je l'aimerais quand même pour tout ce qu'on lui fait supporter. La tempête qu'il déchaîne le séduit autant qu'elle l'épouvante. Le voilà une nouvelle fois controversé, écartelé par des sentiments contraires, dédain, admiration, poussé dans ses retranchements, étincelle du feu littéraire. Rien de mieux pour se donner des chemins de solitude. Tant de gens nous laissent indifférents qu'il faut se réjouir de rencontrer un tel loup sur les traces de qui les chiens hurlent. Il s'est bien défait dès le début du handicap de la jeunesse. Dans ce pays où on ne réussit qu'à l'ancienneté, où l'on impose des brevets de service, des années de fainéantise ou des bassesses – « Passez les échelons », disent encore les sous-chefs, les poinçonneurs du boulot –, Bernard-Henri Lévy s'est ouvert une voie que beaucoup voudraient moins royale. On pense qu'il manque de discrétion. Le plus simple ne serait-il pas d'admettre qu'il parle vrai en un temps où trop d'autres se taisent ? On lui fait trop de compliments à l'accabler ainsi. Son image, glorieuse ou détestable, porte la griffe de ses ennemis. Regardez-le : sa marche est souple, son pas mesuré, son cri retenu, son inquiétude à fleur de front. La charge n'est pas son exercice préféré. Les hordes sauvages ont toujours été conduites par les affamés, les sans-talent. Avec lui, au jeu de fléchettes, on se trompe de cible, il est homme de conquête et non de pouvoir. Bretteur d'idées, il a compris qu'il fallait passer

227

par Normale supérieure pour s'accorder le droit de les répandre. Que n'aurait-on pas dit s'il avait été philosophe sorti du rang! La stratégie intellectuelle est son affaire, une ruse de guerre.

On ne lui a jamais pardonné d'avoir imposé des livres aussi spectaculaires que *la Barbarie à visage humain, le Testament de Dieu, l'Idéologie française*. Péché de lèse-jeunesse! Voilà que, dans sa folie, il a maintenant le culot de produire un roman. Sublime affront à la gent scribouillarde, incroyable arrogance. Le déchaînement est pour demain et on peut prédire qu'il sera grandiose si l'on considère pour acquis cet excellent jugement de Poirot-Delpech : « Le commentaire de la création, tenu pour vice ailleurs, se donne, chez nous, pour la création même. » Avec *le Diable en tête*, qui illustre ses thèmes familiers, Lévy traverse le Paris de l'Occupation, l'Amérique des années 50, l'Italie des terroristes, Mai-68, Beyrouth, la Palestine et la Jérusalem d'aujourd'hui. Le pari est réussi, l'ouvrage original, le récit serré, construit, conduit, l'histoire simple : un héros, Benjamin, sa mère, Mathilde, qui écrit un journal et plante le décor, des satellites familiaux, quelques femmes de passage, un monde de catastrophes. Les premières lignes : « 17 février 1942. L'idée de tenir un journal m'avait toujours semblé un peu vaine, ridicule, à la limite de l'inconvenance. Ça me faisait l'effet d'un petit ménage supplémentaire qu'on s'obligerait à faire tous les soirs, au fond de son cœur. » Ce sont les mots de Mathilde et l'alibi de Lévy. On embarque la mère pour raconter le fils, qui apprendra ainsi au fil des pages que son père était collabo. D'où vient l'*intérêt* de ce roman? Sa force, son éclat? Il est dans la frénésie que l'auteur met à rechercher la vérité multiple d'un être, ses facettes cachées, ses errances, les engagements douteux, le noir et le blanc de son âme. Tout est évoqué : les utopies de l'adolescent, l'idéologie du militant, l'appartenance génétique. Le fils est malade du père, il le porte comme une malédiction et se prépare d'entrée à une vie tout entière placée sous le signe de cette malédiction. Il y a sans doute des destins inexorables. Benjamin s'est trompé d'époque, il est venu trop tard, l'Europe d'aujourd'hui ne permet plus l'héroïsme. La guerre et la Résistance autorisaient tous les coups, mais il n'était pas né. Que lui reste-t-il? La violence? Non, puisque le terroriste en cette fin de siècle est un lâche qui tue des innocents. Il lui faudra donc se battre avec les mots. Il serait facile d'établir vite un parallèle et d'affirmer « Lévy se prend pour Benjamin ». Faux autant que vrai, disons possible, peu importe. Ces lignes éclairent sans doute la situation : « On peut traiter Benjamin de malfrat, de voyou, de tueur, on peut voir en lui un fils à papa qui a mal tourné. Un immoraliste qui a réussi. Un déséquilibré mental... Il y a une chose qu'on ne lui retirera jamais, c'est son extraordinaire talent. » S'il y a ressemblance, la provocation va plus loin que d'habitude.

Bernard-Henri Lévy est un cas dans notre époque de penseurs alignés. On le dit subtil manipulateur de médias. Cela tendrait à laisser croire que la presse, la radio et la télévision peuvent être aisément conquises, détournées au seul bénéfice de qui décide de les soumettre. Absurde. La tentation des politiques, des intellectuels est telle que nous serions alors depuis longtemps occupés. Regardez-les à « Apostrophes » et à « Droit de réponse ». Vous en connaissez beaucoup qui prennent le pouvoir? Rares sont les vainqueurs à ce poker du siècle. Admettons que ceux-là avaient quelque mérite, un talent particulier. C'est jeu d'enfant de paraître sur l'écran, prodigieux miracle d'y faire mouche. Lévy, qui est jongleur, ne rate pas ses passes. Tout lui a été donné, le physique, la sérénité, le brillant, jusqu'à ses initiales : B H L. Pourtant, ce ne sont pas des lettres faciles à enchaîner. Pas plus que J F K, V G E ou P M F. Mais les fées de la médiatisation les ont tressées. Elles ont donc manipulé Lévy, véritable Pirandello en quête de personnages.

Contrairement à la rumeur, c'est parfois grand désavantage d'être déjà célèbre quand on publie son premier roman. On accumule les périls et on devient carrément détestable lorsqu'on déclare : « Il y a chez tout écrivain un désir de désaveu. J'aime les bravos, je respire bienheureusement l'encens, mais j'attends aussi l'insulte. Il y a une secrète jouissance à être maltraité. » Décidément, Lévy n'en manque pas une. Ses triomphes sont venus si tôt qu'il clame avec une certaine modestie, « J'ai hâte d'être vieux. » Pis encore : à la première page de son livre, il écrit : « Au bout de ce visage il y avait le siècle. » Il parle de son héros, on peut imaginer qu'il s'identifie à lui. Le massacre dès lors est inévitable. Ou l'admiration. Personnellement, je m'en tiens à la création littéraire, au jeu de l'architecture, à une construction exemplaire qui mêle le journal, l'enquête, l'interrogatoire, la correspondance et la confession. Ce roman est un monument élevé au désespoir. Nous y retrouvons des fêlés, des suicidés, des naufragés, toute une génération brûlée, flambée par les deux bouts. La conclusion s'impose : nous sommes les enfants du siècle des fascismes.

S'il faut irriter encore les irréductibles, les kapos de Lévy, empruntons à ce qu'il dit de Benjamin : « Jamais de ma vie je n'aurai vu tant d'atouts, réunis dans la même manche. Ce jeune homme avait un visage à la grâce déjà un peu exténuée. »

2 octobre. – Venant de Pau et allant à Ogeu, je suis passé tout à l'heure à Gân où Pierre Emmanuel est né et n'a pas eu le temps d'aller mourir. Le mal terrible de notre siècle l'a définitivement frappé à Paris, où comme tant d'autres Gascons il comptait faire triompher sa province. Nous nous connaissions bien, nous nous rencontrions assez souvent, le Béarn et la Bigorre étaient nos conversations d'attache. Il me parlait de nos compatriotes, Paul-Jean Toulet et Francis Jammes... « Mes œuvres rivaliseront peut-être dans l'avenir avec les leurs. » Poète exigeant, enfiévré, métaphysique, homme de foi, prophète biblique, il n'était pas, comme Char ou

Michaux, muré dans ses silences, dans ses secrets. Il appartenait à ce monde, chantait haut ses colères, avait de l'ambition pour son pays, il s'affirmait gaullien. Il rêvait d'une révolution culturelle que des âmes nobles et libres devaient pouvoir conduire dans l'ordre, la grandeur et l'amitié. Il était aussi prompt à accepter les honneurs qu'à couper les ponts, il ne croyait qu'à l'irrésistible force de l'imagination, il pensait assez naïvement que la poésie s'emparerait un jour des pouvoirs. Dans ma maison, ce soir, il me faudra retrouver quelques-uns de ses livres, juste pour réchauffer le souvenir : *le Tombeau d'Orphée, La liberté guide nos pas, Tristesse ô ma patrie, le Grand Œuvre.* j'écouterai peut-être sa « Radioscopie », il évoquait sans cesse l'eau qui court, il en disait lui-même les vers :

« La source est le mirage du temps
Qui voile l'immuable Distance
La source est l'horloge du sang
Qui régit homme et firmament. »

Dans le dernier article qu'il a publié, alors qu'il se savait mourant, Pierre Emmanuel écrivait : « La mort n'est qu'une portion de notre vie qui s'achève. Tout au fond de son être, le mourant sait qu'il va mourir et les efforts que fait son entourage pour le distraire de cette évidence ne font qu'augmenter son angoisse d'être seul à l'affronter. » Et Jean Guitton, son ami, de conclure : « Bien des poètes ont pleuré leur mort. Aucun ne l'a *prévécue* comme Pierre Emmanuel. »

3 octobre. – Les arbres se sont allongés sur l'allée. Ils avaient un peu plus de trois siècles et j'aimais leur mémoire. Je leur ai rendu une dernière visite. Ils sont impressionnants, si grands, couchés, perdus, muets, le vent ne les touche plus. Désolant spectacle mais pourquoi la nature n'aurait-elle pas aussi ses violences! Il n'y eut jamais à Miramont pareille tempête, tout s'est passé à l'aube. Je retrouve un parc dévasté et je pense à ceux qui avaient imaginé dans les années 1650 ce paysage de hêtres et de châtaigniers. Il n'est pas nécessaire d'aller au bout du monde pour s'offrir des éblouissements ou des désastres. Je vais souvent très loin mais je sais aussi voyager près, car on peut faire des expéditions en profondeur au plus étroit du voisinage. J'entretiens des rapports intimes avec ma terre et mon ciel, j'ai pour prendre le monde, le posséder, mes yeux, mes doigts, le cœur. Une marche à l'étang, minuscule avec pourtant deux îles, vaut n'importe quelle aventure dans le continent américain. Je m'y attarde plus que d'habitude, de nouveaux pensionnaires sont arrivés. Un couple de cygnes blancs, des canards de différentes origines, des pilets d'Europe, des siffleurs du Chili, des sarcelles d'été, des dendrocygnes bicolores. Ils ont trouvé refuge dans les eaux, entre les algues, sous un plafond de branches de jeunes frênes qui, à chaque saison, prennent de l'embonpoint. J'attends des naissances et c'est bon d'être ainsi lié à la douleur et à la joie. Le brouillard ce matin est épais mais l'essentiel est visible : un carré de hautes herbes suffit à ma contemplation; je rechercherai demain d'autres lieux mais celui-ci a la magie des frémissements du jour. Dans quelques minutes, vraisemblablement, le voile se déchirera et j'aurai la vallée du Lavedan à mes pieds. Je fais déjà des feux dans chaque cheminée, je m'enfonce dans la forêt toute proche. J'ai besoin de mon pays pour me raccorder aux sources, de ma maison pour me nourrir d'images et de sensations, cette maison qui est plus une étape qu'une arrivée, un prêt de la vie que seule l'amitié des autres, leur présence, peut amortir. C'est avec eux que je suis à portée de moi-même. Bientôt les arbres se relèveront.

4 octobre. — Jean-Claude Héberlé succède à Pierre Desgraupes à la tête d'Antenne 2 et il ne me paraît pas absurde d'envisager – quoi que l'on dise – une solution de continuité. Depuis 1975, cette chaîne qui fut selon les époques, les saisons de nos amours, la plus brillante, la plus turbulente, la plus inventive, la mieux gardée et qui est aujourd'hui la mieux reçue aura réussi à imposer une image de qualité et d'exigence dans le tourbillon mondial de l'audiovisuel. Pourquoi, dès lors, l'égratigner, vouloir lui faire tort en attaquant son nouveau président qui serait selon la rumeur le pion avancé de l'Élysée? A 2 deviendrait donc la chose du pouvoir! Foutaises. Nous en avons vu d'autres et ce que subit aujourd'hui Héberlé, Marcel Jullian l'a souffert pour des motifs contraires. Au nom de la simple confraternité, la presse ne devrait-elle pas soutenir l'un des siens et reconnaître d'abord son professionnalisme? L'avenir, du moins, nous en convaincra.

5 octobre. – Il est l'homme d'une œuvre immense, l'un des peintres majeurs de notre époque, le passager de deux mondes opposés. Sédentaire, à Montmartre, il s'est fait piéton à Montparnasse : d'un coup, l'abstrait a basculé devant le figuratif, non sans apporter à cette dernière discipline les structures géométriques qui sous-tendent le génie d'une composition. Sensible aux images de la vie quotidienne, Jean Hélion aura réinventé la nature morte et le pas à pas dans la rue des gens ordinaires, qui vont parapluie à la main, galurin sur la tête, journal sous le bras. Je tiens pour preuve de cette précision du regard son *Émile.* Le plus banal d'un tableau. Un personnage coiffé d'un chapeau qui tombe sur les yeux, des lignes esquissées, un col raide. Un mouvement, un mystère. Extraordinaire portrait. Ce bonheur du détail, du je ne sais quoi d'évocateur, on le retrouve dans *le Goûter,* sur la table-désordre chargée de tasses, de pommes, de vêtements, d'un couteau planté dans le pain; dans *la Citrouillerie,* encore une table, une veste abandonnée et, pour confirmer le titre, une citrouille ouverte; enfin dans cette marche de trois peintres portant leur chevalet sur le dos qui est chemin de croix.

Jean Hélion s'est amusé à construire l'Histoire à rebours pour ne pas s'abandonner aux modes. Abstrait lorsque les autres faisaient de la figuration, il est devenu figuratif en pleine période d'abstraction. Beau pied de nez à l'art. « Peindre, dit-il, c'est donner à voir, c'est donner à chanter. »

Je le revois pour ses quatre-vingts ans qu'il assumerait avec son élégance naturelle s'il n'y avait pour le distraire et l'inquiéter ses yeux qui se perdent maintenant dans un noir profond. « Ils se sont affaiblis depuis dix ans, dit-il, il y a eu des complications... Petit à petit ma vue a disparu et il y a six mois j'ai dû me rendre compte que je n'apercevais plus mon tableau. L'image était encore très claire en moi mais je ne pouvais plus la préciser sur la toile. Alors je me suis arrêté. » De cette infirmité, ou plutôt de ce coup du sort, il parle simplement, calmement, comme d'une épreuve qui lui est imposée par des « esprits pas très malins ». Il me regarde fixement, tente de me deviner. « Des lignes grises passent qui décrivent votre silhouette mais je ne sais rien de vos couleurs. Je me rappelle le bleu de vos yeux. Le monde pour moi est ainsi présent, j'ai tant de souvenirs sur lui mais je ne le vois plus ! Je serre la main de dames que je ne connais pas du tout, chaque rencontre est une énigme. L'étonnant est que je rêve toujours que je vois clair. Au réveil je m'étonne que ce ne soit pas vrai. C'est forcément pénible mais j'arrive à très bien le supporter. Mes visions du passé sont si nombreuses, si riches, que je suis en mesure de les rechanter. J'accepte la fin de ma vie comme j'en ai accueilli le début. Je me fais à ce brouillard qui s'épaissit et dans lequel je m'oblige à trouver quelques lueurs. Il y a trente ans j'aurais été fou de colère, de haine même. Aujourd'hui je me console en pensant que le ciel me mijote des joies différentes. » Faire ce mal à un peintre me révolte, c'est le détruire, le désespérer, lui enlever sa toile. « Non, non, elle est toujours à moi, je la possède si fort que dès qu'on m'en décrit un petit bout elle rejaillit dans ma tête. En quelque sorte je repeins mes tableaux de mémoire, j'espère simplement qu'ils sont exacts.» Jean Hélion s'était promis une vieillesse pareille à celles de Picasso, Chagall, Delvaux, mais les dieux en ont décidé autrement et il a trop d'orgueil pour s'enlaidir de jalousie. Le sort en est jeté, les choses étaient écrites, seule pourrait intervenir la merveilleuse surprise... «Pour que la vie demeure possible il faut lui accorder une chance de se racheter. J'espère vivre demain, donc j'espère aussi voir demain. J'ai travaillé sans arrêt soixante années durant, j'ai peint 2 000 tableaux, j'ai fait des milliers de dessins, il m'en reste 4 000 à ce jour, et je suis exposé dans les plus grandes galeries du monde. Venise, Paris, Munich présentent une rétrospective de mon œuvre, c'est assez réconfortant. A vrai dire, je n'aurai brossé qu'un seul tableau dans toute mon existence. Chaque nouvelle toile c'est la précédente, refaite soit à l'envers, soit à l'endroit, en mieux, en pire. C'est toujours la même image profonde que l'on cherche à saisir : je quête mon chemin. »

Pour avoir beaucoup aimé son art, tellement attendu de lui et tant sacrifié à ses périlleuses trajectoires, Jean Hélion mérite une place convenable dans l'histoire picturale du siècle. Les critiques lui accordent volontiers l'une des premières. Peu lui importe le bruit de la planète, il a déjà construit son univers. «Les mots sont très habiles, très fins et je les goûte suprêmement, la poésie me paraît être ce qu'il y a de plus délicat au monde, mais la peinture dit la beauté sans autre explication. Elle constitue la palette la plus exacte, l'approche la moins malhonnête, on ne triche pas avec les couleurs. » Il écrit aussi, il a toujours tenu son carnet, notant au hasard les choses superbes qu'il découvrait, l'idée qui lui venait, l'œuvre qu'il se trouvait admirer. Ces cahiers, il les a donnés à la Bibliothèque nationale. «Ce sont des notes réfléchies et dessinées. Aujourd'hui je dicte mes impressions à ma femme. Je lui parle de mes doutes, de ma manière d'affirmer la vie, de ma cécité qui est une abstraction, des transformations qui s'opèrent en moi : je change d'avis sur tout, principalement sur mes tableaux. L'un de ceux-ci, *le Peintre piétiné par son modèle*, me paraît être aujourd'hui un avertissement que je n'avais pas su entendre. » Je me souviens de cette toile, je vois une femme qui descend de son chevalet et piétine l'artiste. L'idée en est magnifique, l'exécution superbe. « Cela m'est venu spontanément, précise Hélion, c'est le thème majeur, une preuve d'angoisse que ne sublime jamais notre prétendu pouvoir. Le peintre pense dominer son tableau, prêche devant son chevalet, se veut Pygmalion, se donne l'impression de tout savoir. Il est Dieu, son pinceau est sceptre. Un jour pourtant il se trouve dépassé, terrassé par l'image qu'il a inventée, il gît à ses pieds. J'ai donc prédit tout cela, j'ai dessiné ma propre chute, j'ai crié à ma façon que j'allais m'écrouler devant mon œuvre. A la vérité, une force supérieure me faisait annoncer alors mon triste et actuel état d'aveugle : j'ai été tué par ma créature. Maintenant, j'affine dans ma tête mes textes d'autrefois. La mémoire me fait cadeau de ce que j'avais écrit et je me vante d'une certaine lucidité. La rumeur de la ville est toujours atroce, la face des journaux décourageante, la menace atomique et l'hypocrisie qu'elle suscite désespérantes. Je goûte plus que jamais, au toucher cette fois, la splendeur vulgaire et solaire des citrouilles, qui sont objets merveilleux... Je m'exalte à cette splendeur insurpassable des nudités, aux voix d'enfants, aux frémissements des branches enlacées, je sais qu'il y a ailleurs des yeux ouverts. J'irai tout à l'heure au Marché aux puces, cette foire aux beautés qui n'ont plus de nom et plus de propriétaire. Demain, je serai chez moi en Picardie, à Bigeonnette, un endroit charmant que mon ami Calder appelait joliment Badigeonnette. »

8 octobre. – Alain Giraudo écrit ce soir dans *le Monde* : « Personne ne voudrait croire que le golf se démocratise si le Trophée Lancôme était pris comme seule référence

236

pour ce sport. Tout, dans les vallonnements de Saint-Nom-la-Bretèche, respire les privilèges de la fortune pendant les quatre jours de ce tournoi pas comme les autres. » Bien évidemment – et ici plus qu'ailleurs – on peut tout dire et le contraire de tout. Le commentaire d'humeur a des grâces particulières, la démagogie un charme rétro. D'accord avec Giraudo si l'on s'en tient au paysage, à la vitrine, au côté Camp du Drap d'or en tout point semblable au Roland-Garros des heures chaudes du tennis. Pas d'accord si l'on accepte comme évidentes l'importance de l'affrontement, la qualité des compétiteurs, l'altitude du jeu. Et qu'importent les faveurs vertes et blanches dont on entoure l'épreuve. Ce trophée spectaculaire, qui pourrait facilement s'épargner des mondanités sans effet – mais ceux qui les condamnent sont aussi ceux qui les pratiquent – aura donné des ailes, une *popularité* à une discipline que l'on croyait réservée aux snobs, aux vieux, aux riches. Encore un de ces clichés à la française! Notre bon pays, tellement en retard sur le vol des balles au-dessus des trous, ignorait avant cet octobre pluvieux que le monde compte au bout de ses cannes injustement appelées « clubs » soixante millions de licenciés. La rencontre de Saint-Nom aura été dans toute la presse *prétexte* à une leçon de choses. Jamais – et j'ai tout lu – on n'aura tant écrit sur le golf, ses difficultés, les plaisirs qu'il procure, l'exigence qu'il impose. Des milliers de spectateurs, des millions de passionnés devant leur écran ne s'y sont pas trompés qui ont préféré Sandy Lyle, Ballesteros, Ian Woosman aux confidentiels déjeuners de têtes tellement dénigrés par ceux qui exigent d'en être. Le Lancôme est une initiation, une formidable rampe de lancement pour ce sport superbe et démoniaque dont on ne dit plus aujourd'hui qu'il est enfant des privilèges. Je pense d'ailleurs que l'on pourrait pousser plus loin son épanouissement. Pour rassurer les pessimistes qui avancent d'emblée le prix très élevé d'un parcours complet – un milliard d'anciens francs –, je propose une idée toute simple : pourquoi ne demanderait-on pas aux municipalités de prêter leurs terrains communaux, parfois en jachère, aux écoles qui, avec le concours du ministère des Sports et de l'Éducation nationale, mettraient alors en chantier trois, quatre ou cinq trous ? La chose est possible, j'en témoigne, je l'ai fait. Ce serait une bonne façon de rassembler les jeunes. Il est impossible de construire soi-même un court de tennis, on peut en revanche réussir un green approximatif. Cela vaut bien, en certains cas, une maison de la culture.

J'allais oublier de noter qu'à Saint-Nom, cette année, l'Écossais Sandy Lyle a gagné, battant l'Espagnol Severiano Ballesteros après barrages. Une surprise peut-être. Une excellente anticipation pour 85 sans doute.

10 octobre. – « La procession annuelle du Saint Sacrement descendait la pelouse des Saint-Aubert, dont le parc domine la Rance. Le cortège abordait le pré Noiraude... qui avait été envahi, dans la nuit, par des campeurs »... Les premiers congés payés s'étaient ainsi rapprochés du château et dansaient le tango sous ses fenêtres : deux mondes s'affrontaient, la France était coupée en deux, elle était déjà raciste! J'ai lu toutes ces phrases à Bertrand Poirot-Delpech qui en est l'auteur : il était aujourd'hui mon invité sur France-Inter, nous avons parlé de son nouveau roman *l'Été 36* que je considère comme l'un des meilleurs du cru 84. Je l'ai dit, je le répète, l'intérêt que je porte à l'ouvrage est d'autant plus grand que je n'étais pas spécialement préparé à l'accueillir. J'ai avec le feuilletoniste du *Monde* des rapports tendus, qui vont du froid au chaud avec une forme d'allégresse. Je suis ainsi, je ne puis me résigner à la colère, mes déceptions ne résistent pas au talent de celui qui me les impose, je craque lorsque l'intelligence est au rendez-vous. C'est peu d'écrire que j'aime le livre de B P D, je le trouve très au-dessus de la mêlée, je le classe à part dans le peloton de tête des admissibles aux prix de fin d'année, avec *l'Amant* de Marguerite Duras, *le Diable en tête* de Bernard-Henri

Lévy, *Une mémoire d'éléphant* d'Alain Gerber. Poirot oppose le monde clos de la bourgeoisie étriquée à l'univers falot des prolétaires, les gens du château à ceux du syndicat... « Les Français adorent les histoires de manoir... périodiquement ils foutent le feu au château, le reste du temps, ils collent le nez au carreau pour voir »... Il dit de l'un de ses personnages, et ce n'est pas innocent : « Il s'était engagé à gauche et il vieillissait à droite, pour cause d'intelligence. » Il me paraît surtout transformé, moins inquiet, comme rassuré par rapport à son œuvre, débarrassé de l'ombre des maudits ; il est drôle et brillant, il a retrouvé sa veine et donné un frère au *Grand dadais*. L'ayant accueilli à différentes reprises, je peux juger du changement. Il m'apparaît que ses affaires sont en ordre. Au micro c'est du grand Delpech qui passe. Dommage qu'il n'ait pas eu ce punch, cette aisance, cette ironie l'autre soir à « Apostrophes », où Claude Imbert lui a damé le pion et Hubert Monteilhet acculé aux excès. Il ne fait plus de doute que ce chroniqueur-pamphlétaire est un tendre. Je saurai m'en souvenir. Son livre emprunte peut-être trop aux vieilles années du grand bal du renouveau et fait danser des ombres, mais les dinosaures – bourgeois et prolos – sont de toutes les époques. Le rocambolesque a la peau dure.

11 octobre. – Précision d'orfèvre, discrétion rare, beauté de l'image, art on ne peut plus subtil. François Truffaut nous montre le plus difficile : l'envers du décor. J'ai déjà vu trois fois *la Nuit américaine*. Ce soir, sur petit écran, je lui trouve des grâces nouvelles. L'amour du cinéma transparaît à chaque seconde. Truffaut jongle avec tout l'ambigu de son métier, les mystères de la création, avec l'illusion, la réalité, les fièvres, les peurs, l'impertinence de ses interprètes. Ces cent dix minutes d'interrogations constituent une histoire complète qui au fil des ans devient chef-d'œuvre.

16 octobre. — Georges Thill est mort ce matin dans sa retraite varoise et je suis persuadé qu'il y avait sur sa table de chevet une bonne vingtaine de lettres d'admirateurs juste décachetées. C'était, à quatre-vingt-sept ans, son lot quotidien de messages d'amitié, de serments d'amour même. Jamais ténor d'opéra ne fut tant fêté; notre art lyrique n'a pas eu de vedette plus populaire. Il avait fait ses débuts à Paris en 1924 dans *Thaïs* et tout lui avait été joie jusqu'en 1956 qui fut le printemps de son hiver. Il avait décidé de donner au Châtelet son concert d'adieu et il s'y tint. Tout au long de cette dernière décennie, j'aurai été sa poste restante : je devais ce privilège à notre première « Radioscopie » qui avait marqué avec quelque éclat son retour (passager) à la vie publique. Cette correspondance nous avait fait complices. J'avais fini par m'habituer à certaines écritures, je pouvais vérifier la courbe saisonnière de sa carte du Tendre, la légende était intacte. Des enveloppes souvent parfumées venaient jusqu'à mon bureau. Imperturbablement je transmettais. On me demandait chaque jour de lui consacrer un « Échiquier ». Je lui avais fait part de ce souhait et il m'avait écrit ceci : « Mes années d'or sont terminées, il me faut faire silence et c'est d'autant plus facile que le ciel m'a vidé de toute l'eau de mes sources. Dans votre programme, l'invité doit *faire* et non pas *dire*. Chanteur, je devrais chanter et ne le puis. Je ne saurais donner à ma voix la larme, la caresse qui font les beaux instruments. Vous avez accueilli mes jeunes confrères étrangers, ils sont trois ou quatre à briller, je regrette de n'avoir pas eu un dauphin dans mon propre pays où plutôt qu'apprendre on défait. Les metteurs en scène qui sont les stars de ce siècle ont empoussiéré l'opéra en le badigeonnant de modernes couleurs. De mon temps, il y avait en tous domaines une avant-garde, maintenant je ne vois que des guignols vaniteux. Il n'est pas de solution à la bêtise. Si j'acceptais votre rendez-vous, je serais tenté de crier tout cela. Vous imaginez le scandale! Amitiés. » Un postscriptum accompagnait cette lettre : « Denise m'a écrit cinq fois ce mois-ci. Elle habite Nice. Je sais maintenant qu'elle a trente ans, j'ai sa photo, elle est très belle. Puis-je vous dire qu'elle est furieuse. Vous ne lui avez pas répondu. » C'était ainsi. Nous avions fini par avoir une correspondance croisée à plusieurs étages. Georges Thill avait la coquetterie de s'en flatter : « Elles vous écrivent pour vous parler de moi. Si vous inspirez la même ferveur à mon âge vous n'aurez pas perdu votre vie. »

17 octobre. – Dans sa chronique du *Matin* – ma drogue douce du mardi –, Bernard Franck fait parler une attachée de presse qui familièrement l'agresse. Le « il » – ici le « elle » – cache le « je » ou plutôt le magnifie. C'est le voile chargé d'attirer le regard, le tchador posé sur la plume qui découvre un miroir à deux faces. Franck y va de son autocritique et la déguste pour mieux l'affiner. Il s'inquiète de la non-assistance aux écrivains nouveaux que Mme de Sévigné, Montaigne, Saint-Simon, Racine, Kafka, ce foutu Proust écrasent de leur ancienneté glorieuse. Avec les grands une personne de plume leste peut faire un numéro plus ou moins brillant. Le jeune romancier, lui, n'est pas d'un bon rapport... « Un débutant, pour un journaliste, c'est comme un bébé pour un médecin : ça ne parle pas. La plupart du temps ça n'a pas d'importance... En littérature, le pépin, le sale cas, c'est le talent. » La petite voix intérieure que B F [1] appelle pudiquement attachée de presse s'en prend directement à la critique : « Si vous n'aimez parler que des écrivains morts ou célèbres, c'est que vous n'avez plus besoin de les soigner. Votre diagnostic est d'autant plus vivant qu'il ne sert à rien. » Franck, comme tant d'autres, mais avec une belle franchise, se désole de ne pas donner la main à tous ceux

1. Les initiales nombreuses font les sigles glorieux : J J S S, P P D A, V G E, B H L (chacun peut y reconnaître les siens). B F, pour Bernard Franck, cela fait un peu court, jeune homme. Il faut être J R pour imposer la solitude d'un couple de lettres.

qui tentent la difficile approche de la terre prétendue promise. Je le comprends, je l'ai déjà écrit : c'est une hantise de penser que l'on n'a pas aidé celui qui méritait de l'être. C'est une obsession de croire que l'on passe à côté du génie... même si on a toutes les raisons de dire qu'il ne court pas les rues. Mais soyons sincères : c'est une facilité de l'avouer, un alibi. La petite voix égratigne encore B F : « Regardez le sort que la corporation a fait à Nimier, à Robbe-Grillet, à Le Clézio, pour ne pas parler de vous qui n'écrivez pourtant jamais : vos silences sont devenus aussi célèbres dans un cercle étroit que ceux du colonel Bramble! Et pensez aux bégaiements de Modiano. Au fond, les écrivains qui encombrent les histoires de la littérature sont peut-être d'anciens nouveaux que, par distraction ou lassitude, on a laissé entrer. On a répété leurs noms parce qu'ils avaient été prononcés un certain nombre de fois. Et puis le pli a été pris. » Ce qui signifie en clair : « Moi, Franck, je me fais trop rare dans les librairies, il serait temps que ça change, on ne peut pas être seulement à la mode. » J'aime bien les écrivains qui règlent leurs comptes avec eux-mêmes. Ils vous ôtent ainsi le pénible d'un jugement, ça n'a pas de prix.

19 octobre. – Henri Michaux est de mes grands échecs. J'aurais voulu l'accueillir, ainsi que Gracq, Cioran, Char, qui se sont également murés dans le secret d'une estimable vanité. Je lui avais écrit, je l'avais invité; il m'avait adressé un refus poli, circonstancié : « Je me fais à ma loi, je m'oblige aux ténèbres et n'y suis même pas bien. » Je me console en pensant que nous eûmes un début de correspondance.

Mort cette nuit... il rejoint l'autre rive. Je comprends sa volonté de retraite et silence, la nécessité d'un tel éloignement. Il ne portait pas de masque, mais son visage était depuis longtemps une énigme, il l'aurait souhaité non défini. S'il avait répondu à mon appel, il serait entré dans l'apparence, une lumière qu'il refusait. Écrivain-poète, peintre-dessinateur, il aura voyagé au plus profond de ses deux univers : espace intérieur et bout du monde. Toujours en passager clandestin. Étranger à nos pauvres habitudes, Henri Michaux était d'abord un rêveur, inaccessible, comme Lautréamont, piéton des labyrinthes du dedans, porté par les hallucinogènes qui le délivraient du réel. A quatre-vingt-cinq ans, il n'aura vécu que de lui, pour son œuvre. Il habitait une zone de larmes, le drame l'avait touché, la mort atroce de sa femme. Mais son angoisse de vivre ne fut jamais gommée par la mescaline qui n'allumait que des semblants de ciels. On le découvre déjà en 1938 dans *Plume*. Phrases éparses qui dessinent un portrait : « Écoute, je suis l'ombre d'une ombre qui s'est enlisée »... « Tout à coup, la mort vint et dit : il est temps. Viens. » Ou, dans *Passages :* « J'ai le besoin périodique de me perdre et d'ainsi me rafraîchir »... « J'écris pour me parcourir. Peindre, composer, écrire : me parcourir. Là est l'aventure d'être en vie. » C'est vrai, j'aurais aimé lui accorder une semaine de « Radioscopie », faire entendre cette nature qui avait une forte « propension à l'ivresse », mais je m'y serais cassé la voix. Henri Michaux était incontournable, il n'aurait répondu à aucune question – « Je mets une pomme sur ma table, écrivait-il. Puis, je me mets dans cette pomme. Quelle tranquillité. » Difficile d'atteindre un tel homme. Il s'est uni « à la nuit, à la nuit sans limites ».

20 octobre. – Michel Droit publie le quatrième tome de son journal *Une fois la nuit venue.* Trois cent soixante-douze pages pour des années de transition, pour un drame, la maladie et la mort de Georges Pompidou : 1972.1973.1974. L'auteur estime sans doute qu'il faut laisser passer une décade pour oser dire publiquement son regard. L'ouvrage livre le témoignage d'un journaliste totalement engagé qui souffre – avec l'orgueil de ne point l'avouer – d'être tenu à l'écart par l'intelligentsia. Sa férocité, qui ne ressemble en rien à la méchanceté ordinaire, n'a pas ici d'autre vertu que de le tirer d'une ombre qui l'étouffe. L'homme se sent incompris, se croit détesté, il me semble qu'il abuse de sa prétendue condition de maudit, voire qu'il en joue. De l'éloignement de ceux qui le connaissent bien il fait une offense, alors qu'il serait plus simple d'admettre que la vie impose des choix arbitraires. Plutôt que de s'y enfiévrer, il devrait s'amuser des coups qu'on lui porte, mais sa nature est ainsi faite qu'elle ne se plaît qu'aux éloges. J'aime les passages où il chante l'Afrique fauve que je voudrais mieux connaître, ce sont les moments vrais d'un passionné, qui a le tort toutefois de préférer le fusil à la plume aux époques cruelles de chasse.

Droit parle de la « Radioscopie » que j'avais consacrée à Jean-Paul Sartre. Il trouve le philosophe *passionnant* quand il évoque Flaubert, *émouvant* parce qu'il parle de son enfance, de sa laideur, *consternant* dès qu'il expose son projet de créer un journal quotidien fait pour le peuple et par le peuple. J'ai toujours estimé que l'on commet une erreur en dénonçant une intention. Michel Droit sait pourtant que ce journal pour lequel Sartre s'obligeait à une rupture avec son œuvre est vite devenu *Libération*, une feuille qui ne nous est pas toujours favorable mais qui aura donné à la presse un salutaire regain d'insolence, une impertinence qui n'est pas étrangère à celui qui fut un académicien assez inattendu.

Michel Droit nous donne sa cargaison d'anecdotes comme il sied à ce genre de littérature. J'ai retenu la définition de Thierry Maulnier, s'acharnant un soir sur les mini-gauchistes du *Figaro*. « Ce sont des garçons qui, ayant pris l'avion pour Miami, voudraient faire croire qu'ils aimeraient bien au fond se poser à la Havane. » Je revois aussi le dessin de Jacques Faizant : Malraux présente à Nixon un jeune clochard à cheveux longs modèle 68... « Vous voulez épater Mao? Amenez-lui un maoïste. » Droit se souvient également de Bernard Gavoty, lorsqu'il réglait leur compte aux musiques concrètes, sérielles, contemporaines. C'était lors d'un concert où l'on interprétait l'une de ces partitions modernes. Le directeur de la salle était venu dire au critique : « Je vais vous installer à une meilleure place, d'ici vous n'entendez rien. – C'est bien pour cela que cette place est excellente », avait répondu Gavoty.

Des phrases comme celles-là, presque banales, définissent un caractère et la couleur d'un journal.

21 octobre. – Un matin, dans mon bureau où nous avaient rejoints Liliane Bordoni, Josette Kominek et Bruno Fourcade – mes collaborateurs –, François Truffaut, qui s'expliquait sur la vie, sur ses passions, avait dit : « Sur ma tombe, on devra écrire ceci, qui est simple, vrai et me définit : *Il aimait.* » Il admirait surtout, il avait ses prophètes – Hitchcock, Renoir –, il attendait de bâtir le grand œuvre, rêvait d'une carrière longue, se souhaitait une vieillesse lourde de travail. Je lui avais demandé comment il accueillait le temps qui passe. « Il faut avoir des réussites pour ne pas être aigri, des échecs pour ne pas tomber dans la prétention. Il n'est pas nécessaire de faire des éclats, il s'agit de se battre sérieusement. L'existence est belle, lumineuse et banale comme une phrase sans adjectif. » Et il lui en fallait trois pour assurer le balancement du propos. Le voilà regretté comme il convient et partout célébré : « *Notre ami Truffaut* », écrit-on dans les gazettes. C'est se tromper d'homme; il ne fut à personne. Il lui fallait le monde, l'embrassement plus que les embrassades; il était si chaleureux qu'une sympathie de façade, une bienveillance d'appoint constituaient à ses yeux une offense. « Aimer, ce n'est pas répéter les mêmes mots convenus, c'est se donner à l'autre, se perdre pour lui, ne s'accorder aucune timidité. Nous sommes dans un monde d'apparences, je revendique l'exigence. » Il avait horreur de l'à-peu-près, des expressions vagues qu'il appelait douteuses, des précautions imbéciles : « Il n'y a pas de mise en scène délicate ou rigoureuse, c'est réussi ou c'est raté; une interprétation douce ou musclée, ça

245

n'existe pas, on joue juste ou faux. » Que restera-t-il de son œuvre? « Je n'irai pas jusqu'à prétendre que ma production entrera dans le xxie siècle, mais je dois reconnaître que j'ai tout fait pour cela... les *Quatre Cents Coups* raconte l'histoire d'un gosse mal aimé, incompris. Sans doute est-ce moi, parmi tant d'autres. Il me plairait que ce film fût retenu demain par les vrais amoureux du cinéma. » Je pense que ceux-ci se souviendront plutôt de *la Nuit américaine*, qui donne toutes les preuves de sa passion pour l'image. Il aimait cette réalisation qui ne ressemble pas à un film et qui l'est pourtant davantage. Nous en avions parlé des heures durant, nous préparions alors notre soirée du 19 mai 1982, cet « Échiquier » auquel je rêvais depuis si longtemps. Un journaliste m'avait demandé : « Pourquoi François Truffaut? » Comme à l'habitude, j'avais répondu que nos choix sont subjectifs, arbitraires. J'avais ajouté : *parce que c'est une nécessité.* Et c'était bien cela. Nous ne nous connaissions pas, je suivais son travail, il savait le mien, nous nous étions souvent rencontrés, sans oser le moindre arrêt, mais une estime réciproque nous faisait proches. Il m'avait dit, sans autre explication, au tournant d'un bavardage : « Pivot, vous, moi, même combat. » J'y vis un signe d'alliance. J'ai bien dit d'alliance et non pas d'amitié. Nous nous gardions des mots trop galvaudés. Pour l'émission, j'avais choisi ce titre : *les Femmes et les enfants d'abord.* « Cela répond à la vérité, estimait Truffaut, ce monde m'est essentiel. Seuls les sentiments m'intéressent. La plupart de mes films sont traversés par l'amour, on me le reproche quelquefois. Mais je ne peux pas faire de cinéma avec des gens en uniforme, ça me démoralise, ni avec des gangsters, je ne les aime pas. Je ne m'imagine pas non plus dans une forêt vierge : l'aventure ne m'intéresse pas. Alors, je travaille avec ce qu'il reste... Disons, les enfants et les femmes. » Nous avions donné un titre particulier à l'une de nos séquences : *les Sentiments de l'escalier.* Sur le papier, cela faisait bizarre, mais les images que cette expression couvrait étaient révélatrices d'une manière

246

d'être assez répandue. Truffaut pensait en effet que les déclarations les plus belles, les mots les plus vrais, d'amour, de haine, ne venaient jamais dans le cours d'une conversation normale. On pouvait avoir tout dit pendant de longues heures, la tendresse, le déchirement, mais jamais la simple phrase clé qui ouvre et ferme des mondes, le je t'aime furtif, l'adieu sinistre... « C'est au tout dernier moment que ces mots sont jetés, sur le pas d'une porte que l'on repousse vite, devant un ascenseur qui file déjà. L'escalier pour seul témoin! » Ceux qui ont une âme de cinéphile peuvent le vérifier à la projection de *l'Amour à vingt ans, Baisers volés, Domicile conjugal, la Chambre verte, la Femme d'à côté*. A ces films, nous avions d'ailleurs emprunté des images pour assurer notre démonstration. Mais chacun d'entre nous, sur ce point, a ses propres références.

Pour François Truffaut, le cinéma obéissait à une règle banale : il ne devait pas être compliqué mais seulement prendre en compte l'intelligence et le cœur. « Le bonheur, disait-il, est la chose la plus simple mais beaucoup s'échinent à le transformer en travaux forcés. Il importe de respecter l'autre et cette réflexion de Baudelaire devrait être méditée : " *La sensibilité de chacun, c'est son génie.* " »

A cette seconde où j'apprends sa mort, je retrouve une succession de moments heureux. Je reconnais son pas tranquille dans le couloir du cinquième étage de la rue de Montessuy, sa discrétion − « Puis-je entrer, est-ce bien l'heure? » −, sa voix saccadée, au débit uniforme, au ton trop haut, son regard, parfois étrange, plus inquiet que tendre, toujours interrogatif, j'éprouve à me souvenir le charme rare d'une spontanéité qui ne fut jamais familière. Il mettait de la distance dans ses élans. « Nos admirations doivent constamment se tenir sur leurs gardes. Il n'est rien de plus vulgaire que le copinage intellectuel. Soyons simplement compagnons. » Je l'aurai vu pour la dernière fois au théâtre de l'Empire au cours de la répétition de la remise des césars. Il est venu vers moi, il paraissait épuisé par la maladie, pressé par le temps : « Vous me trouvez changé ? » Je ne crois pas avoir répondu. Nous avons vite parlé d'autre chose, de l' « Échiquier » qui nous avait permis de collaborer très étroitement – « Nous pourrions réaliser ensemble une comédie musicale, le petit écran s'y prête » –, de création audiovisuelle – « Mon rêve serait de faire cent épisodes de vingt-six minutes sur *le Comte de Monte-Cristo.* » Cet après-midi-là, avenue de Wagram, Gene Kelly accompagnait Truffaut : « Vous devriez lui consacrer une émission », disait le metteur en scène; « Vous auriez tout intérêt à faire une nécrologie, je suis si vieux », rétorquait l'acteur. Nous nous étions installés au premier rang de la salle, nous suivions, amusés, l'exercice périlleux d'un jeune groupe de danseurs appliqués à faire des claquettes. Une comédienne d'une vingtaine d'années avait pris place derrière nous. A la fin du ballet, elle se pencha : « Pardon, monsieur Truffaut, une question. Qui a dit : Un film idiot et énergique peut faire du meilleur cinéma qu'un film intelligent et mou ? » Gene Kelly pivota sur son siège : « Truffaut, mademoiselle. » François le confirma timidement, comme ennuyé. A cet instant, je le vis triste, désemparé, déjà parti.

22 octobre. – J'ai déjà dit dans *le Temps d'un regard* ce que fut ma rencontre avec Salvador Dali dans son appartement de l'Hôtel Meurice, rue de Rivoli. Je le revois tel que je le décrivais alors : moustaches fières et comme fausses, poing ferme sur le pommeau de la canne d'ébène, élégant, magnifique et ridicule. Je le retrouve dans le livre de Pierre Ajame *la Double Vie*, qui paraît aujourd'hui : peintre et écrivain, anarchiste et monarchiste, obscène et chaste, exhibitionniste et invisible, mégalomane et modeste. Oui, vraiment double. Jekyll et Hyde. Sa vie n'aura été qu'un immense conflit entre l'artiste génial et le bateleur, ses mots sont d'autres enluminures, celui-ci par exemple : « Les deux choses les plus heureuses qui puissent arriver à un peintre contemporain sont :

primo, être espagnol, et, secundo, s'appeler Dali. Elles me sont arrivées toutes les deux. » Il lui arrive hélas maintenant d'être entre la vie et la mort, à la merci des charognards.

25 octobre. – Je connais Jacques Séguéla depuis si longtemps que je le vois encore bouclant son tour du monde en 2 ch, je l'imagine toujours perdu quelque part en Patagonie, dévidant son insouciance dans les eaux de la cordillère des Andes. Le bougre me semble une énigme, il a le goût de l'aventure et la passion du pouvoir, l'amour des autres et une admiration dévote pour lui-même. Sa Rolls roule à gauche si son cœur fait des grimaces à droite, il avoue avoir la chienlit en tête, sa cinquantaine ne sait pas choisir entre la course à l'Académie française et la retombée de son enfance. Comme Marguerite Duras il est mitterrandien, accroché à la force tranquille qu'il dit avoir inventée. Il roucoule ses formules : « La gauche a perdu la majorité, le Président la conserve. » Il peaufine sa méthode : « Notre métier n'est pas d'être marchand de pub mais fomenteur d'imaginaire. » Il raconte des histoires : « Aïdo Morita de Sony a deux passions : Bach et le golf. Rien de plus simple à satisfaire. Mais la difficulté naît le jour où il décide de conjuguer ces deux hobbies. Sonoriser un parcours de dix-huit trous n'est pas chose facile. Aussi demande-t-il à son laboratoire un mini-lecteur de cassettes portable. L'engin est immédiatement adopté : le walk-man commence ses ravages. » Séguéla, qui a tout réussi, sa carrière, sa vie, son désengagement, son look, le déroulé de ses fantasmes, se fait aujourd'hui écrivain. Ses précédents livres, *Ne dites pas à ma mère que je suis dans la publicité... elle me croit pianiste dans un bordel, Hollywood lave plus blanc*, n'étaient que d'aimables bluettes anecdotiques. Son *Fils de pub* – je lui laisse l'à-peu-près commercial du titre – témoigne de véritables qualités littéraires. Il y a là une écriture, un tempérament, une exigence. L'intérêt en est constant, le récit maîtrisé. J'aime Jacques pour ses étrangetés, cette manière qu'il a de nous cueillir, comme Bernard Tapie, à l'endroit où nous ne l'attendions plus, j'apprécie qu'il se souvienne des leçons de Gaston Bachelard : « L'homme est une création du désir, non du besoin. »

28 octobre. – Fermeté de caractère, dignité, modestie, humour : « Ça fait drôle de se retrouver pareil à un héros de bandes dessinées. » Débarrassé des lourdeurs politiques de la réception de la veille, Jacques Abouchar est enfin chez lui, sur le plateau d'Antenne 2 midi. Daniel Bilalian lui montre les images du combat mené de Paris, la manif des copains, l'extraordinaire mouvement de solidarité. Jacques ne savait pas, ne pouvait pas savoir. Il ne contient pas son émotion, les larmes viennent. Bilalian craque, long silence. Ce temps fort de la télévision est la perle de ce dimanche. Kaboul, c'est fini.

2 novembre. – La littérature, depuis des années, m'oblige à une manière de faire particulière, m'impose un exercice délicat et bienheureux. J'ai mes lectures de *travail* et mes lecture de *plaisir.* Les premières s'attachent au quotidien de ma vie professionnelle, nourrissent mes émissions, engagent l'actualité immédiate, les autres représentent ma liberté de choix et des moments privilégiés. Par curiosité, boulimique j'en conviens, par nécessité radiophonique, je touche – ah! le bonheur de caresser une couverture –, j'ouvre, je parcours, rapidement, une dizaine d'ouvrages chaque jour. J'en lis totalement *un.* La nuit et au petit matin. Il y faut du silence. Parfois je reviens sur un titre. J'ai, près du lit, ma petite cargaison pour demain, romans, documents, essais, avec lesquels je partirai sans doute une de ces aubes en voyage. *Neige de printemps* de Mishima – ce chef-d'œuvre – est déjà tombé deux fois de ma table de chevet. Un signe.

250

Dans cette optique de retrouvailles désirées, j'ai relu hier le *Ce que je crois* de Claude Imbert avec plus d'attention, en prenant le temps de m'attarder à certaines pages, de noter des mots, des expressions, des pensées. Je peux dire maintenant que nous tenons là l'un des « récits » les plus importants de cette décennie. Les philosophes ne nous ont pas habitués à tant de clarté. Journaliste d'abord, directeur de la rédaction du *Point*, ancien de *l'Express*, Imbert annonce d'entrée qu'il sait qu'il ne sait pas. Il n'est pas de meilleure introduction à une interrogation honnête. Vite, comme pour s'en débarrasser, il confesse douloureusement son agnosticisme mais repère volontiers ailleurs des traces de lumière : « Je ne vois aucune raison de discuter chez les autres l'exercice de la foi... La foi s'éprouve et ne se prouve pas... J'admets la réalité d'un *surréel*... Dans ma non-croyance, j'ai le sentiment de concourir à mon anéantissement. » Point de départ de son analyse : l'ébranlement de l'ordre chrétien, clé de voûte d'un système spirituel et la perte d'espérance dans un progrès banalisé. L'homme n'a plus de système de valeurs auquel il peut se référer. Notre siècle est celui du « grand passage ». Où est l'autre rive, y a-t-il des guetteurs, peut-on sans risque quitter le monde ancien? « Oui, dit-il, si une nouvelle Renaissance marie à notre nouvelle éthique individuelle une nouvelle idéologie de la liberté. » Claude Imbert passe tout au crible : couple, sexe, mort, vieillesse, musique, bonheur et même rire. « Première évidence de notre temps : celle du déclin du rire dit, fort justement, communicatif, le rire de fête, le rire éclaté, débondé, le rire de chahut, de banquet, le rire sonore, énorme, homérique. Ce rire-là, rire de nature, rire à se tenir les côtes, est en perdition. » Cher Claude Imbert, venez dans ma maison, aux Pyrénées, et vous verrez que nous conservons l'expression régulière de cette joie qui tient plus à la bonne nature qu'à l'ordre ancien. Nous n'avons pas plus adhéré au nouveau rire qu'à la nouvelle cuisine. Simple question de spontanéité, de vitalité, de bouillonnantes envies. La tradition n'a jamais été chez nous une curiosité folklorique. Nous aurons du mal à apprivoiser la mode du sourire pincé, de l'interjection amère, de la dérision. Un ami parisien particulièrement triste, défait par son moi profond qu'il torture, agacé de tout ce qui n'est pas lui, a désappris le rire qu'il pleure à sa manière. Il s'est donné des piques, des griffes, des sautillements de gosier : « J'aime à faire mal, avoue-t-il dans ses moments d'abandon. Tout doit être moqué, cassé et d'abord les institutions. Mais de grâce, que l'on ne me touche pas. Je suis si fragile. » Du dérisoire, cet ami a fait son sérieux et j'ai assez d'humour pour ne pas me priver d'un comique.

Claude Imbert parle de son temps, compose un hymne à cette merveille expirante : la civilisation, juge le monde asphyxié, constate que les gens pensent petit mais conserve le désir, le plaisir, la jouissance. Je l'aime amoureux de la beauté, des femmes, de la musique. Le rôle d'un journaliste n'est pas de prendre parti dans les querelles mais d'être un spectateur, un dérangeur. Il l'est avec l'éclat d'une totale honnêteté, dans un parfait état d'incertitude. Il est également saisi de grands vertiges, en éprouve trois : « Le premier tient au déclin démographique, au fait statistique qu'un pays comme la France ne renouvelle plus aujourd'hui ses générations. Il tient au mystère, plutôt inquiétant, du refus de la vie, je veux dire du refus croissant manifesté par des dizaines de millions d'Européens d'assurer leur survie dans une natalité suffisante. Le second vertige, non moins impressionnant, touche au refus de la mort, à l'escamotage de la mort dans nos pensées, dans notre vie familiale et sociale et à la perte de conscience de la condition humaine qui en découle. Le troisième nous vient à considérer les changements violents dans les relations des hommes et des femmes, dans la rébellion érotique, dans la crise de l'institution maritale. » Ces vertiges, que beaucoup de gens connaissent, découvrent il est vrai le délabrement d'un système communautaire. Nous touchons à la saison des *Narcisse* et Claude Imbert en recense tous les miroirs : « Dans l'observation professionnelle, ces dernières années, j'ai pu mesurer une baisse de curiosité pour les ressorts collectifs des hommes et des choses... Un nouveau repliement du moi vers le moi... Ce que le lecteur des années 80 veut de plus en plus, c'est qu'on lui parle de lui, de sa sécurité physique et psychique, de son stress et de ses rides, de ses vertèbres et de sa séduction, qu'on l'enveloppe d'un cocon tiède... qu'on lui indique les mille voies et moyens pour éluder le risque. » Tout cela est bien vu. Les hommes et les femmes d'aujourd'hui sont préoccupés davantage de leur retraite complémentaire que de l'avenir de l'humanité. Le rêve n'est plus qu'à quelques-uns. Par démagogie, les gouvernements ont installé des *États-providence*. Et s'est démesurément agrandie l'armée des assistés. La nation s'est réveillée mais l'homme est mort. Personne, d'ailleurs, au pouvoir, ne semble s'en préoccuper. C'est partout le même discours lénifiant, les mêmes majorités, les mêmes oppositions. Par distraction, on a changé de camp cette fois : il fallait montrer que, pour l'essentiel, rien n'est différent. Les plus jeunes ont conscience de patauger dans un marigot. Leur vocabulaire est leur sauvegarde, « leur aspiration déclarée à la félicité psychique. Il faut *planer*, il faut le *trip*, dans un climat *soft* et fluide. Pour que ça *baigne*, il faut être *cool* et *décontracté*. Les trois maîtres mots du langage narcissique sont, pour le positif : *gratifiant* et *sécurisant* et, pour le négatif : *traumatisant* ». Avec ce bagage, chacun peut se lancer dans une conversation d'aujourd'hui. Pour être tout à fait dans le coup, il faudra cultiver le *stress*.

J'attendais Claude Imbert au chapitre de la musique, je le savais déjà très inspiré par une réflexion de Vladimir Jankelevitch : « La nostalgie, principe de rêverie, est le sentiment musical par excellence. » Je me disais, ça va barder, les adorateurs du vieux répertoire seront mis en accusation ; je ne me trompais qu'à moitié. Page 219, c'est l'ouverture en fanfare : « ... les mélomanes de notre époque deviennent les pèlerins obstinés d'un monde ancien, les dévots d'une tradition "classique" qui sonne à nos oreilles comme anachronique, comme une désaffection, un oubli du monde vivant... » D'un côté, donc, Monteverdi, Bach, Beethoven, Mozart, de l'autre Schönberg, Xenakis, Stockhausen, Boulez. Entre les deux un précipice! C'est une opposition de nature, il n'y a pas dualité, mais totale incompréhension. Les créateurs occidentaux contemporains font « une musique rare, difficile, peu jouée, peu éditée et encore moins écoutée, musique atonale, confidentielle et comme égarée, en rupture avec le code ancien et qui souffre de sa sincérité, en exprimant les "dissonances", les angoisses du grand passage ». Ce serait donc l'air du temps, des notes que l'on ne retient pas, des bruits qui vont... Il est exact que le public de la musique raffinée renâcle à entendre ce qu'il appelle la « cacophonie moderne ». Le répertoire où il se complaît remonte au XVIIᵉ siècle et on serait tenté de dire que l'avenir pourrait donc être favorable aux obstinés concrets d'aujourd'hui. Je ne voudrais pas faire une mauvaise querelle à un auteur si brillant. Qui va de gaieté de cœur à un *concert total* de musique contemporaine? Qui s'émeut au langage des compositeurs de notre temps? Qui pose délicatement sur son électrophone l'un de ces enregistrements atonaux? Presque personne et on peut s'en étonner. Le regretter, ce serait déjà se mettre en marche. Il semble miraculeux que Varèse le visionnaire ait pu rassembler deux mille spectateurs à l'une de ses rétrospectives. Mais dans la rue, qui siffle du Varèse? Ou du Berio? Claude Imbert rappelle que si Mozart est mort solitaire, on chantonnait toutefois dans Vienne les airs de son *Figaro*, et dans Prague ceux de son *Don Juan*. Il existait, comme existent à cette heure les œuvres d'Henri Dutilleux – écoutez son « monde lointain » dédié à Rostropovitch – et d'Olivier Messiaen : dans *Saint François d'Assise*, « le Prêche aux oiseaux » est remarquable. Imbert a raison de déplorer le peu de curiosité des gens pour la musique d'aujourd'hui, d'écrire que le paysage musical d'un mélomane 84 est presque toujours celui d'une ville musée,

254

mais lorsqu'il déshabille son propre violon de son foulard de soie, « c'est tel larghetto de Vivaldi, telle sonatine de Schubert, c'est une certaine évasion » qu'il se donne, un certain voyage ineffable qui est celui de la nostalgie essentielle. Ce qui tendrait à prouver qu'au fil des temps, le langage des émotions n'a guère changé. Et moi (le fameux moi d'aujourd'hui) où en suis-je à cette seconde précise avec la musique? Aucun mal à répondre. Il me suffit d'attraper les enregistrements qui, sortis de la discothèque, sont là près de mon bureau, sur une chaise, en pile. Ce sont justement ceux que j'ai écoutés ces derniers jours : *la Flûte enchantée* de Mozart sous la direction de Karajan, des airs d'opéra interprétés par Kiri Te Kanawa, *le Messie* de Haendel avec Elisabeth Schwarzkopf, l'autobiographie musicale de Louis Armstrong, superbe album de quatre disques Coral, Arthur Rubinstein, *Concerto n° 1* de Chopin, Salvatore Accardo, *Concerto pour violon* de Beethoven. Je livre en vrac, comme je prends. C'est vieux, disparate, mais si beau. Et puis, je sais que les jeunes vont donner leur talent à ce répertoire. Eux aussi assurent le grand passage. Tiens, il n'y a pas de musique contemporaine.

Ce que je crois de Claude Imbert est un livre rare et je me demande en fin de compte si je dois envisager sérieusement l'agnosticisme de l'auteur. Déclarer l'absolu inaccessible à l'esprit humain, c'est s'ôter toute curiosité, refuser l'aventure...

3 novembre. – Dans un fatras de courrier, j'ai retrouvé ce matin une lettre de Romain Gary qui essuya en 68 les plâtres de « Radioscopie ». « Je souhaitais chez toi parler de *bonheur* et je n'ai pas trouvé les mots. Un traité de chevalerie m'en donne aujourd'hui la définition : *Être aimé de qui l'on aime.* »

4 novembre. – Personne, dans ce pays, n'a plus aucune raison de s'opposer à la naissance des télévisions privées. *Canal Plus* ouvre aujourd'hui toutes les vannes, lève les barrières. L'État ne peut plus refuser à d'autres ce qu'il s'accorde à lui-même et il est assez réjouissant de noter que nous devrons à un gouvernement de gauche cette chaîne seulement accessible à quelques-uns. Le pli est pris, des antennes pousseront demain par centaines, quatre ou cinq tiendront l'écran, la sélection se fera d'elle-même : une image nouvelle, c'est un signe de plus, une parole différente, un supplément de liberté. Alléluia! Nous aurons donc attendu douze ans avant de recevoir – c'est une façon de parler – le quatrième réseau français. Eh oui, FR 3 c'était en 1972! Je ne suis pas à Paris, je ne verrai donc pas ce lancement, je ne participerai pas aux agapes, dans mes Pyrénées nous sommes totalement coupés de la fête. Mais je peux déjà dire d'ici ce que l'on écrira demain : « Rien de neuf, trop bavard, ratage parfait. » Vieux combat, vieux réflexe, vieux débat. J'entends aussi ce que proclament les confrères nouveaux : « Voici enfin un écran qui ne ressemble pas aux autres. » Les pages blanches, à la vérité, sont écrites depuis bien longtemps.

Mozart, dans ses années de souffrance, aurait-il imaginé que sa musique serait jouée, portée au plus haut de l'admiration même de la prière, deux cents ans après? Absurde interrogation. Je ne suis pas sûr d'ailleurs que, rendu à la vie, en cette année 84 qui le sublime, autorisé à toucher ses droits d'auteur, il fût vraiment heureux. Qu'importe, puisque par lui nous le sommes : *Amadeus* en est la vivante, la bouleversante preuve. Le film de Milos Forman constitue le splendide « forte » de la saison cinématographique. Un événement pour la musique, qui, après l'autre succès – *Carmen* –, s'offre maintenant au vaste public. J'avais vu la pièce de Peter Shaffer interprétée par Roman Polanski et François Périer. C'était déjà remarquable, mais l'écran, sur ce même thème, déploie une féerie qui se trouve fort à l'étroit au théâtre. Pour bien accepter l'idée générale de l'œuvre, ne pas s'en effrayer, il faut savoir que Mozart n'était pas cet ange aux cheveux dorés, assis sur un piédestal de marbre, mais un être rempli de contradictions. A défaut de le croire, on peut aisément l'admettre et entrer ainsi dans une forme d'imaginaire.

Il n'est pas d'information qui puisse nous donner de véritables précisions sur le caractère profond du personnage, ses ressorts intimes. Les étapes de sa vie, fixées par les biographes, ne sauraient montrer ou démonter le mécanisme psychologique d'un tel génie. Pas le moindre portrait pour affirmer l'analyse. Dès lors, toute interprétation est possible et la (re)création devient art.

Ne boudons pas notre plaisir. Forman – en grossissant le trait, en inventant peut-être le comique d'un comportement – a fait plus pour Mozart que les musicologues acharnés à le disséquer. Victoire de la fiction sur la réalité, de l'amour sur le jugement, du témoignage sur le commentaire. Un réalisateur peut se donner le droit de dépasser son sujet; s'il est honnête, il s'interdira de le pervertir. Or la gloire de Mozart n'eut jamais ailleurs pareille tribune. De quoi nous plaindrions-nous? Laissons les puristes à leurs migraines, le film n'est que bonheur, ce cortège d'images et de sons un encorbellement de sortilèges. Certains y verront la relation haineuse qu'entretenaient Mozart et Salieri, compositeur officiel de la Vienne de Joseph II, prodigieux Salieri bouleversé par le pouvoir de son jeune collègue, indigné par sa vulgarité et qui se plaignait à Dieu : « Pourquoi cette injustice, pourquoi avoir dicté une musique céleste à ce diablotin? » Dans cette opposition, il y a toute la magie du spectacle qui fait également grandioses le tragique et le sublime, le beau et le détestable, la jalousie, le mensonge, l'illusion. Je regarde Amadeus avec un cœur différent. L'Autre me passionne autant. J'estime d'ailleurs – s'il n'y avait eu raison commerciale – que l'on aurait pu tout aussi bien afficher sur les frontons des cinémas *Salieri*. Il est l'histoire, la trame, la raison, le fabuleux faire-valoir. Prince en sa chapelle, il se voit dépossédé. Malheureux, désespéré, c'est plus encore un jaloux qui aime et ne peut s'empêcher d'admirer la cause de sa désespérance. Car – et là, tout s'accorde avec le vrai – il aura été le premier à comprendre *l'immensité* du génie de Mozart, le seul à savoir lire ce qu'il y avait de divin dans sa musique. Quelle intelligence, quelle noblesse – mais quelle souffrance! Salieri, que l'on a dit longtemps médiocre, ne le fut jamais. D'abord, il a écrit une quarantaine d'opéras et nous conviendrons que c'est un terrible labeur, ensuite, surtout, il s'est donné corps et âme à sa propre tragédie; compositeur rigoureux, besogneux, il n'a plus vécu que par comparaison avec Mozart, criant sa colère au ciel qui l'avait par trop oublié dans la distribution des dons. C'est contre Dieu, contre lui-même qu'il se bat. Pas contre Mozart dont la grâce l'afflige et le comble. Les médiocres n'obéissent qu'à la haine, la mesquinerie, ne reconnaissent jamais la qualité de l'autre. Salieri ne fut donc pas de cette troupe de perfides et c'est son honneur. Il savait que le génie n'est fidèle qu'à soi et s'affirme aussi effroyable que superbe. Le médiocre se fait toujours une haute idée de lui-même en fonction justement de sa médiocrité. Salieri, lui, s'accuse. Son humilité devient si forte, si braillarde, qu'elle compose la part importante du film. Pour Forman, dans cette perspective animée, Mozart naît de la confession de Salieri. Et ce qui passe sur l'écran est sujet à discussions : Mozart avait-il cette tête, cette époustouflante démesure, cette insolence, ce goût de la farce, cette folie, ce côté Woody Allen? Lorsqu'il arrive à la cour de l'empereur d'Autriche, on pense aux Marx Brothers d'*Une nuit à l'Opéra*. Cette scène *inventée* est sans doute la plus vraisemblable. Merveille de l'illusion cinématographique qui nous persuade de l'étonnante vérité du faux. Ce qui ne fait pas de doute, qui est bien noté, c'est le génie du diablotin. Salieri en a pleinement conscience. Il découvre des liasses de partitions originales, sans la moindre correction, parfaites, écrites d'un trait. Mozart se savait-il à ce point inspiré, a-t-il eu le pressentiment de son importance? Personne ne le croit. Il n'eut sans doute en tête que de vivre sa musique et pour elle de tuer sa vie. Il est mort abandonné, misérable, comme le Caravage qui finit clochard, sur une plage. Le premier aura composé *Don Juan* et l'autre peint *la Diseuse de bonne aventure.* Leur monde intérieur en était à ce point embelli qu'ils se moquaient bien des apparences. Leur œuvre est flamboyante. Qui oserait dire que l'auteur de *Così fan tutte* n'est pas un homme raffiné! Les mièvreries de la cour autrefois, sa préciosité, les mensonges du bronzage et des maquillages en tout genre aujourd'hui ont définitivement abîmé le paysage. Méfions-nous de ceux qui ont trop bonne mine et excellente réputation.

Amadeus, ce n'est pas seulement Mozart. C'est un essai sur la création artistique, le génie et ses maléfices, la folie, les manières de la percevoir, sur la bêtise des grands au pouvoir, et leur manque de goût. C'est un pamphlet contre la médiocrité – honte à ceux qui ont la jalousie aveugle –, une fresque musicale qui vaut pour tous les temps. Voilà le beau film, voilà Salieri amoureux du génie de Mozart, que de scènes admirables! J'ai une tendresse particulière pour les dernières séquences. Mozart agonisant dicte son *Requiem* à Salieri. On devine que les acteurs se sont longtemps préparés à la fureur de ce moment. Il y a une intensité singulière et Milos Forman s'en explique : « J'ai dit à Murray Abraham (Salieri) que la caméra placée derrière lui découvrirait la partition, la lirait. J'ai menti, mais Abraham m'a cru et la peur de se tromper l'a transformé, lui a donné le doute, l'inquiétude nécessaire. Il avait appris la musique de cette œuvre et écrivait vraiment ce que lui annonçait Tom Hulce (Mozart). Avec cette difficulté qui, à l'écran, se transforme en étonnement, en douleur. » Exceptionnelle maîtrise de Forman qui a ainsi fait naître un chef-d'œuvre. Et si nous rêvons tous d'être Mozart, nous sommes tous un peu Salieri... La salle a raison d'applaudir à chaque projection.

Lorsque Mozart vient dans les conversations, je pense immédiatement – et pour des raisons qui ne sont pas musicales – à Antoine Blondin. Périlleux exercice de rappel qui me fait revenir à Biarritz, une certaine nuit, où, plus enchaînés que jamais à l'amitié et aux libations qu'elle entraîne, nous attendions l'aube pour affronter une nouvelle étape du Tour de France. La soirée était si chaude, si violente – des loubards de passage avaient cru devoir régler leurs comptes de bêtises au gourdin et au couteau – que la police dut s'en mêler. Nous étions attentifs au grabuge, totalement empêchés de quitter nos sièges. La maréchaussée, appelée en renfort, nous trouva dans cette situation, bloqués derrière un paravent de chaises montées comme une barricade. « Papiers, s.v.p.! » Je montrai les miens, Jean Marvier fit de même, mais Antoine, lui, s'y refusa obstinément. J'essayai de le persuader, en vain – « Je ne connais pas ces messieurs, qu'ils se présentent d'abord. Ils ont fait le premier geste en m'abordant grossièrement... Qu'ils se nomment »... L'affaire était mal engagée, je mis ce refus d'obtempérer sur le dos de la fatigue, ce ne fut pas une réussite – « Debout, monsieur, venez vous expliquer au commissariat. » Blondin ne se fit pas prier : « Enfin une invitation convenable. » Nous le suivîmes. Le brigadier chargé de l'interroger était bon enfant.

« – Voulez-vous me dire votre nom?

– Avec le plus grand plaisir, monsieur. Je m'appelle Mozart.

– Voulez-vous épeler... »

Blondin énonça chaque lettre avec une distinction rare. Les gendarmes qui l'avaient arrêté savouraient leur triomphe, nous anticipions, nous, sur la chute.

– « – Prénoms.

– Wolfgang, Amadeus.

– Épelez... »

Et il épelait...

« – Né à?

– Salzbourg, Autriche.

– Tiens, vous n'êtes pas français! Soyez le bienvenu chez nous. La date de votre naissance?

– 1756. »

C'est ici que les choses se gâtèrent, qu'une gifle sonna fort, que nous dûmes battre en retraite. Depuis, lorsque l'occasion s'en présente, nous faisons pèlerinage à ce commissariat et contons l'aventure à ses nouveaux pensionnaires. L'histoire, dans nos esprits, est parvenue à un tel point de légende que nous nous demandons parfois si nous l'avons vraiment vécue. Les anciens de la brigade de Biarritz pourront répondre.

6 novembre. – On écrit pour être lu. Jean-Claude Fasquelle et Yves Berger m'en ont convaincu tout à l'heure au Récamier, leur taverne préférée. Ces pages seront donc publiées et Grasset devient pour un temps mon autre maison. Il est bon de naviguer sous des pavillons différents. On fait ainsi moins de vagues dans les coursives.

7 novembre. – Qu'est-ce que le barrisme? « Une attitude. » Je lis cela dans toutes les gazettes. Trop simple! Ce serait plutôt une éthique, une aristocratique indifférence à la banalité, un refus de complaisances, une forme de simplicité corrigée par une assez vaniteuse confiance en soi. Il s'agit en tout cas d'un *plus* dans le paysage politique français. Raymond Barre n'a eu aucun mal à se forger une image particulière. Parfaitement à l'aise dans le clair et le flou, homme de caractère, d'audaces, solitaire chaleureux épris de liberté, il n'est pas tombé – ce qui sera plus tard son handicap – dans le piège d'une formation partisane, il n'a pas créé son propre mouvement ni revendiqué ouvertement un pouvoir officiel, éloignant de ce fait toute tentative prématurée d'assassinat. Il sait que partout les chefs sont trop nombreux, il refuse le désordre, écarte les girouettes; dans un monde d'amateurs, il fait paradoxalement, lui, le professeur, figure de professionnel. Ses préoccupations sont différentes. Il n'y a pas dans son propos le moindre relent de cuisine politicienne. A « l'Heure de vérité » il s'est montré très au-dessus de la mêlée. Dans son livre *Réflexions pour demain,* il se soucie peu de démagogie : « Je ne suis pas favorable à ce qu'on appelle les programmes : ce sont des machines à faire des promesses que le plus souvent l'on ne tient pas ou qui sont, si on les réalise, ruineuses. » Il se veut résolument en marge et son discours n'est même pas préfabriqué. Sa désinvolture à l'égard des appareils lui vient d'un penchant naturel pour la libre disposition de sa vie. Détestant marcher au pas, au son des fanfares discordantes, il observe du haut de la colline, dans ses draperies, et les vautours se méfient d'un tel épouvantail. Sa crédibilité n'a pas été émoussée par un dévergondage langagier. Mais la solitude a ses risques, on peut vous y laisser!

Je ne connais pas Raymond Barre, je l'ai rencontré une seule fois. Un soir, il devait être près de minuit, Marcel Bleustein-Blanchet, notre voisin, est venu sonner à ma porte. – « Viens prendre le café avec le Premier ministre. » Conversation agréable : il ne fut question que de musique, surtout d'opéra. On ne saurait trouver plus parfait mélomane! Hélas, dans sa nouvelle formation symphonique, le succès final passe par la grosse caisse.

8 novembre. – Seconde de réflexion sur l'assassinat d'Indira Gandhi. J'y vois les signes évidents d'un appel : la mort est ici reçue de la main de ceux qui avaient charge de préserver sa vie. Et puis il y a cette phrase prémonitoire prononcée la veille : « Je serais fière, si mon sang est versé pour mon pays. Chaque goutte contribuera à la croissance de la nation. »

10 novembre. – Les auteurs savent ce qu'ils doivent aux libraires, certains de ceux-ci sont d'ailleurs des princes en leurs rayons. On les connaît, on les visite, on les consulte. Il y en eut de célèbres : ils sont de parfaits héritiers. Je les aime lorsqu'ils sont amoureux. Ainsi de Marie-Thérèse Bouley du fameux Divan, rue Bonaparte à Paris : elle a l'excellente idée de publier aujourd'hui un texte inédit de Claude Roy, simplement pour fêter la réouverture de sa boutique aux bouquins. Trente-trois très bonnes pages sous ce titre : *l'Amateur de librairies.* Déclaration de fidélité totale : « J'aime que les livres partagent ma vie, m'accompagnent, flânent, travaillent et dorment en ma compagnie, se frottent aux bonheurs du jour et aux caprices du temps, acceptent les rendez-vous avec moi à des heures impossibles, ronronnent avec la chatte sur le pied de mon lit ou traînent avec elle dans l'herbe, écornant un peu leurs pages dans le hamac d'été, se perdent et se retrouvent. » J'ai ce même sentiment; simplement je gomme le chat et j'installe un chien à sa place : ce petit ouvrage élégamment broché est la propriété du Divan, un cadeau à sa clientèle. Il est touchant de voir le libraire revenir à l'édition. Vertu d'autrefois, que quelques-uns, trop rares, entretiennent en France heureusement.

11 novembre. – Qui dira le nom de l'assassin? Au ciel, seul, Gregory sait. Retrouvé pieds et poings liés dans la Vologne le 16 octobre dernier, il fait ailleurs ses routes buissonnières. Loin de la folie des vivants, conscient du trop de lâchetés, serein. Sur terre en revanche, on s'étrille de tous côtés, son fantôme est encore envahissant. Un homme est en prison qui crie son innocence, d'autres sont en liberté qui craignent l'accusation. Des troupes nombreuses, un juge tranquille cherchent l'assassin, les preuves du crime, vérifient les alibis; on piétine, on s'espionne et, pour calmer le jeu, une fois encore, on s'en prend à la presse. Les prêtres de Lépanges se sont réunis à Épinal pour mettre au point un texte qui devrait être lu dans les églises du département. Voici dénoncés les reporters en quête d'information, « la chasse de l'événement sensationnel qui s'est déclarée avec la mort du petit Villemin », la curiosité malsaine des fouilleurs de cimetières. Dans notre pays on accepte l'horreur mais à la condition de n'en pas battre tambour : noble obligation de silence des familles vertueuses. Tout scandale est mieux accepté s'il est tu – « Pourvu qu'on ne sache pas! » Bruno Frappat a raison d'écrire dans le Monde que les journalistes, ces casse-pieds, ont partout très mauvaise presse : ils dérangent dangereusement l'excellente ordonnance du paysage. L'un d'entre eux se fait arrêter en Afghanistan. Qu'allait-il faire dans cette galère, avait-il quelque obligation de fourrer son nez dans une guerre étrangère? Une équipe d'Antenne 2 – encore – est interpellée en Inde par des policiers qui, mitraillette à la main font le ménage dans sa chambre : ces confrères ont pris des images des violences qui ont suivi l'assassinat d'Indira Gandhi. Inacceptable! Voyons, ça ne se montre pas! A chaque fois nous paraissons encombrants, pesants, alors que notre simple charge est l'honnêteté, coupables d'avoir dit la vérité, qui est notre devoir. Dépositaires de nombreux secrets, nous savons aussi sacrifier à la raison de l'homme. Il est important que l'on sache que nous n'écrivons pas tout. Mais les dieux en ont ainsi décidé : nous porterons longtemps encore les maux de l'univers. Je me souviens du départ de Lucien Bodard. Il avait été expulsé du Vietnam, bien avant l'arrivée des communistes – nous sommes la lèpre de tous les régimes –, je l'avais accompagné à l'aéroport de Saigon, où déjà je n'étais pas en odeur de sainteté. Je fus dès lors poursuivi par des attentions de trop près touchantes. Vraiment, tout irait mieux si nous étions aux ordres! Les temps n'ont pas changé : certains pensent qu'il faudrait abattre les porteurs de mauvaises nouvelles.

12 novembre. – La consécration est un sommet exposé aux différences de température. Elle vient toujours trop tôt ou trop tard. Ainsi, le prix Goncourt de Marguerite Duras est un étonnement. Elle le méritait depuis si longtemps qu'il peut sembler inopportun aujourd'hui. Mais le dire, l'écrire, c'est entrer comme Panurge dans le bataillon de ceux qui croient de bon ton de massacrer la vénérable institution, pourtant généreuse à bien des titres. Les Dix ont ici couronné un remarquable ouvrage, *l'Amant,* et tant mieux si l'éclat de ces voix lui gagne un million de lecteurs. Qui les refuserait? On est pris par ce livre dès la première page, par cette écriture au premier aveu : « A dix-huit ans j'ai vieilli... Ce vieillissement a été brutal. Je l'ai vu gagner mes traits un à un, faire les yeux plus grands, le regard plus triste, la bouche plus définitive, marquer le front de cassures profondes... J'ai un visage lacéré de rides sèches... Il a gardé les mêmes contours, mais sa matière est détruite. J'ai un visage détruit. » Superbe. Ce même lundi, le prix Renaudot a été attribué à Annie Ernaux, pour son roman *la Place,* que j'ai aimé à sa sortie, déjà ancienne, et ardemment défendu. Heureux les parents qui ont une telle fille pour « rassembler leurs paroles, leurs gestes, leurs goûts, les faits marquants de leur vie ». Voilà une littérature de haute qualité sur le thème de l' « ascension sociale », sur un père qui eut la vie dure et que l'auteur, par ses succès à l'université, se reproche d'avoir trahi.

Chez Drouant, le couvert était également mis pour un troisième jury auquel j'ai la faiblesse d'appartenir. A l'unanimité, nous avons décerné le prix des Créateurs à Michel Rio pour *Alizés* qui est l'ironique récit d'un voyage rocambolesque. Le narrateur a fait l'héritage d'une énorme encyclopédie – vingt fois deux mille pages – en deux versions, anglaise, française, et aussi d'une goélette de quarante mètres de long. Après une étude de marché, il part pour l'océan Indien dans l'espoir d'écouler les cent exemplaires de cette fabuleuse somme de savoir absolu, illustrée d'ailleurs par les plus grands maîtres. Il lui faudra un an pour faire naufrage et échouer sur une île... Rio a su nous y emporter.

13 novembre. – Bagatelles pour un sacre! Henri de Paris et son fils Clermont illustrent bien la fragilité et le charme de la monarchie. Leur différend à propos de l'héritier de la couronne de France n'a vraiment pas la moindre importance et pourtant les médias s'en régalent. C'est que la France aime son Histoire, se saoule de légendes, se plaît à la cueillette du lys dans les vallées. Avec Marcel Jullian, nous avons d'ailleurs épousé la cause du prince Jean et nous ne nous étonnons de rien. Cela fait longtemps que le comique des sociétés n'arrive plus à nous surprendre. Nous avons déjà fait quelques conférences sur ce thème : symbolique des apparences, double méprise. Les Scandinaves, les Belges, les Espagnols, les Britanniques croient vivre en monarchie et c'est un système républicain qui les gouverne. La France se veut en république et couronne des monarques : de Gaulle, Giscard, Mitterrand. Donnons-nous au moins l'étiquette et nous aurons de belles parades, des cavaliers chamarrés, des carrosses dorés, des princesses à l'Élysée...

15 novembre. – Une petite maison douce, Le Paradou, dans un chemin en pente pompeusement baptisé rue du Paradis, Genève à deux pas : nous sommes à Vandœuvre chez Frédéric Dard, citoyen français enraciné en Suisse bien avant le socialisme. Retrouvailles d'après-drame. Le décor n'a subi aucun changement, les personnages sont à leur vraie place, comme les tableaux, Joséphine est revenue. Elle passe, discrète; peut-être parce que je sais, une ombre en abîme encore un peu le sillage. Nous avons choisi la salle à manger pour refaire le monde autour d'une table étroite de monastère. Quelques mots sur l' « Échiquier » que je lui avais consacré – on ne s'attarde pas sur ce qui cimente une amitié –, puis tout de suite Albert Cohen qui bouleverse nos plans. Il est sans cesse dans nos jambes, plutôt dans notre cœur. Nous l'avons eu à tour de rôle en héritage, avec bonheurs et fâcheries. « Cohen m'a ébloui, écrivait Frédéric; je vois encore sa lumière, je ne peux m'habituer à sa mort, je ne peux penser à lui sans avoir les larmes aux yeux. Nous étions presque voisins. Il habitait avenue Krieg à Genève, une avenue très triste qui désormais n'existe plus pour moi. » Je devine encore là-haut, derrière le rideau juste tiré, la robe de chambre rouge et la petite main fine qui fait un geste d'au revoir à ceux qui s'en vont... On parle de tout pour retarder le moment où l'on ne parlera plus que d'elle, de sa fille, de cet enlèvement préparé et réussi par un homme au-dessus de tout soupçon, de ce livre où – coïncidence, prémonition? – il racontait une histoire en tout point semblable à sa propre tragédie, à l'instant même où elle se déroulait, à la page près : « J'avais conçu cet ouvrage il y a très longtemps, je l'écrivais lorsqu'on m'a volé Joséphine. Immédiatement je me suis cru coupable; j'avais inventé un fait divers affreux, un rapt, et voilà que la réalité dépassant la fiction me prenait moi-même en otage. J'avais déclenché le terrible mécanisme, il me fallait payer de larmes ma galopante imagination. J'étais piégé par mon sujet, il m'arrivait, étrange avatar, ce que j'étais en train d'écrire. L'agonie! »

Joséphine a repris le chemin de l'école, ce matin avec nous elle prend son temps, je ne saurais dire si elle est différente mais j'ai l'impression qu'elle porte douloureusement un secret. Pas un mot sur tout cela. Le romancier, lui, s'est totalement délivré de son livre maudit en le menant à son terme. Façon de lui tordre le cou. Son chagrin n'est pas devenu musique – ce qu'il se plaît à dire –, mais les feux d'artifice de sa plume auront évidemment un tout autre éclat. Quand un écrivain est touché on peut penser que la souffrance lui fera chanter l'âme. C'est ce qui se passe avec ce bouquin : *Faut-il tuer les petits garçons qui ont les mains sur les hanches?* Le petit garçon, c'est Frédéric Dard élevé au statut de commandeur, à la dignité burlesque de San Antonio. Il est cet enfant handicapé que la nature a délesté d'un bras – le gauche –, forcé à certaines gymnastiques. Il sera, comme autrefois, sans haine et sans vengeance, un peu plus éveillé. Il relira demain le dernier paragraphe du dernier ouvrage à paraître et ressentira une misère d'écrivain : « C'est toujours pareil dès qu'on vient de bâtir des phrases : on mesure l'injustice de ce métier. L'expression est une trahison latente, elle contourne la pensée sans jamais la traduire parfaitement. Est-ce que ça peut se briser, une pensée? L'on ne tue vraiment que soi-même. Tuer les autres constitue une répétition générale. Misère, injustice, désespoir et la mort au bout! Pour dépasser cette fatalité, ma folie : quatre livres par an, imposés à date fixe par contrat, mille pages écrites en rafales... Si un écrivain n'est pas démesuré, c'est qu'il n'a rien à dire : la plupart de mes confrères écrivent comme leurs épouses servent le thé. Ils servent des bouquins, alors qu'un livre est un projectile destiné à être flanqué à la gueule des gens. » Parfois le projectile a un effet boomerang, n'y revenons pas.

Il pleut maintenant sur Vandœuvre et Frédéric, qui s'y connaît en gourmandises, arrose son petit monde de champagne : « Il n'y a pas de raison que la terre seule profite de la divine source. » Abdel nous a rejoints. Il a vingt-trois ans, il en avait quatorze lorsque je l'ai rencontré la première fois à Paris. Il tient un restaurant à Genève. Il a la parfaite élégance des play-boys helvètes, la parole fière, des phrases savamment balancées, le port altier, je découvre un homme nouveau refabriqué par la médecine, la patience et l'amour. Surtout l'amour. Son histoire est extraordinaire, encore un signe du destin qui ne fait rien par hasard. Pour la dixième fois, j'en demande le récit à Frédéric : « C'est toute la bizarrerie de mon univers. Il y a une quinzaine d'années, à l'aéroport de

268

Genève, nous avons vu des enfants vietnamiens à leur premier exil. Ils pleuraient et les familles qui étaient venues les chercher pour les adopter n'en pouvaient plus de leurs larmes. C'était comme un chassé-croisé du malheur alors que le bonheur aurait dû être seul en cause. Mais cela se faisait dans le bruit, la maladresse, on tentait de retrouver le paquet abandonné. " Est-ce bien celui-là? demandait une dame. J'aurais préféré l'autre. " Avec Françoise, ma femme, nous nous sommes cachés derrière un comptoir, nous avions mal, nous avions honte. La beauté du geste était gâchée par la vulgarité de l'échange. Bouleversés, nous avons fait le soir même une demande à Terre des hommes : " Nous voulons un enfant, n'importe lequel, peu importe l'âge, la couleur, la religion. Mais de grâce, que les présentations se fassent de façon convenable. " Des mois après, Françoise a mis au monde Joséphine. Vous imaginez notre joie. Je rentrais de la clinique, le bébé dans les bras, lorsque le téléphone a sonné. C'était Terre des hommes. Nous avions aussi un fils : il avait dix ans, il était tunisien, du plus beau noir, léger comme un roseau – squelettique à vrai dire –, handicapé de toute part. Abdel naissait à son tour. » Je n'ignore rien de ce que furent à partir de ce moment les travaux d'Hercule pour le redresser, lui faire la tête haute, détacher son menton qu'il avait soudé à la poitrine. Opération sur opération, litanie de miracles et mieux encore sublime cœur à cœur. Ce que peut faire l'amour est incroyable. Abdel m'a présenté sa fiancée, une blonde et blanche jeune fille. « Les parents de la petite sont un peu désorientés, a susurré Frédéric. Ils ne sont pas pour le mélange des genres. Et pourtant mon ébène de fils ne fut jamais si beau. » Une fois encore les choses s'arrangeront : nous avons décidé, Robert Hossein, Frédéric et moi, d'aller demander la main de la demoiselle...

18 novembre. – Boulevard Maillot, numéro 50, aux lisières du bois de Boulogne, un promoteur immobilier affiche sur un panneau du plus mauvais effet ses médiocres intentions : « Bientôt ici, deux immeubles de grand luxe. » Cela signifie qu'une fois encore de vieux hôtels particuliers vont disparaître, demeures magnifiques en parfait état de conservation qui donnent un air de campagne à ce coin de Paris, maintenant accordé au goût le plus vulgaire, tout ruisselant de fric. S'il s'agissait de loger des déshérités j'aurais la discrétion de ne point me plaindre. Mais c'est la fortune nouvelle qui voile d'un coup, écus sonnants, la qualité du lieu. Nous n'avons plus droit désormais qu'à la scandaleuse uniformisation d'une architecture sans grâce. On a définitivement oublié – en admettant qu'elle fût connue – la belle maxime de Lao Tseu : « La façade d'une maison n'appartient pas à celui qui la possède mais à celui qui la regarde. »

19 novembre. – Elle a chanté de toutes ses cordes, mais aussi de tout son corps, de toute son âme, avec une grâce parfaite, dans un mouvement ininterrompu de près de quatre heures. Absolu magnétisme d'une voix royale, noble attitude d'une nature généreuse. Jessye Norman a réalisé un véritable exploit. « Votre pari était fou, je l'ai tenu, je l'ai gagné. » Elle a, pour me crier sa joie, le rire énorme d'un enfant qui a fait sa plus belle farce, qui a relevé le défi : je lui avais demandé en effet d'interpréter *trente* extraits du répertoire, en une même soirée, sous une forêt de projecteurs, dans le déroulé normal d'un spectacle qui n'a point de repos. Elle n'a pas rechigné, l'aventure l'amusait, la victoire sur l'impossible l'avait totalement mobilisée – « Est-ce un bon " Échiquier "? » a-t-elle demandé à la fin. L'un des meilleurs, sans aucun doute. Elle n'attendait pas une flatterie, une de ces phrases banales d'après concert; elle tenait simplement à savoir si elle avait bien fait son travail : « Alors, je suis contente. » Je ne pense pas qu'il y ait plus beau visage que le sien, plus lumineux, avec ce rose, ce blanc sur un acajou doré, cette pénétration de regard, cette profondeur qui vient de tant d'ancêtres, d'une race douloureusement éprouvée : « Nous sommes magnifiés par la souffrance des nôtres. L'esclavage donne des idées de puissance. Personnellement, je ne veux être grande, démesurée, que pour ce que je sers : la musique. Elle est l'essentiel. » Quel chemin parcouru depuis ce juillet 1976 où, pour la première fois, je l'accueillais à Aix-en-Provence : « Vous vous rappelez! Je n'avais même pas de loge. Le curé m'avait prêté la sacristie de sa cathédrale. » Complet épanouissement d'un talent. Nous nous étions promis de laisser passer une dizaine d'années et de présenter ensuite un programme qui lui permettrait de développer toutes ses possibilités. Nous avons respecté les termes de ce pacte d'amitié. On nous dira demain si le message a été bien reçu. L'ambiance du plateau, la ferveur des participants à ce récital – public et techniciens, ces derniers surtout – me font croire que ce sera un succès. Mais allez donc savoir!

J'ai découvert une femme, je l'ai suivie sur quelques-unes de ses routes, rencontrée en différents lieux, je l'ai regardée vivre loin de son activité professionnelle, à New York, à Paris, dans sa petite maison de Londres, nous avons partagé des moments gastronomiques qui font les cœurs plus forts, plus sereins. En toute circonstance, Jessye Norman est sincère, drôle, étonnante, passionnée et d'une exigence qui peut paraître à certains redoutable. Il m'est arrivé, depuis douze ans, d'être surpris en peaufinant cette émission, parfois étonné du dévergondage amoureux de certains, de la provocation de Placido Domingo qui souhaitait chanter en duo avec Mireille Mathieu ou Julio Iglesias, des diableries de Julia Migenes, de la fantaisie de Lorin Maazel plus occupé de Serge Lama que de Mahler. Tout cela à la vérité nous amusait, continue de nous distraire. Bien sûr, nous avons conscience du difficile de la situation. Quelques-uns clameront qu'il y a péril en la demeure, mais nous sommes sûrs que nous gagnons à la musique et à l'opéra de nouveaux adeptes. Avec Jessye, pas le moindre impromptu : « Je ne sais faire qu'une chose, je ne fréquente que les miens. Mais ceux-là sont nombreux. A côté de Mozart, de Wagner, de Schubert, il y a Poulenc, Satie, Duparc, Gershwin, Cole Porter, mes gospels, mon Broadway. Je me sens incapable de partager ces plaisirs avec d'autres artistes qui ne les vivent pas, comme moi, quotidiennement. Je revendique le dépaysement mais il me faut le même ciel. » Un musicien m'a dit tout à l'heure : « Tu ne la trouves pas un peu distante, capricieuse? » Elle est seulement professionnelle, perfectionniste. Il suffit de l'observer, de ne pas la quitter des yeux. Sa concentration est un émerveillement. Quelques secondes avant le chant, son visage change, se fait lointain, étranger à ce qui l'entoure, elle rentre au plus profond d'elle-même et c'est vrai qu'à ce moment plus personne n'existe, la tête appelle le ciel puis plonge pour demander le feu. C'est comme une incantation, elle s'habille de tous les personnages qu'elle interprète, elle est habitée. Ce n'est pas attitude de star, mais nécessité d'âme. A la fin du morceau, avant de nous rejoindre sur terre, il lui faudra un peu de temps, elle devra se libérer de tout un monde intérieur dans lequel nous avons fini nous aussi par entrer. Étrange, dans une pareille méditation, la maladresse de quelques-uns. J'en ai vu qui, à l'instant de la préparation, viennent lui dire des fadaises; les mêmes lui sautent au cou à la fin d'une œuvre; c'est ne pas savoir l'intensité de tels moments. « Ils sont charmants mais baroques », dit Jessye. Puis elle passe vite à autre chose. « Vous avez aimé mes robes? » Qui pourrait se permettre de porter sur le dos l'effigie de Wagner? Elle. Elle seule – « J'apprécie grandement ce genre d'audace. » Elle pratique remarquablement le français, jusque dans l'abus des adjectifs. Elle veut comprendre chaque mot, chaque expression. Souvent le comique s'en mêle. Joelle Bellon, qui nous accueillait après l'émission, lui a présenté une de ses proches : « C'est ma cousine germaine. » « Bonjour, Germaine, heureuse de vous rencontrer », s'est écriée Jessye dans un beau mouvement de cape. Il a fallu lui expliquer nos rires et ce qui les avait provoqués. Demain, de cette « erreur » elle fera une leçon de français. Aux petites heures de la matinée, le jour n'était pas loin, remontée par « les tendres nourritures », elle m'a provoqué : « Maintenant, c'est moi qui pose les questions. » Jeu de la vérité où elle excelle sans jamais se dévoiler... Nous avons terminé sur cet échange :

« Jacques, j'ai cru comprendre que vous regrettiez un peu mon changement de cap!

– Quel changement?

– J'aurais dû être médecin.

– Mais vous l'êtes! »

La réponse est immédiate, spontanée : « Donc je vous crois. Le corps et l'esprit sont ainsi réconciliés. »

20 novembre. – Jean-Paul Aron a beaucoup écrit depuis 1962 mais n'avait encore rien laissé. *Tristes Tropiques* est de Claude Lévi-Strauss, *Mythologies* de Roland Barthes, *les Mots* de Sartre, *l'Histoire de la folie* de Michel Foucault, *les Gommes* de Robbe-Grillet, *la Cantatrice chauve* d'Eugène Ionesco. De quoi désespérer tout philosophe attentif à la petite musique de cette fin de siècle! Sans doute pris de vertige, conscient de son impossibilité à inventer une œuvre, Aron sacrifie au jeu de massacre dans lequel curieusement il excelle. Féroce, il observe quelque quarante années d'événements culturels, démonte avec allégresse les modes intellectuelles, les terrorismes, et assassine les grands maîtres des chapelles. La tragi-comédie de notre époque lui permet cette fois de sceller sa propre pierre sur la haute muraille des idées du temps. *Les Modernes* composent un livre cruel et cocasse qui sera pour les observateurs du prochain millénaire l'outil de référence. « Longtemps je me suis couché de bonne heure », écrivait Proust au premier chapitre d'*A la recherche du temps perdu.* Aron se réveille tard et frappe d'autant plus dur... sans souci de justice. Détruire, dit-il, et sourire.

22 novembre – En Iran, on n'arrête pas le progrès. La nouvelle n'est pas encore répercutée par les médias, mais elle est officielle : une machine électrique à couper les mains va bientôt être mise en service dans une prison de Téhéran et ceci afin d'appliquer la loi islamique aux voleurs. Les services de la police qui ont inventé l' « objet » précisent que « l'amputation est rapide » et ajoutent : « la médecine légale et la faculté de Téhéran ont été consultées ». Je ne pense pas que l'on défilera devant les ambassades de ce pays pour s'étonner d'une telle modernité. M. Guillotin en son temps fut un héros et ses adversaires coupèrent bien des têtes...

30 novembre. – Six mille visiteurs chaque jour au Grand Palais pour admirer Watteau. Extraordinaire, et d'autant plus intéressant que la contestation s'en mêle. Jean Ferré tempête et affirme qu'un quarteron de faux ont été accrochés aux cimaises. Ainsi, *le Pierrot content* ne serait qu'une superbe copie... dont il faudrait alors vite retrouver l'auteur pour saluer son mérite. Les attributions ne sont jamais malhonnêtes à ce stade du génie, s'il arrive qu'elles paraissent à certains pour le moins malheureuses. Critique d'art, polémiste redoutable, auteur d'une monumentale biographie sur ce peintre vieux cette année de trois siècles, Ferré confirme ses certitudes, clame que la tricherie est évidente. On ne peut douter de son œil, de la qualité de son expertise, mais comment savoir? Il y a déjà tant de mystères dans la vie de Watteau, de si nombreux points noirs, que ces nouvelles interrogations ajoutent à l'inexplicable du personnage. Sans doute l'artiste aurait-il aimé pareil imbroglio! Pierre Rosenberg, qui a organisé cette première exposition mondiale, ne semble pas dérouté par les révélations du critique. Il ne dément pas, il s'étonne. Conservateur en chef du département des peintures au musée du Louvre, il sait les difficultés de son travail, les roueries du passé, le convenu des attributions.

« On peut tout dire et le contraire de tout. Avec Watteau, nous sommes sur la corde raide. Peut-être Ferré a-t-il raison pour une seule toile, mais n'attendez pas que je la nomme.

– Vous devez lui répondre.

– Non. Il y a des œuvres qui méritent d'inquiéter ceux qui prétendent les connaître. C'est le privilège du peintre. Trois cents ans après, le voilà qui entretient la rumeur avec le vrai de son talent. Et si le prétendu faux était de son fait ?

– Jugement de jésuite...

– Casuistique accommodante, je l'avoue, mais nécessaire en cette circonstance.

– Ferré m'inspire confiance. »

Sourire quasi religieux, sérénité totale de Rosenberg : « Watteau me donne bonheur. » Nous en resterons là, je n'ai que de pauvres arguments, une ignorance douce. Je ne me veux que piéton de galerie, admirateur de l'artiste, amoureux de ses dessins, de ses têtes – celles d'un jeune Noir sont magnifiques –, de ses grands tableaux, *le Pèlerinage à l'île de Cythère*, *Leçon d'amour*, *Arlequin empereur dans la lune*, *l'Enseigne de Gersaint* – Watteau l'avait composé chez le fameux marchand du pont Notre-Dame pour se dégourdir les doigts –, et surtout du *Gilles*, parfois catalogué sous le titre de *Pierrot*, qui a inspiré tant de poètes et d'écrivains. A la vérité, peu m'importe la polémique puisque, à si fort regarder, j'ai été heureux.

3 décembre. – Marguerite Yourcenar m'attend à l'Hôtel du Pont-Royal, son « auberge parisienne ». Je ne l'avais pas revue depuis notre expédition d'il y a quelques années à Mont Desert, dans le Maine, aux États-Unis : je lui avais alors consacré toute une semaine à « Radioscopie ». Elle me semble plus légère, plus sereine, plus gaie, comme délivrée de la peine que lui causait la terrible maladie de son amie Grace, sauvée par la mort de celle-ci. Il est des soulagements qu'on ne saurait dissimuler. Je me rappelle les riches heures passées dans la maison de bois, Petite Plaisance, face à l'océan, au Canada, le pas à pas difficile de la complice de tant d'aventures, les mains blessées : je pressentais une fin douloureuse. L'écrivain – si ce mot est un titre de noblesse, c'est bien à elle qu'on peut le décerner – ouvre dorénavant son cœur, son corps, son âme, totalement, à une autre vie. On devine, chez elle, un appétit très vif de voyages, de surprises, l'attente de rencontres nouvelles. Elle a déjà commencé *le Tour de ma prison*, qui est le monde entier, celui du moins de ses étapes, de ses vagabondages, au chaud des trains vers Vancouver, au ballotté des avions, au gré des vents et des découvertes : c'est son prochain livre. Elle s'impatiente dans cet appartement impersonnel, au milieu de ses albums, de ses traductions, de ses poèmes récemment édités. Cette envie de bouger est tout de même chez elle peu perceptible. Juste, de temps en temps, une phrase, comme une comptine : « Quand donc partirons-nous! » Parfaite dignité. Grande dame, elle l'est dans chacun de ses gestes, dans son attitude, sa manière d'accueillir, de tendre la main, de se tenir debout ou assise, sa façon de dire. Sa parole est d'un grain pur. Jamais, sans doute, n'ai-je entendu semblable musique de la langue française jouée sans afféterie, avec une grâce extrême. Elle ne paraît même pas empruntée lorsque les subjonctifs battent la chamade. Cela va de soi. Étonnant personnage qui a choisi de déceler l'univers et non pas le monde. J'apprécie le goût qu'elle a des travaux bien faits, je sais quelle orchestration particulière elle peut donner à une idée. Nous voilà à cette minute lancés tous les deux dans le « Grand Échiquier » de novembre 1985, qu'elle prépare comme s'il s'agissait de l'une de ses pièces de théâtre. Nous sommes allés l'un vers l'autre. Je lui avais demandé de participer à la soirée Jessye Norman. Elle m'a dit immédiatement son admiration pour la cantatrice et son impossibilité. Mais la lettre portait aux dernières lignes un trésor, cette proposition : « Et si nous nous retrouvions devant les caméras à une date convenue! » La décision fut vite prise.

Aujourd'hui donc, première séance de préparation. Jerry Wilson, son compagnon de voyage, assiste à l'entretien. D'emblée, Marguerite Yourcenar annonce : « Évidemment, j'accepte que, comme d'habitude, tout se passe en direct. La spontanéité effacera les maladresses. Je vous promets de m'entraîner dès à présent à sortir très tard le soir pour aller sans problème jusqu'au bout du programme. » Elle a déjà noté le nom de quelques invités : Marion Williams, « chanteuse de gospels, dont la voix emplit une cathédrale », Mélina Mercouri, « Ah, si le ministre nous faisait le cadeau de quelques mélodies », Jean-Louis Barrault, « Acceptera-t-il de jouer quelques-unes de mes traductions du Nô japonais? », Philippe de Rothschild, « Nous parlerons poésie et peut-être grands crus, ce qui doit lui paraître mêmes choses. » Elle m'assure qu'elle a « plein de projets en tête, des tas d'idées. Je voudrais vous faire connaître mes amis musiciens indiens, mes baladins hollandais ». Je lui suggère ce face à face : Marguerite Yourcenar-Jorge Luis Borges... « Cela me serait bonheur. » Il va me falloir maintenant persuader l'autre vagabond, le passionnant érudit de Buenos Aires. Je compte sur nos complicités d'hier, sur cette amitié qui nous liait à chaque rencontre radiophonique. Sans doute dira-t-il oui. Ce bavardage lui sera occasion de faire promenade, de retrouver la France et de connaître celle qui pourrait lui voler le Nobel. Il me serait agréable de réussir ce pari, mais en matière de télévision, rien n'est jamais gagné : le direct a ses lois, ses chances et – hélas ou tant mieux – ses catastrophes.

Marguerite Yourcenar m'offre ses derniers ouvrages, des rééditions comme *la Couronne et la Lyre*, *les Charités d'Alcippe*, un album nouveau, *Blues et gospels*, qui n'est pas seulement un alignement de photos mais un chant sur une suite de rencontres qui lui ont permis de comprendre un peu mieux le tempérament et la vie des Noirs. J'ai retenu ceci : « Durant la Seconde Guerre mondiale, j'ai connu Eliza, la vieille femme de ménage noiresse (je me risque à inventer cette forme grammaticale puisque négresse est, on ne sait pourquoi, discrédité). Sa négritude à elle se manifestait par l'extase. Employée du matin au soir à " nettoyer ", comme elle le disait, " la saleté des autres ", elle leur faisait l'aumône de sa gaieté et de son assiduité au travail. Elle chantonnait sans cesse, de sa voix cassée, des bouts de *spirituals* et c'est elle qui me les a rendus familiers. » Le texte est essentiel, la traduction des évocations, des cantiques, remarquable, l'adaptation, belle. Comme nous sommes loin de la mièvrerie des chansons d'aujourd'hui! C'est le mépris, la tyrannie du temps, l'horreur de l'esclavage qui sont ici racontés. Superbe suite à *Fleuve profond, sombre lumière*.

A la troisième page de *la Couronne et la Lyre*, Marguerite Yourcenar a inscrit cette petite phrase : « A Jacques Chancel qui se souvient peut-être que certains de ces poèmes ont été dits au cours de notre premier travail en commun à Mont Desert. » Oh oui, je m'en souviens, je vois encore notre place dans le petit salon à gauche en entrant, près de la cheminée. Il y avait sur une chaise une pile de disques qu'elle avait sélectionnés. Le premier, c'était le chant des baleines. Nous avions lu à tour de rôle ces textes traduits du grec et qui n'étaient pas encore publiés. J'avais un paquet de feuilles manuscrites sur mes genoux, je craignais de les laisser tomber dans le feu, elle s'amusait de mes précautions. Je replonge maintenant dans les chapitres de ce livre dont j'ai déjà parlé dans *Tant qu'il y aura des îles*. Je m'arrête à Théognis, grand poète élégiaque de Mégare. Ce qu'il écrivait peut être retenu :

Un homme juste est un rempart, une acropole
Mais il est insulté par la canaille folle

C'est l'ami qui trahit. L'ennemi qui me nuit

Je connais cet écueil et vogue loin de lui

Dans un monde où tout homme est suspect ou sali
Rien ne vaut pour chacun le silence et l'oubli

Et puis cette boutade de Palladas, né à Alexandrie vers la fin du IVᵉ siècle, dont on a conservé cent cinquante épigrammes :

Le mariage a deux jours exquis seulement :
La noce et quand le veuf conduit l'enterrement.

Au Pont-Royal, ensemble, nous avons relu des textes. Pas une fois nous n'avons parlé de l'Académie française.

5 décembre. – Sous l'immense chapiteau des médias, Michel Rocard fait sa première pirouette au trapèze volant dans un clair-obscur qui ne lui va pas bien mais qui lui a été imposé par ses amis très chers. Il sait qu'il ne peut plus désormais compter que sur ses propres filets de protection. Curieuse parabole d'un super-doué, incroyable piétinement d'un homme que la rumeur publique installe au-dessus de ses proches et la discipline en dessous de son art. Son destin est-il inaccompli, la gauche ferait-elle pour elle-même la faute de le manquer, quelle fin pourra lui permettre de commencer ? Son heure de vérité n'est pas venue, elle s'habille de trop de courtoisie, d'une infinie prudence : il craint le mot ambigu, la phrase assassine. Il s'affiche partenaire en tout point fidèle ; il ne peut pas rompre le pacte qui le lie au gouvernement mais on devine qu'il aurait beaucoup à dire : la main serre le fauteuil, la parole est retenue, le sourire semble de circonstance. Suspect pour quelques-uns des siens, il se sent observé et soldat se tient dans les rangs. Que fallait-il attendre de cette première intervention à la télévision, sur Antenne 2 ? Rien de plus. S'il avait démissionné en direct, l'affaire eût été entendue, sa rentrée éclatante. Mais il avait prévenu : « Je ne suis pas là pour faire un coup. » Nous devons en accepter l'idée, Rocard ne s'est pas encore mis à son compte, il prendra son cap dans la grosse tempête. Je regrette un tout petit peu d'avoir abandonné le projet que j'avais à son arrivée au pouvoir : l'interroger chaque jour sur l'actualité, sa vie, la conduite des affaires, ses rencontres. Connaissant les périls d'une confession vraie à ce sommet de responsabilité, je m'engageais à lui envoyer quotidiennement un questionnaire qu'il devait adresser à un notaire (ou quelque autre gardien de secrets), augmenté de ses réponses! Nous serions convenus que ce dossier n'aurait été ouvert qu'avec l'approbation de l'interviewé, à la date fixée par lui. Comme il y a des dialogues de sourds, nous aurions eu une correspondance aveugle. J'ai la vanité de croire qu'un tel échange, s'il avait été réalisé, aurait pu avoir demain une importance considérable. C'était pour Michel Rocard la seule manière de *se dire* totalement, sans atours ni précautions. « Pourquoi ne pas le faire avec quelqu'un d'autre? » m'avait dit Truffaut qui savait mon intention... Il n'y a pas ailleurs de situation semblable, de querelle à ce point affinée, de personnage aussi passionnant.

10 décembre. – Il suffit de quelques mots pour annoncer une détresse, d'un poème pour dire l'immense peine d'une vie. En 1948, la compagne d'Henri Michaux brûla vive. Il écrivit alors ce texte que je découvre ce matin dans mon courrier. Message d'un auditeur pareillement touché [1].

Air du feu, tu n'as pas su jouer.
Tu as jeté sur ma maison une toile noire. Qu'est-ce que cet
opaque partout? C'est l'opaque qui a bouché mon ciel.
Qu'est-ce que ce silence partout? C'est le silence qui a fait
taire mon chant.

1. J'ai déjà lu ce poème dans *l'Autre Journal*.

L'espoir, il m'eût suffi d'un ruisselet. Mais tu as tout pris.
Le son qui vibre m'a été retiré...

... Elle était dans un train roulant vers la mer. Elle était
dans une fusée filant vers le roc. Elle s'élançait quoique
immobile vers le serpent de feu qui allait la consu-
mer...

... Toute la flamme alors l'a entourée...

... L'hôpital dort. La brûlure éveille son corps,
comme un parc abandonné...

... On est resté hébété de ce côté-ci. On n'a pas eu le temps
de dire au revoir. On n'a pas eu le temps d'une promes-
se.
Elle avait disparu du film de cette terre...

... Je ne connaissais pas ma vie. Ma vie passait à travers
toi. Ça devenait simple, cette grande affaire compliquée,
ça devenait simple, malgré le souci. Ta faiblesse, j'étais
raffermi lorsqu'elle s'appuyait sur moi.

Dis, est-ce qu'on ne se rencontrera vraiment plus
jamais?...

... Ne me répondras-tu pas un jour?

La lettre de cet auditeur devenu veuf après un accident
ferroviaire dans le Midi est admirable. Il conclut ainsi :
« Si j'avais un trésor de mots à inscrire quelque part pour
me délivrer de tout, je serais moins malheureux. Mais
puisque vous m'entendez, sachez que Michaux m'a grandement aidé. Qu'il en soit là-bas remercié. Je vous fais
messager. »

12 décembre. – Le cheval prend son élan, il est d'un
brun chaud, déjà cabré dans une attitude de liberté totale;

les sabots piétinent l'espace, la gorge est pleine, le toupet héroïque, la jambe élégante. Nous ne sommes pas à Longchamp, mais à Drouot. La superbe bête est de bronze. Sous cloche, l'objet haut de 49 centimètres, long de 55, paraît incomparable. Selon les experts, il a vraisemblablement été exécuté entre 1620 et 1626 par le Hollandais Adrien de Vries qui fut à Florence l'élève de Jean de Bologne. Véritable chef-d'œuvre, il a une vigueur que l'on rencontre rarement, un style tout à fait libéré des influences italiennes, dépouillé de maniérisme, accordé à l'école nordique. Je ne pense pas qu'une autre sculpture ait su auparavant m'émouvoir à ce point. C'est la beauté dans son éclat, le ciseau n'a laissé aucune trace.

Présenté par Raymond de Nicolay, ce cheval était estimé 3 millions de francs, ce qui constitue un assez fier galop. Les résultats ont dépassé les espoirs les plus fous, les salles tendues de vieux rouge de l'Hôtel des ventes tremblent encore de la cavalcade des enchères. C'est un événement pour la France : *un amateur étranger l'a emporté à 9 200 000 francs.* On dépasse le milliard de centimes avec les frais. Jamais bête de race ne fut ainsi recherchée. Au coup de marteau final, ils furent bien quinze à se lever et à quitter les lieux, dépités. Tous savaient l'histoire de l'objet, dont on suit la trace chez les marquis de Brun depuis le XVIIe siècle. Le cheval change de famille et j'imagine qu'on va lui faire, je ne sais où, une vie feutrée. Privilégiés ceux qui pourront le contempler.

Les prix ont cette année de telles fulgurances que l'on devrait appeler les artistes à renaître. La folie est partout. A New York, à Londres, à Genève. Un paysage de Monet atteint 21 millions de francs, *la Femme à la mandoline* de Corot, 34 millions, un pastel de Picasso, 38 millions, *le Paysage marin* de Turner, 80 millions! Modigliani, de l'avis des spécialistes, dépassera demain les 4 milliards de centimes. Sa *Rêveuse* a ouvert la voie. Oui, c'est vrai, devant cette envolée, cette déstabilisation du marché, cette flambée de l'art, je pense qu'un dieu juste devrait permettre aux auteurs de telles merveilles de revenir sur terre participer au triomphe. La générosité pourrait être poussée plus loin, généralisée. Tous les peintres et sculpteurs de l'histoire du monde feraient ainsi étape dans notre temps. Certains qui, de leur vivant, côtoyaient la misère, seraient prodigieusement surpris de se voir maintenant célébrés à prix d'or.

13 décembre. – « Si vous souhaitez vraiment les mener au succès il faut dire aux Anglais que la guerre est un sport et aux Français que le sport est une guerre. » Cette force de motivation, Jean-Pierre Rives l'a exercée sur tous les terrains, des millions de spectateurs peuvent proclamer son ardeur, sa fierté, ses souffrances. Et le saluer donc aujourd'hui à son départ. Fini les coups, adieu combats! Il faut du courage pour se défaire d'un trop-plein de fureurs, de tant de partages. Ainsi, après de brillantes années de service, cinquante-neuf sélections en équipe nationale – trente-trois comme capitaine –, une épaule cassée, des vertèbres douloureuses, une tête « bouillonnante », J.P.R. abandonne la haute compétition, le rugby perd son soleil, ses épis de blé – « Si je n'avais pas été blond, je n'aurais pas été moi. » Je lui avais dit : « Pars avant qu'il ne soit trop tard. » Je craignais le match de trop, le coup perfide de dernière minute, sa jouissance de bélier m'inquiétait! Je devrais être heureux. Et je réalise déjà qu'il va nous manquer au Tournoi des Cinq Nations. Car il était plus qu'un joueur : un symbole, une image, la rafale. Nous nous retrouverons au golf... au dix-neuvième trou!

19 décembre. – Quelque lutteur de sumo a dû veiller à sa préparation. Je le crois prêt pour un film de Kurosawa. Il a le poids, l'autorité, l'intelligence et la malice d'un Shogun. Tout d'une pièce, tendre et rude, redoutablement précis, Luciano Pavarotti sait son importance et

283

peut sembler impressionnant. La dramaturgie n'est pas son affaire. Il ne joue pas, il dit tranquillement ses petites certitudes, annonce posément ce qu'il veut, s'étonne de l'idée que l'on se fait d'un ténor : « Il est ridicule d'affirmer, comme le faisait Berlioz, que nous avons droit de vie ou de mort sur les œuvres que nous interprétons, que nous sommes Dieu! Nous sommes seulement rares, hélas! En trop petit nombre. Et puis, sans doute, avons-nous un peu de talent, un don! » Il me reçoit dans son appartement de la Résidence Claridge, haut perché sur son tabouret, resplendissant de santé. Loin de la scène, il a encore, pour une simple conversation d'amitié, cette voix solaire, musicale, qui le fait idole incontestée. Lorsque je suis entré, il contrôlait sa ligne de chant, ses aigus, la rondeur de son legato. Il irradiait. Nous avons enfin fixé les dates de son « Échiquier »; le prochain décembre convient à l'étoile. Nous serons à la veille de Noël.

20 décembre. – *Le Monde* est en crise et nous pourrions être en manque. Ce titre prestigieux, reconnu sur toute la planète, reçu comme une bible, décortiqué par les intellectuels de chaque pays, rutilant de sa magnifique désuétude, est encore indispensable et, j'ose le dire, irremplaçable. Il n'est pas de relique plus recherchée, de pages plus glorieuses dont le redoutable ennui ne nous a jamais désespéré. Munificent quotidien. Il fut à nos commencements le compagnon idéal, l'alibi, la nécessité de nos après-cours de rhétorique. Sous le bras, il m'en souvient, c'était signe de culture. Nous nous sommes si tôt habitués à lui qu'il nous paraît être aussi convenable que le parapluie et le melon à l'Anglais. Le tuer ou le laisser mourir serait un crime, comme tout complot visant à faire disparaître un journal : c'est la liberté d'information qui est en cause. Stupides ceux que réjouissent de tels tremblements. L'affaire est d'importance : elle dit les dérangements de la presse, sa fragilité – que l'on n'accuse pas une fois encore la télévision! Les coupables sont ailleurs et, d'abord, une certaine absence d'imagination. Nos confrères qui attaquent si gaiement la vieille lucarne familiale devraient peut-être s'interroger sur l'attente du public et penser à leur propre révolution. Je n'oublie pas qu'une étrange vanité a déjà massacré bien des feuilles. Nous avons nous-mêmes définitivement enterré *Paris-Jour* un soir de palabres. Les journalistes ne réussissent jamais leurs grèves et sont parfois victimes d'une forme de dilettantisme. C'est, comme on dit bêtement à notre époque, un fait de société. La tradition dans notre métier est une gangrène, nous nous éblouissons encore de notre histoire, de nos privilèges. Nous sommes en carte, mais nous ne descendons plus dans la rue. On attend les nouvelles et il faudrait y aller voir. Il devient plus aisé de porter un jugement que de rapporter. Les salles de rédaction ne sont plus des bouts du monde, mais des gares de triage. Par la faute de quelques propriétaires mesquins, plusieurs gazettes sont en passe de devenir des salons de lecture. On y fait des guirlandes de dépêches. Et pourtant, je sais de vrais professionnels qui rêvent de grands départs, d'enquêtes, de dépassements. Hélas, en cette période lâche, le dépassement est seulement lié à l'argent : on vous le compte sur tous les tons. Puisque nous avons tous un journal à inventer et que la folie, ce raisonnable de notre profession, n'est pas autorisée, délivrons-nous déjà de la politique qui donne du moisi aux meilleures intentions. Les feuilles imprimées de cette fin de siècle sont toutes appauvries par les querelles partisanes, l'affreux bégaiement d'une multitude d'hommes qui sermonnent à tout bout de champ, moralisent du haut de leur impudeur. On publie aujourd'hui tant de manifestes, de traités savants, de discours alambiqués, on donne la parole à tant de bateleurs que l'information s'égare. Dans un fourré de broussailles. On ne fait plus que des commentaires. Comme le disait M. de La Palice, « En ne prenant rien au sérieux, on en vient à prendre au sérieux le rien. » *Le Monde*, cet antique bréviaire, s'épuise dans des batailles qui sont aussi les nôtres. Que faut-il faire de l'art d'écrire? Le voilà en souffrance, prions qu'il n'ait plus mal, nous pourrions être blessés à notre tour. Je souhaite le retrouver en 1985, fringant, dans cette belle foire aux vanités, ce bazar, ce marché aux voleurs qu'est le kiosque à journaux, mon quotidien favori.

Un titre s'inquiète, un nouveau-né s'enthousiasme. Enfant perdu des *Nouvelles littéraires*, *l'Autre Journal* fait ses premiers pas sur le marché. Saluons-le, réjouissons-nous. Tout quotidien, hebdomadaire ou mensuel mis en vente est une victoire de la presse. Si le bonheur s'en mêle, la réussite est totale. C'est le cas. A quoi sert un journal? demande Michel Butel. Sa réponse est lumineuse : « Dans l'actualité soi-disant familière, dans ses malfaçons les plus claires, qui gouvernent les rubriques, faits divers, culture, économie, politique, *introduire la seule tension de la beauté;* que le grossier qui toujours semble affecter l'événement se dissolve dans l'art de la relation. Que la tristesse des simples faits le cède au style de leur évocation. Car nous subissons aujourd'hui cet outrage : à la litanie des informations s'est jointe la rumeur immonde du commentaire. » Fâcheux esprit du temps. Butel a raison de dénoncer la modernité dans tous ses états, la dérision, le chic, l'humour fin de race. Tout ce dont on crève! Je préfère comme lui la « lueur maintenue de la conversation ». Et la conversation de *l'Autre Journal* est passionnante à ce premier numéro qui s'inspire de la pensée de Kierkegaard : « Avoir dans la main le sort de beaucoup d'hommes, transformer le monde et ne cesser de comprendre que c'est la plaisanterie, oui, voilà le vrai sérieux. » Ce mensuel de décembre – 232 pages, 25 francs – est riche de cent articles divers. On y parle de Paris bafoué par le complot des marchands, de l'Afghanistan prisonnier de la bouche de l'ogre, de Gilbert Houcke, dompteur de tigres, visité à la veille de sa mort, de la bicyclette de Léonard de Vinci, de douze millions d'espèces vivantes, de Rio de Janeiro, du mystère de la couleur, des horoscopes chinois, d'Henri Michaux, du metteur en scène John Cassavetes. Et sans cesse, le *récit* fait la loi. J'ai surtout apprécié dans cet envoi de textes les longues lignes consacrées à Fred Uhlman, dont j'ai découvert il y a cinq ans à peine *l'Ami retrouvé*. Un de mes plus grands plaisirs littéraires. L'histoire de deux jeunes gens, l'un juif, l'autre aristocrate, allemands, élèves de la même école, intimes, poussés par les mêmes ambitions, défaits par le nazisme et... Mais je ne vous raconte pas la fin du roman, magnifique, à commander de toute urgence chez Gallimard. J'ignorais que Fred Uhlman était vivant, habitait Londres, écrivait encore. On m'avait affirmé que *l'Ami retrouvé* était son œuvre unique. Je m'étais persuadé qu'il y avait du merveilleux dans cette rareté. Un seul texte pour toute une vie et si peu de pages. Erreur complète. Jean-Paul Chaillet, qui l'a rencontré, nous parle ici d'un vieil homme qui jette sur son existence le regard de ceux qui n'en ont plus rien à attendre, qui a le sentiment intime d'une perte de temps, qui regrette sans doute d'avoir été reconnu trop tard. A un ami qui le félicitait de cet ouvrage publié à quatre-vingts ans, il a répondu : « Juste, mon cher, pour mon enterrement. » J'apprends ainsi que personne ne voulait *l'Ami retrouvé*, que sa publication fut un hasard, qu'il est maintenant traduit dans toutes les langues, que les Américains veulent en faire un film. Uhlman a également écrit une biographie qui sera chez Stock en février prochain. Il se refuse toutefois à livrer ses derniers chapitres : « Ils ne devront pas paraître avant la mort de ma femme. Je ne veux faire de peine à personne. Je n'y suis pas tendre avec mon beau-père, lord Croft, un homme stupide et borné, qui m'a toujours considéré, moi, un juif allemand, comme un escroc qui avait ruiné la situation sociale de sa fille. » Je ne savais pas non plus qu'Uhlman était peintre, collectionneur, voyageur, pessimiste : « Je ne crois plus en aucun dieu depuis très longtemps. Comment aurait-il permis ces atrocités? J'ai toujours pensé que le seul moyen de survivre, c'était soit de se suicider, soit de faire semblant de croire, aussi longtemps que possible, que la vie vaut la peine d'être vécue. »

Il me faut aller le voir à Londres.

22 décembre. – Le monde de Chantal Goya n'est pas le
mien. Je l'ai toujours regardé d'un peu loin et, assez
stupidement, d'un peu haut. Je n'étais pas de ceux qui le
critiquent et le condamnent pour mièvrerie, mais je
restais totalement étranger à ces puérilités, jusqu'au jour
où Jean-Jacques Debout m'a demandé d'aller vérifier sur
place. Tout à l'heure, au palais des Congrès, j'ai vu un
cortège de milliers d'enfants heureux, les uns sortant
d'une première séance, conquis, les autres se préparant à
l'enchantement. Ce qui m'a frappé, c'est la connaissance
qu'ils avaient des personnages mis en scène : Snoopy,
Babar, Bécassine. Ils les appelaient de leurs petites voix
aiguës, ils jetaient des fleurs à celle qui les rassemble. J'ai
vite compris que *le Mystérieux voyage de Marie-Rose* est
une féerie, le manège enchanté des tout-petits. Nous
devrions, nous les adultes, nous y prendre à deux fois
avant de juger ceux qui prolongent cet univers de pureté.

23 décembre. – Il aurait eu cent ans au dernier janvier.
Il revient, tête haute de Béarnais plein vent, pour la
moisson; l'État a pris en compte la totalité de ses
manuscrits, la Bibliothèque nationale lui fait hommage.
Jules Supervielle, le *Survivant.* Poète marginal à l'indifférence fière, ami de Paul Valéry, d'Henri Michaux et de
Jean Paulhan, familier de plusieurs mondes, écartelé
entre la France et l'Amérique du Sud, nourri de plusieurs
cultures, il se savait inconnu et célèbre, il avait assez
d'orgueil (ou de lucidité) pour croire que son œuvre
résisterait au temps. Bien vu. La gloire lui est enfin
donnée vingt-quatre ans après sa mort. On apprend ses
textes dans les écoles, on traduit partout sa *Belle au bois*
et *la Fable du monde, l'Homme de la pampa* est étudié
dans les universités, les Anglais portent au cinéma *le
Voleur d'enfants* et l'édition l'accueille en son temple : il

288

sera dans la Pléiade en 1986. Estimé de ses pairs, choyé par l'élite intellectuelle de l'époque qui lui trouvait du panache, le voilà jeté au grand public et par là même dépoussiéré de son aristocratique désinvolture. Ricardo Paseyro, qui l'a connu, nous rapporte ses espérances : « Je survivrai, disait Supervielle, je tournerai toujours quelque part dans la sphère céleste. » Le merveilleux, le féerique, l'impossible des situations lui auront fait gagner le paradis sur terre un quart de siècle après sa plongée dans l'ailleurs. Il se souhaitait évidemment cette navigation sur le grand fleuve littéraire. Dans le *Figaro magazine*, cette semaine, Paseyro nous donne, entre autres informations sur l'écrivain, une version différente de la fin de ses parents. Je pensais que ceux-ci étaient morts en Béarn, empoisonnés par l'eau d'une fontaine. Mon confrère affirme, lui, qu'ils contractèrent la peste à Naples. Je n'ai pas l'intention de vérifier. Seuls comptent le poète et ses livres.

J'écris ainsi sur Supervielle parce que la renommée lui est maintenant acquise et plus encore parce que je reviens dans *notre* pays après un mois d'absence. Et que je l'y retrouve à chaque promenade. Du côté de Pau, à Oloron, à Tarbes, à Cauterets et jusqu'à ma maison où il fit étape. J'apprécie qu'il n'ait jamais été d'une mode ; les chapelles l'ennuyaient, les petites querelles poétiques et politiques le laissaient froid, il n'avait que mépris pour les donneurs de leçons qui « ne sont point porteurs d'eau ». Il allait, seul, loin, à l'écart de la caravane. Indépendant, individualiste, secret. Il était vraiment de chez nous. Homme du grand large, il fut appelé dès le départ par ses songes et il y a quelque intérêt à constater que, comme mes autres compatriotes Lautréamont et Jules Laforgue, il est né à Montevideo. Voilà sans doute qui me les rend plus proches, très accessibles, presque de ma famille. J'aime l'Uruguay où j'ai mes points de chute, fraternelle attache. J'y vais chaque année et « notre » ferme, La Magdalena, près de Salto, est un refuge idéal. Je suis par filiation de cette terre lointaine où dix mille des miens, basques, béarnais et bigourdans, se sont installés entre 1838 et 1842, où deux mille encore se sont expatriés, de 1846 à 1871. Ces chiffres, donnés par Christian Crabot et mon ami Jacques Longué, ne sont qu'un exemple de nos errances. Ils disent bien mon appartenance, la nostalgie des *Complaintes* de Laforgue, la litanie inspirée par l'Océan à Lautréamont qui est le chant premier de *Maldoror*. Supervielle aura été le plus vivant des trois. Il est mort à soixante-seize ans, Lautréamont à vingt-trois et Laforgue à vingt-sept. La poésie a ses météores. Le premier avait écrit : « *Pour ne pas être seul durant l'éternité, je cherche auprès de vous future compagnie.* »

Elle est trouvée, cette compagnie. Les voilà tous dans l'Histoire. Et Lautréamont y tient sans conteste la place la plus mystérieuse. Je m'étais imaginé un temps qu'il pouvait passer pour une invention des surréalistes. Aucune image ne pouvait alors préciser ses traits. On le décrivait « adolescent aux yeux cernés, un tantinet obliques et profonds dans un visage ovale peut-être mélancolique. Un air doux et parfaitement équilibré ». Une photo l'avait ainsi montré, mais cet unique portrait disparut lors d'une perquisition de la police au domicile argentin de ses amis Guillot-Muñoz. Il a fallu toute la passion, l'étonnante obstination d'un jeune médecin pour trouver la piste qui menait à ce document. Jacques Lefrère l'a déniché à Tarbes, berceau de la famille Ducasse, dans l'album de famille oublié des Dazet, tuteurs du poète à son arrivée en France, venant de Montevideo. Il conviendrait que les dictionnaires substituent maintenant ce cliché authentique au portrait imaginaire dessiné par Vallotton. La photo n'est pas décevante. Philippe Soupault doit y retrouver son idole et Breton l'aurait reconnue : cheveux noirs crépus, long visage régulier et blême, moustache esquissée, regard halluciné. J'aimerais que l'on sache lire l'ouvrage de Lefrère qui a été édité en 1977 chez Pierre Horay, sous le titre *le Visage de Lautréamont*. Remarquable enquête, minutieusement menée, qui ne laisse plus dans l'ombre aucun élément de la biographie du jeune Isidore Ducasse, qui allait devenir en littérature le « comte de Lautréamont ». François Caradec a déjà donné les raisons de ce pseudonyme glorieux : le poète ne voulait pas être confondu avec un baron Albert du Casse qui publia quelques écrits. Il voulait aussi éviter toute confusion avec un Ducasse de Sarancolin, célèbre au siècle dernier dans nos campagnes pyrénéennes et justement oublié aujourd'hui. *Les Chants de Maldoror* ont, eux, définitivement établi leur règne. Par un délire d'imagination et une folie qui nous touche. L'un de ses amis a dit : « Il y a des cerveaux dont les médecins ne peuvent pénétrer les secrets. »

Lautréamont, Supervielle et Laforgue étaient des exilés, des passagers de l'Océan. Ils portaient en eux la nostalgie de leur origine, ils avaient fait le choix d'une patrie essentiellement littéraire et souvent la tristesse leur venait du terroir où ils se savaient ignorés, incompris. A l'un de ses passages à Tarbes, Jules Laforgue écrivit à sa sœur restée à Montevideo : « On ne vit ici que de cancans qu'on colporte de rue en rue... Observe ces provinciaux, méprise-les. Fais-toi des opinions hautaines sur notre pays, sur tout le monde. Tu les en aimeras davantage. »

24 décembre. – Comme Jean-Louis Curtis, j'ai des livres « phosphorescents » dans ma bibliothèque. Il nous arrive d'aimer les mêmes ouvrages. Ainsi, *Venises*, de Paul Morand, où l'auteur raconte à la fois une ville, une civilisation, un art de vivre, et *Lettrines* de Julien Gracq qui est journal de lectures, de promenades, de paysages. J'ai regardé tout à l'heure le rayon que j'appelle *de nécessité*. Il y a côte à côte *Jeanne d'Arc* de Joseph Delteil, *le Désert des Tartares* de Dino Buzzati, *l'Ami retrouvé* de Fred Uhlman, *les Temps sauvages* de Joseph Kessel, *Suite* de Paul Valéry, *Belle du seigneur* d'Albert Cohen, *les Mémoires d'Hadrien* de Marguerite Yourcenar, *Fictions* de Jorge Luis Borges, *le Vieux Marin* de Jorge Amado et

291

tous les volumes d'*A la recherche du temps perdu* de Proust dans la collection « Plaisir du livre » illustrée par Grau-Sala. Je n'ai pas pris le temps de compléter cette liste, de peser sur le bois qui accueille mes « amis ». Sans doute vais-je y glisser *Une éducation d'écrivain* de mon compatriote Curtis qui se montre sévère pour les belles-lettres : « On publie aujourd'hui des traités ennuyeux, des travaux d'érudition, soit une énorme production gélatineuse indifférenciée qui fluctue entre le document et la fiction romanesque... Mais des ouvrages de littérature pure, voilà qui, en notre second demi-siècle, devient rare. » Je ne suis pas pessimiste. *Alizés* de Michel Rio et *le Diable en tête* de Bernard-Henri Lévy signalent l'envolée d'une nouvelle génération de romanciers. Curtis est depuis si longtemps si bellement en route qu'il a déjà pour lui l'éternité.

25 décembre. – Pax! C'est la devise de millions d'hommes et de femmes, le chant des anges au-dessus de toutes les crèches, le final inscrit par de grands musiciens sur de sublimes partitions. Aux sceptiques qui disent, souvent avec raison, qu'il n'y eut jamais de paix dans l'Histoire, rappelons le mot de Gandhi : « Écrivons donc une autre histoire. » On peut rêver qu'elle commence à chaque Noël.

27 décembre. – James de Coquet accorde à son grand âge une approximative indifférence. A quatre-vingt-sept ans, il se donne encore des airs de séducteur. Cela tient au coloris de ses vêtements, au saumon de son écharpe, à sa peau rosée étonnamment fraîche, à une élégance de vie qui jamais ne fut abîmée par la jalousie. Ce midi, nous voilà à Nice juste de passage à l'aéroport. Sa curiosité est intacte. La préparation de mes émissions le passionne, l'approche de sa mort l'intéresse : il en parle sans angoisse – « Vous écrirez bien un mot gentil à mon départ! » Je lui fais remarquer que le temps n'est pas venu. « Sans doute, mais il faut anticiper pour ne pas être pris de court dans un virage. J'ai subitement une idée ; je sais maintenant que je ne raterai pas ma dernière chronique journalistique : Je vais me mettre à ma propre nécro. » Il ne plaisante pas, cette promesse de papier déjà l'amuse, « ce sera parfaitement torché. Je crois connaître mon sujet. Mais, comme on n'est sûr de rien, dans le cas où la dame se présenterait trop tôt, je vous charge officiellement d'emprunter mon épitaphe à Renaud Matignon. Il a écrit à peu près ceci, je cite de mémoire : " James de Coquet a souvent fait le tour du monde et il lui est arrivé de rencontrer James de Coquet. Il ne lui a pas déplu. " Je trouve ce raccourci admirable ».

28 décembre. – Ernst Jünger proclame en toute occasion que le journal est à beaucoup d'égards supérieur au roman. Il restitue le temps dans sa progression, replace les couleurs dans son véritable espace à l'instant du récit, inscrit les mille renseignements concernant toute navigation humaine, il engrange des notations régulières, des impressions personnelles. Montherlant qui s'en méfiait revenait souvent à « l'origine agricole du mot » : mesure de superficie correspondant à la qualité de terrain qu'un homme peut labourer dans un jour. Et il me disait : « Les écrivains ne sont que des laboureurs de vie, certains ont des pioches, creusent profond, ce ne sont pas les plus adroits. Mais ils laissent des traces, au jour le jour. » J'apprécie cette littérature de l'éphémère, ce déboulé de rencontres et de voyages, cette propension à la confidence ou à l'évasion, je m'étonne seulement de l'impudeur de certains, souvent de ceux qui ont le moins à dire. Gardons à *intime* son sens véritable : qui appartient à ce qui est tout à fait privé, qui se passe au-dedans de notre conscience. Autrement les jardins secrets, défeuillés, n'auront plus aucun charme. Je sais pourtant des auteurs qui sortent grandis de leur confession. Le talent est leur défense. J'aurais moins aimé Gide, Renard, Léautaud,

Green si j'avais délaissé leur journal. Ce genre est une précieuse source d'images sur la vie d'une époque et, s'il m'intéresse particulièrement aujourd'hui, c'est sans doute parce que j'ai reçu les bonnes pages de trois ouvrages de la même famille.

Le journal de Geneviève Bréton m'était inconnu. Et pour cause. Jean-Louis Vaudoyer, son fils, ancien administrateur de la Comédie-Française, l'avait déposé à la Bibliothèque nationale et il a fallu toute l'admiration de sa fille Daphné pour l'en sortir, assurer l'édition de cinq années : 1867-1871. C'est un témoignage sur le Second Empire, sur la bourgeoisie, sur la richesse, sur les arts de cette deuxième partie du XIXe siècle, sur les familiers de sa maison, Victor Duruy, Gustave Doré, Maxime du Camp. Geneviève Bréton avait dix-huit ans, elle aurait voulu en avoir cinquante, elle était amoureuse d'un peintre – « S'il manque de venir un jour, il me semble que le soleil ne s'est pas levé, qu'il fait nuit tout le jour. » Il y a dans ces 265 pages une qualité de style, une intelligence, une justesse, une écriture également remarquables. Et une passion magnifique pour ce fiancé qui lui échappera puisqu'il est tué au combat : « Personne n'entrera dans mon *intimité*, dans cette région brûlante qu'il a habitée *seul* et cela sans grands murs de couvent, sans grille ni règle, seulement parce que je le veux. » Trois mois après la mort de son « petit Regnault », le 2 avril 1871, elle écrit : « La révolution est à la république ce que la débauche est à l'amour. » C'est à dix-sept ans, l'âge de Geneviève – à quelques mois près – qu'Anaïs Nin écrit en 1920 le *Journal d'une fiancée* qui paraîtra en janvier : « Je pense trop, je cherche trop, j'attends l'impossible... J'ai l'encre dans le sang. » Beauté d'une seule petite phrase. Avec Claude Mauriac, nous sommes dans une autre aventure. L'auteur du *Temps immobile* – les premières lignes sont de 1927 – traque les liens secrets qui unissent les années entre elles, fait de la couture à travers ses époques, recolle les morceaux et nous donne un tableau de déchirures. Le modèle est unique. Il va par exemple du

22 avril 1932 au 22 avril 1952 qu'il enchaîne. En 1932, depuis le Trocadéro où il flâne, il regarde le Panthéon, Notre-Dame, les Invalides... En 1952, au Palais de Chaillot, il pense qu'à ce même endroit, un matin de juin 1940, Hitler avait (aussi) contemplé Paris. Dentelles de mémoire. J'ai déjà dit l'intérêt que je portais à cette longue série – le huitième volume sera demain en librairie sous le titre *Bergère ô tour Eiffel* –, j'aime qu'il nous parle de son père, de Paulhan, de Cocteau, d'Auric, du prix Delluc, du *Danton* de Wajda, mais je n'arrive pas à comprendre qui il croit intéresser lorsqu'il écrit : « 21 décembre 1951 : déjeuner avec mes parents et Marie-Claude chez les Georges Brousse, à Ville-d'Avray. Vu en sortant les Jardies. » Juste bon pour une enquête policière. A moins que la vertu d'un journal soit bel et bien dans cette relation de chaque fait et geste. Oserais-je écrire à la date d'aujourd'hui : « Ski ce matin avec Nicole, Anne, Gilbert, Jean et Jacques sur les pentes de Super-Barèges. » Je préfère dire que je suis dans mes Pyrénées, au cœur de mon territoire d'enfance, là où l'apocalypse n'est pas encore passée. La confidence n'est pas totale mais c'est tout de même une bonne indication.

31 décembre. – Partout la neige. Pas la moindre impureté sur l'immense blanc qui lie la plaine à la montagne. Un même habit, avec par-ci par-là des boursouflures. Et des flocons qui tombent comme pelotes de laine. Les saisons nous sont rendues, on peut espérer que 1985 se mettra vraiment en quatre pour rétablir l'équilibre en toutes choses. C'est un jour non skiable. Manque de visibilité, approche de la fête, paresse entretenue. Dans le froid du Lavedan, les feux de Miramont sont des gardiens de première nécessité, des veilleurs attentifs, des guetteurs de signes et de rives. Ils brûlent aussi parfois en été et mêlent leurs fumées au soleil. De mon bureau je vois une ligne continue de sommets à ma portée ; les distances sont moins marquées, dans la nuit tout s'est rapproché.

Pour un jour, il semble que le monde – le mien – se soit donné un point de convergence. Moment de répit. Il y a dix ans, à cette même place, près de la cheminée, Marcel Jullian s'illusionnait encore : il pensait que la liberté de faire lui était donnée. Nous étions tous les deux, complices du dernier sprint, du premier plongeon, seuls, abandonnés par nos amis du bout de l'an qui nous savaient occupés par l'*événement* : nous préparions l'entrée d'Antenne 2 dans le nouveau jeu audiovisuel fixé par la loi du 7 août 1974. Nous n'avions plus qu'une petite semaine pour pousser les pions sur la case départ. Marcel se demandait où nous mènerait l'aventure, il n'aurait pu imaginer qu'elle lui apporterait plus de souffrances que de joies, nous aurions été bien en peine de prévoir les étincelles à venir. Aujourd'hui l'histoire de ces feux d'artifice est magnifiée par la légende et c'est tant mieux. Ce que certains appelaient *folie* – surtout parmi les nôtres –, et qui était invention, bouleversement des habitudes, délires raisonnés, a finalement trouvé son rythme. Bien des télévisions dans le monde s'en sont inspirées. Pour tant de services rendus, Marcel Jullian a été remercié par un gouvernement de droite, oublié par une majorité de gauche et bien entendu porté au pinacle par les hommages salonnards des deux. C'est dans le droit parfait de la démocratie. Nous n'en sommes pas malheureux, mais notre vigilance est exemplaire : les honneurs sont funestes. Il ne faut rien devoir à ceux qui nous gouvernent. Leur idéologie qu'ils ont tatouée sur le front nous le ferait trop cher payer et cela est valable pour tous les régimes. Haïr la haine, fille de la peur, de la bêtise, est excellente chose. Je préfère admirer que détester. J'ai souvent organisé des affrontements, seulement pour crever des abcès; j'ai été au début de « Radioscopie » naïvement vachard, c'était pour allumer d'autres feux... On peut s'y prendre différemment, avec courtoisie par exemple. Jamais dans ces joutes nous ne fûmes perfides. Maintenant les débats d'idées sont devenus des enfers, d'étranges combats. Chacun y va de ses certitudes, de ses arrogantes assurances. Sectarisme borné, intolérance agressive. Il y a la bonne gauche, la méchante droite, ou le contraire. Clivages imbéciles. Le terrorisme n'est pas seulement dans quelques actions tragiques, il a sans doute plus d'effet sous cette impulsion nouvelle : détestez-vous les uns les autres. Les bandes à Baader sont dès lors innombrables. On se perd à s'épier. Si on insistait un tout petit peu, la moitié de la France dénoncerait l'autre. Nous devrions reprendre la belle réflexion de Victor Hugo à la fin de *Choses vues* : « Aimer, c'est agir. » Hélas il y a la jalousie, l'envie, ennemies de toute création. Souvent, pour ces raisons sordides, bien des amis vous tombent du cœur. Heureusement il y a l'évasion, *l'intime* qui vous fait inventer sur place un autre territoire, *l'exploratrice* qui, à Pékin, vous conduit de la source des Parfums au temple de la Parfaite Sagesse, à Angkor, du Bàyon à la terrasse des Éléphants. J'aime les voyages, surtout ceux qui n'ont pas de motivation, pas de règle, j'aime plus encore les rêves qui les précèdent et les organisent dans des lignes qui ne seront pas forcément suivies; je prépare mes futures absences, une traversée des forêts du Cameroun sur les traces des élans de Derby, un retour à Colombo – Ceylan fut l'émerveillement de mes dix-huit ans –, une cavalcade en Uruguay, une fuite au Québec où nous serons accueillis en juin par Charles Dutoit et l'Orchestre de Montréal. Baudelaire a raison de dire que, aux yeux du souvenir, le monde est petit et nous devons croire que les distances ne sont rien : faire croisière, c'est aussi aller à l'Orangerie promener son regard sur les *Nymphéas* de Claude Monet, c'est passer aux aveux pour ne se faire à soi-même aucun cadeau et gommer l'amertume trop souvent empêtrée d'arrogance. Voyager et voir et tenter de comprendre, c'est au final s'obliger à l'élégance. A la vérité, je voudrais que la vie soit l'égale de mes rêves!

Dans vingt jours, Paris célébrera le cent quatre-vingt-douzième anniversaire de la mort de Louis XVI. Huit cérémonies sont prévues, l'une d'entre elles sera présidée par le comte de Paris, descendant de Philippe Égalité, le

régicide : l'héritier priera pour « sa » victime. Bizarre
carambolage de l'Histoire qui brouille toutes les pistes et
s'offre deux siècles après plumes blanches et fleurs de lys.
Quelques-uns voudraient fêter avec éclat le millénaire de
la France monarchique – Hugues Capet fut élu roi en 987
–, d'autres préparent le deux centième anniversaire de la
Révolution. Les plus nombreux pensent que nous serons
demain en 86. Le pays s'est mis en campagne. Ce ne sont
plus des régiments qui montent en ligne mais encore et
toujours des *divisions*. Ça recommence.

Cet ouvrage a été réalisé sur
Système Cameron
par la SOCIÉTÉ NOUVELLE FIRMIN-DIDOT
Mesnil-sur-l'Estrée
avril 1985

et relié par BRUN
à Malesherbes

Imprimé en France
Dépôt légal : avril 1985
Nº d'impression : 2084